A FRANCO-MAÇONARIA SIMBÓLICA E INICIÁTICA

Jean Palou

A FRANCO-MAÇONARIA SIMBÓLICA E INICIÁTICA

Tradução de
Edilson Alkmim Cunha

BIBLIOTECA MAÇÔNICA PENSAMENTO

Editora
Pensamento
SÃO PAULO

Título original: *La Franc-Maçonnerie.*
Copyright © 1964, by Payot, Paris.
Copyright da edição brasileira © 1981 Editora Pensamento-Cultrix Ltda.
Texto de acordo com as novas regras ortográficas da língua portuguesa.
5ª edição 2012.
Todos os direitos reservados. Nenhuma parte desta obra pode ser reproduzida ou usada de qualquer forma ou por qualquer meio, eletrônico ou mecânico, inclusive fotocópias, gravações ou sistema de armazenamento em banco de dados, sem permissão por escrito, exceto nos casos de trechos curtos citados em resenhas críticas ou artigos de revistas.

Capa: Rosana Martinelli

Projeto gráfico e diagramação: Verba Editorial

Revisão de texto: Adriana Moretto de Oliveira, Juliane Kaori e Renato Potenza Rodrigues

Dados Internacionais de Catalogação na Publicação (CIP)
(Câmara Brasileira do Livro, SP, Brasil)

Palou, Jean, 1917-1967.
A franco-maçonaria simbólica e iniciática / Jean Palou; tradução de Edilson Alkmim Cunha. — 5. ed. — São Paulo: Pensamento, 2012. —
(Coleção biblioteca maçônica Pensamento)

Título original: La franc-maçonnerie.
Bibliografia
ISBN 978-85-315-0268-2
1. Alquimia 2. Hermetismo 3. Maçonaria 4. Maçonaria – Simbolismo 5. Maçons I. Título. II. Série.

12-00763   CDD-366-1

Índice para catálogo sistemático:
1. Maçonaria: Sociedades secretas 366.1

Direitos de tradução para a língua portuguesa
adquiridos com exclusividade pela
EDITORA PENSAMENTO-CULTRIX LTDA.
Rua Dr. Mário Vicente, 368 — 04270-000 — São Paulo, SP
Fone: (11) 2066-9000 — Fax: (11) 2066-9008
E-mail: atendimento@editorapensamento.com.br
http://www.editorapensamento.com.br
que se reserva a propriedade literária desta tradução.
Foi feito o depósito legal.

Sumário

Introdução 11

História
1. A Franco-Maçonaria operativa 19
2. Da Maçonaria operativa à Maçonaria
   especulativa 61
3. Anderson, Désaguliers, Ramsay 72
4. Os degraus do santuário 104
5. O Rito Escocês Retificado 155
6. A Franco-Maçonaria e a Revolução
   Francesa (1789-1804) 162
7. A Franco-Maçonaria sob o Império 195
8. A Franco-Maçonaria nos séculos XIX e XX 217

Simbolismo
9. O simbolismo maçônico 259
Conclusão 285

Anexos
I. Extrato das Constituições de Anderson 289
II. Discurso do cavaleiro de Ramsay 291
III. Ritual dos Bons Companheiros lenhadores da floresta
    da Loja de Macon 299

IV. Quadro das irmãs da Loja *La Candeur*
[A Candura] do Oriente de Paris, 1779 305
V. Estado da Franco-Maçonaria em toda a Terra
em 1787 319
VI. Decoração de uma Loja no século XVIII 323

À memória de René Guénon (1886-1951)

Ao meu amigo Louis Arnould-Grémilly

A FRANCO-MAÇONARIA

SIMBÓLICA E INICIÁTICA

Introdução

Numa época em que dominava a sacralização do mundo, de suas formas e de seus objetos, cada ofício, além de suas técnicas, possuía ritos próprios ao seu desempenho, o que fazia de cada artífice um artista e iniciado. O ofício fazia parte de um plano sagrado e dava pleno sentido à determinação bíblica: "Ganharás o teu pão com o suor de teu rosto", que deve ser tomada no seu espírito e em sua letra, e, se implica trabalho, significa também resultado tanto do ponto de vista material quanto espiritual.

Cada ofício tinha a sua iniciação própria, quer dizer, algo que permitia a cada pessoa receber uma influência espiritual que fizesse do ofício não só um prolongamento obrigatório da mão, mas também uma projeção do ser no sentido de uma realização espiritual. O ofício necessário à sobrevivência material era também necessário à transcendência do ser. Toda individualidade tendia, pelo exercício do ofício sacralizado, à realização da integralização de suas possibilidades espirituais. Mesmo nos tempos primitivos, se o ofício sacralizado já pertencia ao domínio do esoterismo, a iniciação, embora transmitisse individualmente uma verdadeira influência espiritual, não concedia a todos uma realização espiritual total. Todos eram iniciados; a maior parte permanecia virtualmente como tal; muito poucos eram *eleitos*.

A iniciação se fazia por meio de ritos. Exprimia-se na forma de símbolos. Nela nada implicava, e continua não implicando, qualquer manifestação de sentimentalismo. Era, e continua sendo, um meio espiritual, apoiando-se antigamente numa técnica operativa, hoje especulativa (exceto no que diz respeito às corporações obreiras), na tentativa de reencontro do estado primitivo do ser antes da queda. A iniciação, em suas formas, em seus meios, em seus objetivos, una em seu espírito, múltipla, porém, nas diferentes aplicações das técnicas peculiares a cada ofício, pela sabedoria que preside à elaboração lógica da obra, pela força que possibilita sua realização efetiva, e pela beleza que proporciona o amor a cada realizador, isto é, o conhecimento ajudava o artífice a se despojar do homem velho para se transformar num novo homem, criador de objetos e forjador de um novo mundo, finalmente harmonioso.

A iniciação de ofício é apropriada ao manifestado. Significa que, situada sob a abóbada dos céus, põe o trabalhador sobre a terra, entre os objetos que estão na medida do planeta e as estrelas que pertencem a um mundo imutável. O iniciado é, por conseguinte, filho do céu e da terra, e sua iniciação técnica só se procede por meio de pequenos mistérios.

O ofício de construtor situa-se entre os primeiros ofícios do mundo, fossem os materiais empregados madeira, pedras brutas grosseiramente arrumadas ou pedras trabalhadas de uma maneira mais ou menos requintada. O primeiro material — a madeira — implicava, por sua leveza, formas de vida bastante *primitivas* que remontavam ao nomadismo. O segundo — a pedra — indicava já uma solidificação no espaço e no tempo e, consequentemente, um certo peso com relação à madeira, quer dizer, uma degenerescência, considerado o ofício com seu objetivo de ascensão espiritual. Todavia, a arte, por um despojamento voluntário que não excluía a beleza, iria glorificar a pedra no seu corte, suas proporções, suas justas medidas, a harmonia de suas formas e a razão de si mesma.

As pedras, talhadas nas pedreiras ao ritmo dos maçons, integravam-se no edifício final em seu exato lugar. Assim se construíram pelo mundo afora igrejas, catedrais, monumentos, mansões opulentas ou casas humildes. A pedra escolhida por sua constituição, bem viva nas mãos do artífice qualificado para desbastá-la, integrada na construção pelos companheiros iniciados sob a direção de um mestre de obras, no plano divino constituía uma e mesma coisa com a construção de cada edifício. Ao ritmo das palavras que acompanhavam os gestos motivados pelas técnicas, elevavam-se o edifício transitório e a obra perene.

Vagando pelos caminhos, pelas aldeias e vilas, os companheiros, homens livres, sábios conhecedores do material, exercitados no seu uso adequado, formavam pequenos grupos itinerantes. A Franco-Maçonaria operativa tinha nascido.

Por meio dela, e por meio de seus membros iniciados, os franco-maçons, a Europa ocidental católica iria cobrir-se, além das casas dos homens, com o manto branco das catedrais, templos de um Deus único. Anterior ao cristianismo, uma vez que o ofício de construtor surgiu da necessidade imediata do abrigo, a Franco-Maçonaria a ele se adaptou e associou o princípio da reintegração primordial ao da redenção. A Franco-Maçonaria colocou-se deliberadamente sob o signo da cruz, porque horizontalmente representa o manifestado, isto é, a vida e a morte, o alfa e o ômega, que os franco-maçons gravaram na pedra sob a forma de certos símbolos e, verticalmente, participa da exaltação espiritual. Assim, os franco-maçons criaram os fechos de abóbadas das igrejas, *oculum* do qual descia a luz divina, abertura carente da pedra angular, pois ao homem em sua imperfeição, mesmo já tendo modelado esta última pedra, restava-lhe apenas rejeitá-la para não impedir a imanência do divino no cosmo.

Quando os franco-maçons deixaram de construir as catedrais, continuaram, naturalmente, a levantar monumentos, civis ou religiosos. Mas, sobretudo os monumentos religiosos assumiram um aspecto particular que atestava a degenerescência da tradição. Quando os franco-maçons suspenderam sua ação construtiva, técnica e espiritualmente, não se edificaram mais catedrais góticas. A floresta de outrora que se fizera pedra tornou-se um salão luxuoso em que a arte foi substituída pelo sentimento e o impulso espiritual, pela efusão do luxo. A Franco-Maçonaria perdera seu lugar num mundo em que a máquina iria, em breve, substituir a mão humana. As técnicas dos franco-maçons perderam-se também. As palavras que se cantavam nas pedreiras havia muito tempo já tinham desaparecido. Delas restavam fragmentos que permitiam transmitir, sempre regularmente, a iniciação primeira. A palavra divina para quem dirigia o canto dos operários tinha-se perdido, sendo substituída por letras que os iniciados, por um trabalho puramente intuitivo e não mais pela técnica, procuravam juntar para com elas formar palavras sagradas.

Nascera a Franco-Maçonaria especulativa.

Jamais tivemos a intenção de traçar neste livro um quadro completo da Franco-Maçonaria mundial. Mesmo incompletos, e assim o seriam necessariamente por falta de documentos, muitos volumes não seriam suficientes. Assim, restringimos voluntariamente nosso estudo à Franco-Maçonaria francesa, embora aqui e ali nos estendamos a outros países, notadamente à Inglaterra.

Mas a originalidade deste estudo não reside na limitação do tema, imposto pelo quadro desta coleção. Não quisemos fazer uma história seguida das diferentes obediências maçônicas e de suas querelas, infelizmente muito numerosas.

A história da Franco-Maçonaria não foi para nós senão o meio de nos determos na outra história das iniciações. Nosso objetivo foi apresentar uma história iniciática da ordem. Em outras palavras, rejeitando a história da Franco-Maçonaria, que é do domínio exclusivamente exotérico, quisemos investigar o esoterismo próprio da Maçonaria e, sob esse ponto de vista, estamos mais particularmente ligados ao estudo obrigatório do simbolismo dos graus superiores da Maçonaria escocesa, que oferece um campo de pesquisas novas e realmente ilimitadas.

Inúmeras obras e artigos têm sido escritos sobre a Franco-Maçonaria. Várias e volumosas obras não esgotariam sua bibliografia. É evidente que não podemos oferecer nesta introdução uma bibliografia mesmo extensa. Nossas leituras foram muito vastas e o leitor encontrará todas as nossas referências em notas de rodapé, juntamente com as notas complementares. Contentar-nos-emos em oferecer aqui apenas alguns títulos essenciais.

Existe um certo número de manuais de história geral da Franco-Maçonaria, podendo ser citados entre os mais recentes: Gaston-Martin, *Manuel d'histoire de la Franc-Maçonnerie française*, Paris, P.U.F., 1929, 278 pp. Trata-se de um livro claro, muito discutido no seu tempo; a maior crítica que lhe pode ser feita é o de fazer começar a história da Maçonaria em 1717 e de ignorar totalmente os "maçons operativos".

Henri-Félix Marcy, *Essai sur l'origine de la Franc-Maçonnerie et l'histoire du grand orient en France*, t. I: "Des origines à la fondation du grand orient de France" [Da origem à fundação do Grande Oriente da França], Paris, 1951, 176 pp. — t. II: "Le monde maçonnique français et le grand orient de France au XVIIIe siècle" [O mundo maçônico francês e o Grande Oriente da França no século XVIII], Paris, 1956, 368 pp.

O autor, falecido em 1963, reuniu um grande acervo de documentação, o qual, todavia, nem sempre soube apresentar com o devido cuidado. Além disso, essa obra importante, infelizmente inacabada, está marcada por um espírito partidário que lhe rouba muito de sua força.

Num modelo mais reduzido, poderá ser lido com satisfação: Serge Hutin, *Les franc-maçons*, Paris, Le Seuil, 1960, Collection "Le temps qui court", t. XIX, 193 pp. Rico em ilustrações, esse pequeno livro é de leitura agradável. A falta deplorável de conhecimentos de história geral leva muitas vezes o autor a cometer erros grosseiros e lamentáveis.

É mais recomendável o ensaio sério e documentado de Paul Naudon, *La Franc-Maçonnerie*, Paris, P.U.F., 1963, Collection "Que Sais-je?", n° 1 061, 128 pp. Uma verdadeira proeza, tentada e realizada por Paul Naudon, de encaixar em menos de 128 páginas toda a história da Franco-Maçonaria, enriquecida de um estudo conciso da doutrina e dos ritos maçônicos.

Com muita prudência, o leitor já advertido poderá recorrer à obra de Albert Lantoine, *Histoire de la Franc-Maçonnerie française*, 3 vols., cuja parcialidade só pode ser comparada à má-fé partidária e à falta de senso crítico. A esses ensaios de um historiador amador, são preferíveis:

Marius Lepage, *L'Ordre et les obédiences*, Lyon, Derain, 1956. Pequeno livro concebido numa forma original muitas vezes brilhante, mas peca por omissões bastante deploráveis e às vezes conscientes, como a do nome de André Michel de Ramsay.

O estudo da Franco-Maçonaria operativa tem sido objeto de um grande número de trabalhos, creditados sobretudo a historiadores britânicos, que se prendem mais à letra do que ao espírito.

Sobre o assunto, recomenda-se a leitura do livro de Louis Lachat, *La Franc-Maçonnerie opérative*, Paris, Eugène Figuière, 1934, cuja leitura, porém, deverá ser feita com devidas reservas, uma vez que o autor se revela frequentemente dotado de imaginação criadora, sem base histórica real.

Com o ensaio de Jean Gimpel, *Les bâtisseurs de cathédrales*, Paris, Le Seuil, "Le temps qui court", nº 11, 1958, resta o livro essencial de Pierre Du Colombier, *Les chantiers des cathédrales*, Paris, Picard, 1958. Trata-se de um interessante estudo, ilustrado com várias pranchas (comentadas) muito sugestivas.

Sobre as origens corporativas da Franco-Maçonaria, o leitor recorrerá com proveito às seguintes obras de:
Paul Naudon, *Les origines religieuses et corporatives de la Franc-Maçonnerie. L'Influence des templiers*, Paris, Dervy, 1953.

Paul Naudon, *Les loges de Saint Jean et la philosophie ésotérique de la Connaissance*, Paris, Dervy, 1957.

O bom trabalho de Lionel Vibert, *La Franc-Maçonnerie avant l'existence des grandes Loges*, traduzido do inglês, Paris, Gloton, 1950, terá sua utilidade, ressalvadas as críticas aos documentos apresentados pelo autor.

Apresentamos nas notas de rodapé um grande número de livros e artigos consultados, sendo, por conseguinte, necessariamente limitados os títulos aqui apresentados, que constituem apenas uma bibliografia sucinta de um vasto tema.

O simbolismo maçônico, tão complexo e tão difícil de ser interpretado, tem sido objeto de estudos inumeráveis, dando prova, às vezes, de uma imaginação solta e sustentando-se da pura fantasia do autor. Alguns têm procurado misturar com o simbolismo maçônico elementos oriundos de certas tradições sem qualquer vínculo, mesmo longínquo, com uma forma esotérica — a Franco-Maçonaria — exclusivamente ocidental.

O leitor poderá ainda recorrer à obra muito envelhecida, impregnada de um ocultismo sentimental, de Oswald Wirth, *La*

Franc-Maçonnerie rendue intelligible à ses adeptes (*Le livre de l'apprenti, le livre du compagnon, le livre du maître*), nova edição, edição de "*Simbolisme*", Laval (Mayenne).

É preferível, apesar de graves defeitos, o bom manual de J. B. (Jules Boucher), *La symbolique maçonnique*, Paris, Dervy, 1948.

Resta a obra essencial, rica em avaliações sugestivas e exposições proveitosas, de René Guénon e, mais particularmente:

René Guénon, *Aperçus sur l'initiation*, Paris, Les Éditions Traditionnelles, 2ª ed.; 1953.

Idem, "La Grande Triade", Paris, Gallimard, 3ª ed., 1957.

Idem, *Symboles fondamentaux de la science sacrée*, Paris, Gallimard, 1962.

Ao concluir esta breve introdução, resta-nos um dever muito agradável a cumprir. É o de agradecer a todos que, na ocasião da concepção, da organização e da realização desta obra, nos ajudaram com seus preciosos conselhos, franco-maçons ou não, que nos franquearam suas bibliotecas, pondo assim ao nosso alcance obras e revistas, cujo acesso, por se tratar de assuntos reservados, é vedado ao público profano.

Somos particularmente gratos aos senhores Charles Riandey, grande comandante do Rito Escocês Antigo e Aceito da França; Louis Doignon, grande orador do Supremo Conselho da França e grão-mestre de honra da Grande Loja da França; Georges Hazan, 33º, antigo grão-mestre da Grande Loja da França; Emmanuel Drapanaski, 33º grão-mestre adjunto da Grande Loja da França; André Adelus, 33º, bibliotecário-arquivista da Grande Loja da França; o presidente Maurice Weil, 33º; Dr. Pierre Dumont, C.B.C.S., e Roger Leyris, venerável de honra do Grande Oriente da França.

Nossos agradecimentos são também extensivos àqueles cujas conversações nos ajudaram muito: Maurice Arnaud, Jean-Pierre Berthelon, Lazare Desgeorges, Claude Cagne, Charles Gosselin, Jacques Marion, Padre Stéphane, Gustave Wathelet etc.

A todos, cujos nomes acabamos de citar, pedimos nossas desculpas por havê-los nomeado, mas aqui mesmo deixamos registrada nossa homenagem de profundo reconhecimento.

História

1. A Franco-Maçonaria operativa

"Também vós mesmos, como pedras vivas,
sede edificados em casa espiritual."
(Primeira Epístola de são Pedro, II, 5)

É sabido por todos que a Franco-Maçonaria, conforme sugere seu nome de origem francesa, tomou seus ritos e símbolos do ofício de construtor, do ofício de pedreiro (*maçom*). Ainda em nossos dias, "pode-se dizer, inicialmente, a esse respeito, que a conexão com o ofício, embora tenha deixado de existir quanto ao seu exercício externo, não subsiste de maneira menos essencial, uma vez que continua necessariamente inscrita na própria forma dessa iniciação; se viesse a ser eliminada, não haveria mais iniciação maçônica, mas algo totalmente diferente; além disso seria impossível substituir legitimamente por outra filiação tradicional a filiação de fato existente, ou melhor, não haveria mais na realidade nenhuma iniciação".[1]

Torna-se necessário, por conseguinte, estudar de uma maneira mais profunda a maçonaria assim chamada operativa, da qual procede a que se poderia chamar de Franco-Maçonaria, uma vez que esta é a continuação daquela, sem qualquer ruptura, no decurso dos séculos, da cadeia iniciática.

As origens da Franco-Maçonaria estão muito longe de ser claras e isso não poderia ser de outra forma: "Anderson faz remontar a Franco-Maçonaria a Adão, sem dúvida por não poder ir mais longe e por lhe faltar a ousadia de atribuí-la ao próprio Jeová. Oliver a institui no paraíso terrestre. E maior é o número daqueles que veem seu berço no templo de Salomão [...] Alguns se consideram herdeiros dos mistérios da Índia e do Egito, ou no

---

1 R. GUÉNON, *Aperçus sur l'initiation*, 2ª ed., Paris, Les Éditions Traditionnelles, 1953, pp. 102-103.

mínimo como continuadores das sociedades iniciáticas da Grécia e de Roma...".² Fazemos essa citação porque demonstra a incerteza na fixação de uma data mesmo aproximativa do surgimento da Franco-Maçonaria, embora seu autor anônimo dê grande crédito às opiniões de Goblet d'Alviella com referência às origens extremo-orientais, o que nos parece abusivo.

Trata-se, inicialmente, de explicar o que se entende por *Maçonaria operativa*. Um autor nos diz exatamente que "por 'operativo', deve-se compreender que os antigos maçons não se limitavam a especular sobre a iniciação, mas que se entregavam a operações, com vista à sua realização espiritual".³ O historiador britânico Bernard Jones observa: "A construção e todo o processo prático que desencadeia exigem considerável trabalho 'especulativo', o que hoje chamaríamos mais adequadamente de 'teoria'. A teoria dos planos de construção, da resistência dos materiais de construção, era a 'especulação' da alçada do mestre em artes e ofícios. A 'geometria' aplicada era 'especulação'. No sentido estrito, um trabalho dessa espécie era prático. Mas se não fizesse apelo aos instrumentos do operário, não podia ser *prático*, no sentido da época. Era precisamente *especulativo*".⁴ Esse texto curioso poderia ensejar uma longa discussão e vale a pena citar paralelamente a opinião de René Guénon: "a palavra 'operativo' não deve ser tomada exatamente como o equivalente de *prático*, no sentido de que esse termo se refere sempre à *ação* (o que, aliás, está estritamente conforme a etimologia) [..] a realidade, trata-se desse *acabamento* do ser que é a *realização* iniciática, com todo o conjunto dos meios de diversas ordens que podem ser empregadas com vista a essa finalidade".⁵ Por outro lado, René Guénon procu-

---

2 "La philosophie de la Franc-Maçonnerie", em *Cahiers de la Grande Loge*, 14 de junho de 1950, p. 31.
3 "Les buts originels de la Franc-Maçonnerie", em *Cahiers de la Grande Loge*, 11 de setembro de 1940, p. 26.
4 B. JONES, "Freemason's guide et compendium", traduzido por Marius Lepage em sua notável obra: *L'Ordre et les obédiences*, 2ª ed., Derain, 1956, pp. 28-29.
5 R. GUÉNON, *op. cit.*, p. 195.

rou mostrar a filiação entre a Franco-Maçonaria chamada *moderna* e a Maçonaria dita *operativa*; no mínimo, com relação ao seu simbolismo iniciático, "uma parte notável do simbolismo maçônico, escreve o autor de *Le roi du monde*, é derivada do pitagorismo, numa "cadeia" ininterrupta, por meio dos *Collegia Fabrorum* (associação de obreiros) romanos e das corporações de construtores da Idade Média".[6] Um historiador positivista poderia, e com razão, insurgir-se contra essa afirmação tão categórica. H. F. Marcy assim o fez, com seu acentuado senso crítico,[7] mas, todavia, sem levar em conta, nesse domínio, os textos muitas vezes insuficientes e afirmando, por exemplo, que "o esoterismo do Graal e o esoterismo dos Fiéis de Amor só legaram ao mundo exterior 'lendas' e 'poesias'".[8] Para Marius Lepage, um dos melhores conhecedores de tudo que diz respeito, de perto ou de longe, aos estudos maçônicos, "a Maçonaria francesa, sobretudo, reúne em si mesma duas correntes tradicionais distintas: a *operativa*, oriunda dos antigos construtores, e a *especulativa*, trazida pelos hermetistas e filósofos (a corrente templária, em cuja existência acredito, seria, desse ponto de vista, polivalente, unindo os símbolos da construção, da cavalaria e do hermetismo). O aspecto moral, especialmente sensível nos países anglo-saxões, surgiria da corrente *operativa* conservada nas *Old Charges* [...] Pelo contrário, o aspecto hermético e metafísico, que predomina no simbolismo particular da Maçonaria latina, seria proveniente de outras fontes inteiramente diferentes".[9] Está aí o que se pode chamar de dizer muitas coisas em poucas palavras, e muito diversas, com a consequente discussão das *origens* templá-

6 R. GUÉNON, *La grande triade*, 3ª ed., Paris, Gallimard, 1957, p. 177, nota 1.
7 H. F. MARCY, *Essai sur l'origine de la Franc-Maçonnerie et l'histoire du grand orient de France*, Paris, éditions du Foyer philosophique, 1949, t. I: "Des origines à la fondation du Grand Orient de France", pp. 26 ss.
8 M. LEPRÉVOT, "Digression insolite à propos des rituels du premier degré", em *Le Symbolisme*, nº 351, janeiro/março de 1961, p. 110.
9 M. LEPAGE, "Nos ancêtres les bâtisseurs d'Églises", em *Le Symbolisme*, nº 6, 328, julho/agosto de 1956, pp. 334-335.

rias ou hermetistas que aparecem sobretudo na Maçonaria no momento da elaboração dos rituais dos graus superiores, especialmente no Rito Escocês Antigo e Aceito, quer dizer, na segunda metade do século XVIII. A propósito dessas relações existentes entre a Maçonaria e a Antiguidade oriental, ou grega (a tradição do Oriente Próximo, ou mais particularmente judaica, tem nesse ponto uma grande importância, para não dizer capital), René Guénon fez uma observação sutil ao sugerir que da mesma maneira que a Maçonaria "se prende ao mesmo tempo a Salomão e a Pitágoras", a ordem dos Carmos "oriundos do Oriente" remonta sua função "a Elias e a Pitágoras",[10] ressaltando assim, por uma aproximação precisa, as interpenetrações que puderam ter tido lugar no decurso dos séculos entre as organizações tradicionais orientais e ocidentais, das quais a Maçonaria francesa constitui um dos ramos mais importantes do Ocidente.

Parece, todavia, para falar só do Ocidente, que a Maçonaria e o companheirismo não passam, no início, de uma única e mesma organização, tronco comum tradicional, do qual deveriam sair os dois ramos, numa época pouco precisa, muito provavelmente durante a Renascença. Esse aspecto foi sublinhado por Marius Lepage: "Os historiadores ingleses", escreve, "têm observado a notável semelhança dos catecismos maçônicos ingleses primitivos com rituais de iniciação de companheiros. Não resta, do ponto de vista histórico, qualquer dúvida de que na Maçonaria, como em muitas outras coisas, podemos descobrir uma dupla corrente: do continente para a Inglaterra (na Idade Média) e, em seguida, da Inglaterra para o continente, no fim do século XVIII. A velha Maçonaria inglesa, a das *Old Charges*, é filha das organizações de companheiros continentais, especialmente germânicas e francesas".[11] O que também é certo é que, para esses operários construtores iniciados, o trabalho puramente *operativo* é apenas um

---

10 R. GUÉNON, *Le roi du monde*, 3ª ed., Paris, Les Éditions Traditionnelles, 1950, p. 16, nota 3.
11 M. LEPAGE, *L'Ordre et les obédiences*, Lyon, Perain, 1956, p. 26.

apoio puramente espiritual. Jean Reyor o sugere com felicidade ao escrever: "Junto aos construtores há condições de se imaginar que esse trabalho (iniciático) se confundia, pelo menos parcialmente, com o trabalho profissional encarado simbolicamente".[12] Não teria fim um debate sobre a iniciação na maçonaria operativa. Achamos, além disso, que os maçons que trabalhavam na construção das igrejas medievais não eram todos *iniciados*. Voltaremos brevemente a esse assunto quando tratarmos do sentido liberal e profundo do termo *franco-maçom*. H. F. Marcy, com seu acentuado espírito cético, escreve: "Devo constatar que o vínculo que une a Maçonaria operativa à Maçonaria especulativa é muito mais frouxo do que faziam supor as glosas e as exegeses dos maçons apaixonados pelo simbolismo e os trabalhos de certos historiadores que, qualquer que sejam suas opiniões, quiseram ou pretenderam escrever uma história da Franco-Maçonaria".[13] Nisso é acompanhado por Alec Mellor, advogado católico que nega em seu ensaio muito orientado[14] todo simbolismo nas catedrais góticas e, consequentemente, em seus próprios construtores. É evidente, num plano superior, que "só a técnica dos monumentos não pode revelar o segredo de sua construção, uma vez que no espírito de seus arquitetos o ofício não era mais do que um instrumento, como a natureza nas mãos do Criador".[15] Precisamos, portanto, para explicar o presente, "remontar às origens da antiga Franco-Maçonaria e pesquisar as condições de existência impostas a seus fundadores pelo exercício de sua profissão.[16] Teremos, por conseguinte, de tratar da Maçonaria dita operativa, que preferimos qualificar de antiga Maçonaria ou melhor ainda de *arte real*, que implica o sentido e o conteúdo das palavras arte e ciên-

---

12 J. REYOR, "Sur la route des maîtres maçons", em *Le Symbolisme*, nº 352, abril/junho de 1961, p. 234.
13 H. F. MARCY, *op. cit.*, t. I, p. 16.
14 A. MELLOR, *Nos frères séparés les Francs-Maçons*, Paris, Mame, 1961, p. 41.
15 "La spiritualité des métiers et des arts" em *Cahiers de la Grande Loge*, 14 de junho de 1959, p. 64.
16 ARNOUX, *L'Acacia*, nº 818, setembro de 1931.

cia, o que levou o mestre maçom Jean Mignot a dizer, em 1401, aos mestres de obras milaneses que *Ars sine scientia nihil est*.[17] A arte real que criou, constituiu e edificou, no centro da fachada das catedrais, o pórtico real, também ele feito de Cristos gloriosos, o que significa, ao mesmo tempo, a obra-prima dos mestres maçons e a glorificação do trabalho, segundo o plano do divino Criador.

DO NOME "FRANCO-MAÇOM"

O nome *franco-maçom* (pedreiro livre) coloca um problema muito complexo, um tanto difícil de ser resolvido. H. F. Marcy escreve: "Os franco-maçons são homens livres; seu nome o indica, a faculdade que têm de se deslocar de uma cidade para outra o prova e no lugar onde se estabelecem são isentos das obrigações e regulamentos que o ofício impõe a seus membros: são *horsains*, estrangeiros que, como tais, não podem pertencer a uma corporação".[18] René Guénon desce a detalhes, complicando ainda mais o problema: "De fato, não havia antigamente outra distinção além da de *pedreiros livres*, que eram homens de ofício, que assim se chamavam por causa das isenções que tinham sido concedidas pelos soberanos a suas corporações e, sem dúvida também (deveríamos talvez mesmo dizer antes de tudo), porque a condição do homem livre por nascimento era uma das qualificações requeridas para ser admitido à iniciação".[19] Bernard Jones afirma, pelo contrário, que a palavra *franco-maçom* "jamais significou *pedreiro livre*" e que "essa expressão nunca implicou a ideia de um pedreiro emancipado da servi-

---

17 C. ENLART, *Manuel d'Archéologie française depuis les temps mérovingiens jusqu'à la Renaissance*, primeira parte: "Architecture", Paris, A. Picard et fils, 1901, citado por L. LACHAT: *La Franc-Maçonnerie opérative*, Paris, Eugène Figuière, 1934, p. 201.
18 H. F. MARCY, *op. cit.*, t. I, p. 28.
19 R. GUÉNON, *Aperçus sur l'initiation, op. cit.*, p. 193.

dão feudal".[20] O mesmo historiador sustenta contra Guénon: "Tem-se aventado que os franco-maçons eram originariamente pedreiros livres liberados pela Igreja, então todo-poderosa, do controle ao qual estava sujeito o *comum dos construtores*. Esses operários teriam sido reservados para a construção dos mosteiros e das igrejas, com exceção dos grandes castelos e de outros monumentos urbanos. Está provado que esses homens trabalhavam indiferentemente nas catedrais rurais e nos castelos urbanos".[21] E principalmente quando observa: "Não há certeza da existência de nenhuma associação de pedreiros neste país (a Inglaterra). Havia algumas associações religiosas de pedreiros, mas só conhecemos uma confraria poderosa, que não se enquadrava tecnicamente numa confraria: a comunidade dos pedreiros de Londres, com uma jurisdição muito limitada. Essa organização não apareceu senão no século XIII ou no século XIV".[22] P. Frankl, ao contrário, vê no nome *franco-maçom* uma alusão às franquias com relação às corporações urbanas.[23] Na realidade, a explicação nos parece outra inteiramente diferente e vem da própria natureza do ofício de pedreiro, o que implica, como o veremos dentro em breve, uma qualidade iniciática própria do ofício de construtor. D. Knoop e J. Jones fazem alusão, com referência à Inglaterra, aos estatutos de 1351, que falam de "freestone mason ou mestre pedreiro de par livre",[24] interpretação igualmente aceita por L. F. Salzman.[25] Marcel Speath, numa nota sugestiva ao texto de B. Jones que traduziu (por nós já citado), escreve: "A palavra *free* se traduz por *livre* ou *franco*, no sentido de isenção. Mas, em termos de ofício, esse mesmo adjetivo ligado à palavra *stone* (pe-

---

20 B. JONES, "Le mot 'Franc' dans Franc-Maçon", em *Le Symbolisme*, nº 6, 316, julho/agosto de 1954, p. 335.
21 *Id., ib.*, p. 336.
22 *Id., ib.*, pp. 335-336.
23 P. FRANKL, "The secret of the mediaeval masons", em *Art Bulletin*, março de 1945, p. 18.
24 KNOOP e JONES, *The mediaeval mason*, Manchester, 1949, 1ª ed., 1933, p. 89.
25 L. F. SALZMAN, *Building in England down to 1540*, Oxford, 1952, p. 30.

dra) significa pedra mole, arenosa, que se presta facilmente, como o *grès*, por exemplo, ao talho e à escultura, ao contrário da *roughstone* ou pedra dura".[26] B. Jones sublinha, ele próprio, a distinção que se opera, na Inglaterra, a partir do século XII, entre o pedreiro livre e a mão de obra. O pedreiro livre, segundo ele, "tinha um conhecimento mais aprofundado de seu material e uma ciência da geometria do ofício".[27] Observa também que "alguns estatutos arcaicos e outras fontes fazem alusão ao *pedreiro de pedra mole*[28] e acrescenta que "uma classe de pedreiros se desenvolveu, os quais, no decurso dos séculos XIII e XIV, foram conhecidos sob o nome de *pedreiros de pedra mole*. Já por volta de 1600, pedreiros que trabalhavam a pedra para o Colégio Wadham, de Oxford, eram assim denominados".[29] Jean Gimpel, por sua vez, expressa, com relação à França, a mesma opinião. Faz alusão à definição da expressão *franc--liais* de Littré, que significa a bela pedra de construir nos arredores de Paris. Ele relata uma anedota pessoal: "[...] A palavra *franc* (franco) aplica-se ainda hoje a bancos de excelente qualidade. Quando visitamos as pedreiras subterrâneas de Paris, um engenheiro, responsável pela vigilância do subsolo da capital, nos disse, para a nossa grande surpresa, ao designar bancos de pedra de muito boa qualidade, mostrando-nos a parede de uma galeria, 'Eis ali bancos francos'".[30] Um pouco mais adiante, Jean Gimpel acrescenta: "Na realidade, a pedra das esculturas não tem muitas vezes o mesmo

26 B. JONES, *op. cit.*, pp. 338-339.
27 *Id., ib.*, p. 328.
28 *Id., ib.*, p. 339.
29 *Id., ib.*, p. 339.
30 J. GIMPEL, *Les bâtisseurs de cathédrales*, coleção "Le temps qui court", Paris, Le Seuil, 1958, p. 96. Alguns elementos sobre o mesmo assunto podem ser encontrados na brochura de P. NOEL, *La Pierre, matériau du* passé *et de l'avenir* (112 páginas e 74 ilustrações, Institut technique du bâtiment et des travaux publics, Paris, 28, Bd. Raspail). Nesse estudo encontrar-se-á especialmente a lista de jazidas de pedras utilizadas na França até o século XVI (pp. 13-16); a reprodução de marcas de empreiteiros (ilustrações 49-57, pp. 63-68) e a lista dos edifícios nos quais se encontram as marcas (p. 68); a lista dos talhadores de pedra e dos lapidadores dos séculos XI e XII (pp. 77-78).

grão que as pedras dos muros contra os quais são apoiadas. Um olhar de relance sobre o pórtico real de Chartres é suficiente para se perceber que a pedra das famosas estátuas-colunas não foi tirada da pedreira de Berchères. Em Vézelay, a pedra dos capitéis não é a mesma que serviu para construir o resto da igreja".[31] Havia, portanto, uma diferenciação ao mesmo tempo social e qualificativa entre os pedreiros. À qualidade do ofício corresponde a qualidade do material empregado. Ao talhador de pedras, ao talhador de imagens na pedra de grão mole, corresponde o nome de pedreiro livre (*freestone-mason*). Aquele que desbasta a pedra bruta na pedreira, longe do canteiro da igreja, é o *rough mason* (pedreiro rude). E Jean Gimpel está coberto de razão quando ressalta que "a palavra *pedreiro livre* se refere evidentemente à qualidade da pedra e não a qualquer isenção de que se teriam beneficiado os construtores de catedrais. Quando foi introduzida na França a Franco-Maçonaria especulativa, traduziu-se naturalmente a expressão *free-mason* por *franc-maçon* (pedreiro livre), expressão que a Idade Média jamais havia conhecido".[32] Isso já havia sido observado por Pierre du Colombier: "Na França [...] a expressão *franco-maçom* era quase desconhecida durante toda a Idade Média".[33] Esta definição do franco--maçom nos parece a única justificável. Além disso, é sobejamente demonstrada pelo manuscrito maçônico inglês de 1693, que se encontra na posse da Loja York nº 293, que opõe a qualidade de pedreiro à de *rough mason* ou pedreiro rude, mostrando que existe um segredo "técnico" e por isso mesmo iniciático, que o primeiro não deve revelar ao segundo: "Além do mais, nenhum pedreiro pode mostrar alguma forma, esquadro ou régua, a um pedreiro rude (*rough mason*)".[34] Esses segredos eram também, sem dúvida, de

31 *Id., ib.*, p. 96.
32 *Id., ib.*, pp. 95-96.
33 P. DU COLOMBIER, *Les chantiers des cathedrales*, Paris, éd. A. et J. Picard, 1953, p. 41; sobre esta excelente obra, ver o relatório de M. LEPAGE em *Le Symbolisme*, nº de setembro/outubro de 1954, p. 18 ss.
34 Manuscrito maçônico inglês de 1693, York Lodge nº 293, publicado pela primeira vez pela revista *Hiram* (maio e julho de 1908), traduzido por Teder

uma outra ordem profissional, em relação com a iniciação tradicional no ofício de construtor. Convém aqui lembrar que os princípios fundamentais da antiga arquitetura religiosa encontram-se:

1º No triângulo equilateral que os pitagóricos haviam adotado como símbolo de Minerva ou da sabedoria, do qual nossos antepassados fizeram o símbolo da trindade.

2º No dodecágono resultante da aplicação desse triângulo ao círculo, combinação que os antigos consideravam como encerrando em si toda proporção musical e astronômica.

Gauthier Rivius, médico e matemático, chama, numa tradução de Cesário, a ordem resultante do triângulo: *o princípio mais elevado e mais importante dos talhadores de pedra*, parecendo aludir a uma ordem inferior que teria como base o quadrado ou o octógono que dele resulta, do mesmo modo que o hexágono e o dodecágono se baseiam no triângulo. É assim que as duas formas fundamentais, a do octógono e a do hexágono ou do dodecágono, baseando-se uma no quadrado, a outra no triângulo equilateral, encerravam todo o segredo construtivo da antiga arte dos talhadores de pedra; e os de Nüremberg, para atingir a mestria, deviam elaborar o plano de uma igreja segundo o princípio do octógono.[35] Nas igrejas da *belle époque* gótica, as aber-

---

e reeditado por Gustave Bord: *La Franc-Maçonnerie en France des origines à 1815*, Paris, Librairie nationale, 1908, t. I: *Les ouvriers de l'idée révolutionnaire (1688-1771)*, p. 509. Só apareceu o tomo I. Sobre essa obra, muito importante pela documentação incluída (pp. 357-547), embora o autor nem sempre cite as fontes, na sua maior parte privadas, mas de caráter parcial e polêmico que lhe rouba grande parte de seu valor científico, ver um interessante relatório crítico aparecido na revista *L'Acacia*: "Histoire de la Franc-Maçonnerie par un anti--Maçon", 1909, pp. 226-234.
35 A mestria é, portanto, o resultado da passagem do estado de companheiro para o de mestre. Não convém esquecer que a forma octogonal foi, antes da Renascença, a forma dos batistérios, forma que ainda hoje se encontra nas cubas de fontes batismais, e que esses batistérios eram essencialmente um lugar de passagem ou de transição. Existe, portanto, uma estreita relação entre a obra-

turas em ogiva não são traçadas arbitrariamente: o diâmetro dos arcos deve corresponder à metade do círculo, de maneira que as cordas desses arcos formem um triângulo equilateral.[36] Ainda da antiga maçonaria é o segredo de ofício que dá ao esquadro[37] divisões desiguais que levam à "formação do triângulo retângulo cujos lados são respectivamente proporcionais aos números, 3, 4 e 5".[38] É evidente que é dessa Maçonaria antiga que procedem os graus de *maçom da marca* (mark master) e do *royal arch* (maçom do arco real), décimo terceiro grau do Escocismo que vai desembocar nos grandes mistérios, isto é, que não responde mais aos *pequenos mistérios* próprios da iniciação do ofício, (sendo) "a abóbada celeste a verdadeira abóbada da perfeição".[39] Isso não deixa de ter relação com a assinatura do mestre de obras medieval nas chaves de abóbada aqui e ali em nossas igrejas.[40] A arte do pedreiro

---

-prima de forma octogonal exigida do companheiro para ter acesso à mestria e a passagem iniciática de um estado espiritual para um outro, na via da realização iniciática. (Sobre esse assunto, ver R. GUÉNON: "L'Octogone", em *Études Traditionnelles,* julho/agosto de 1949; reeditado em *Symboles fondamentaux de la science sacrée,* Paris, Gallimard, 1962, pp. 274-277 e mais particularmente a nota 4 da p. 275).
36 L. LACHAT, *La Franc-Maçonnerie opérative,* Paris, 1934, pp. 152-153. Ver sobre o livro o parecer crítico de A. LANTOINE em *Bulletin Mensuel des Ateliers supérieurs* (Rito Escocês Antigo e Aceito), novembro de 1934, nº 9, pp. 141-142. Ver também: *Vitruve:* livro V, cap. B e livro I, cap. 1º; PLINE: *Histoire naturelle,* livro II, cap. XXII; Sulpice Boisserie, *Description de la cathédrale de Cologne,* Stuttgart e Paris, Firmin Didot, 1823.
37 Adorno usado na Loja pelo venerável na Maçonaria moderna.
38 R. GUÉNON, *La grande triade,* p. 133, nota 1.
39 *Id., ib.*
40 Sobre o grau inglês da *royal arch,* ver o interessante artigo de Jacques MEISEL, "Bernard Jones et le royal arch", em *Le Symbolisme,* nº 6, 340, julho/agosto de 1958, pp. 341-353. Sobre esse grau e o de *past master,* escreve G. PERSIGOUT: "Após ter, de início, repudiado os graus superiores (1766), o *master, most excellent master, royal arch.* Já se disse bastante que a mística maçônica, cujos graus jabobitas são sua expressão prática, é originária da França, de onde se diz terem saído os ritos mais obscuros e os mais... efêmeros". (G. PERSIGOUT, "Les enfants de la veuve", em *Les annales maçonniques universelles,* vol. IV, nº 2, março/abril de 1933, p. 72). No grau de *mark mason* se verá que o ritual é

livre apoia-se na geometria e essa palavra "é comumente utilizada para designar a Maçonaria". A esse propósito, B. Jones emite, e com bastante ironia, a hipótese de "que, sendo a geometria uma das sete artes liberais, isto é, uma ciência *livre*, o ofício de pedreiro deveria, por isso mesmo, tornar-se o *ofício livre de pedreiro*".[41] Não só as *Old Charges* (sobre as quais voltaremos a falar mais adiante) insistem na palavra *geometria*, como também uma poesia alemã da segunda metade do século XII indica que o mestre construtor de um túmulo se denomina de *o sábio geômetra*.[42] Somos de parecer que a letra G que desempenha um grande papel no simbolismo da Maçonaria especulativa, e sobre a qual se têm feito frequentemente muitas e excessivas divagações, representa apenas a inicial da palavra *geometria*.[43] Sabemos, pelo contrário, que "a palavra *franco-maçom* torna-

---

infelizmente apresentado, sem indicação de origem nem data, por P. MARIEL, *Rituels des sociétés secrètes*, Paris, La Colombe, 1961, pp. 70-75. (Sobre esse livro, ver o parecer crítico do I.˙. SIRIUS, "Nouvelles réflexions sur les hauts grades écossais", em *Le Symbolisme*, nº 359, janeiro/março de 1963, pp. 155-166 e mais especialmente p. 164, nota 4.) Sobre o *royal arch*, poderão ser lidas com proveito as observações de R. GUÉNON, *La pierre angulaire*, Études Traditionnelles, abril/maio de 1940, reeditado em *Symboles fondamentaux de la science sacrée*, Paris, Gallimard, 1962, pp. 278-291, mais particularmente a página 281 sobre a *keystone* (chave de abóbada), nota 1 "... *squase Masonry* e... *arch Masonry...* por seus respectivos relacionamentos com a terra ou o céu ou com as partes do edifício que os representam, são postos aqui em correspondência com os *pequenos mistérios* e os *grandes mistérios*".
41 B. JONES: "Le mot franc dans franc-maçon", em *Le Symbolisme*, nº 6, 316, julho/agosto de 1954, p. 336.
42 A. ILG: *Beiträge zur Geschichte der Kunsttechnik aus mitteldeutschen Dichtungen*, Viena, 1892, *apud* P. DU COLOMBIER, *Les chantiers des cathédrales*, p. 71.
43 Nossa opinião sobre o simbolismo da letra G é a de Ragon (*Ritual do grau de companheiro*, pp. 33 ss.), às vezes discutível. Sobre as diferentes interpretações literais ou simbolistas da letra *G*, ver *Les mystères de l'art royal*, de O. WIRTH, pp. 198 ss.; E. DE RIBEAUCOURT, *La Lettre G*, 1907 (brochura); François HAAB, *Divination de l'alphabet latin — Introduction à la connaissance du symbolisme hiéroglyphique des lettres*, 1948, pp. 25 ss.; R. GUÉNON, *La grande triade*, pp. 169 ss., completado pelo artigo "La lettre G et le swastika", em *Études Traditionnelles*, julho/agosto de 1950, reeditado em *Symboles fondamentaux de*

-se corrente no século XV [...] e no século XVI é ainda mais empregada, mas sempre só designa aqueles que constituem os quadros, a elite entre os trabalhadores de construção".[44] Parece que na França, na Itália e na Espanha, "países submetidos a um poder absoluto [...] ou à Inquisição... as Lojas, as confrarias de pedreiros [...] tenham assumido um caráter suficientemente secreto, de tal ordem (sic) que não puderam deixar senão uma tradição".[45] Pierre Du Colombier[46] acredita que, durante a Idade Média, não existia na França organização de pedreiros semelhante à existente na Inglaterra e na Alemanha. Essa afirmação sem atenuantes e a de H. F. Marcy são contrariadas por "um documento conservado nos registros de Notre Dame de Paris, [que] evoca um incidente ocorrido na loja da construção na véspera da Assunção",[47] em 1823.[48] Esses "locadores do bom Deus",[49] pedreiros livres[50] ou ainda "irmãos de são João"[51], executavam seus trabalhos técnicos ou espirituais nas Lojas.

---

la science sacrée, Paris, 1962, pp. 137-145; Dr. A.E. CHAUVET, Esotérisme de la Genèse, 1946, t. I, pp. 139-140 (interpretação cabalística); PLANTAGENET, Causeries en chambre de compagnon, pp. 152 ss; NAGRODSKI, Le secret de la lettre G, 1935; L. A. GRÉMILLY, Libres propos avec les compagnons, Paris, 1961, pp. 12-13; para uma visão geral, consultar J. B. (Jules BOUCHER), La symbolique maçonnique, 3ª ed., Paris, Dervy, 1953, pp. 236-244.
44 H. F. MARCY, op. cit., t. I, p. 43.
45 Id., ib., t. I, p. 35.
46 P. DU COLOMBIER, op. cit., p. 44.
47 J. GIMPEL, op. cit., p. 90.
48 Sobre a existência de uma Loja em Paris, no reinado de Luís IX, ver o artigo de M. OLLÉ em Le Symbolisme, nº 349, julho/setembro de 1960.
49 Abbé AUBER, "Les francs-maçons du Moyen Age et la valeur de ce mot dans l'architecture chrétienne", em Bulletin monumental ou collection des mémoires sur les monuments historiques de la France, 1874, pp. 708-730.
50 A. RAMBAUD, Histoire de la civilisation française, t. I, pp. 385-286.
51 H. F. MARCY, op. cit., t. I, p. 28. Sobre a denominação de "Lojas de são João", aplicada ainda hoje às oficinas simbólicas dos três primeiros graus (aprendiz, companheiro, mestre) da Maçonaria especulativa (chamada também de Lojas Azuis), ver O. WIRTH: Le livre de l'apprenti, Laval, 1962, p. 12; J. BOUCHER, op. cit., pp. 82-84 e sobretudo P. NAUDON, Les loges de Saint-Jean et la philosophie ésotérique de la connaissance, Paris, Darvy-Livres, 1957, in-8º. Ver mais adiante nosso capítulo sobre o Simbolismo.

A LOJA

A Loja (*Hütte* em alemão, *Cassina* em italiano) era "a casa de madeira ou de pedra onde os operários trabalhavam ao abrigo das intempéries";[52] podia conter de doze a vinte talhadores de pedra.[53] A Loja é figurada em muitos documentos iconográficos[54] "mas sempre aberta, o que não passa de simples convenção para mostrar os homens trabalhando".[55] Essa observação de Pierre Du Colombier é perfeitamente válida e se justifica por esta nota tirada de um livro de contas da catedral de Exeter, em 1404, onde se faz menção de "uma barra móvel para a porta da loja, 5 *deniers*".[56] Isso prova que as portas ficavam fechadas. Para se ter uma ideia da configuração de uma loja medieval, é necessário ir a Estrasburgo. Nessa cidade, no museu de Obra Notre Dame (o prédio data do século XIII e foi reconstruído no século XVI), encontra-se, além dos arquivos das antigas Lojas, "a sala de reunião da Loja, com o quadro de 1657[57] no qual estão pintadas as marcas dos

---

52 P. DU COLOMBIER, *op. cit.*, p. 42.
53 KNOOP e JONES, *The medieval mason*, Manchester, 1949, p. 57.
54 Ver, por exemplo, J. VAN EYCK, Sainte Barbe (Museu Real de Anvers, 1437); a construção da Madeleine de Vézelay, sob a direção de Berthe, mulher de Girart de Roussillon, miniatura da história de Charles le Martel e de seus sucessores, em Bruxelas (Biblioteca Real, Mss. 6, Fº 554, vº 1448-1465). Esses dois quadros são reproduzidos no livro já citado de P. DU COLOMBIER, prancha VIII, nº 15 e prancha XII, nº 21.
55 P. DU COLOMBIER, *op. cit.*, p. 42.
56 H. F. MARCY, *op. cit.*, t. I, p. 41.
57 Chama-se *Quadro de Loja* um desenho feito a giz no chão (ou pintado numa tela) representando os diferentes símbolos que devem encontrar-se em toda oficina normal. No século XVIII "no meio da sala de recepção existe um grande espaço sobre o qual se delineiam duas colunas". (Padre PÉRAU, *Le secret des francs-maçons*, Amsterdam, s. d. (1744), in 16º, p. 65.) A obra do Padre Pérau teve várias edições. É "além disso, mais favorável do que hostil à ordem". (H. F. MARCY, *op. cit.*, t. II, p. 91, nota 1). Na Maçonaria atual "o Templo reproduz todos os símbolos do Quadro". (J. BOUCHER, *op. cit.*, p. 129.) R. GUÉNON escreve que o Quadro de Loja pode ser comparado aos *yantras* hindus (R. GUÉNON, *Aperçus sur l'iniciation*, p. 116, nota 2).

mestres talhadores de pedra".[58] G. Delavalle assim descreve a Loja de Orvieto (Itália): "Era uma casa perto da catedral, onde os arquitetos, pintores, escultores se reuniam para apresentar grande número de seus desenhos e modelos, para executá-los, depois de terem sido aprovados pelo tesoureiro e pelos ordenadores dos trabalhos".[59] Dizem que na Inglaterra, um pouco mais tarde (por volta de 1542-3), os pedreiros livres que construíam a igreja da Cruz eram obrigados a procurar ou a construir eles mesmos "uma casa ou loja para os pedreiros ocupados no trabalho".[60] Essa obrigação nos parece em contradição com os estatutos de Aberdeen de 1670 sobre a administração das Lojas,[61] mas, sem dúvida, é verdade que havia Maçons "aceitos" nas assembleias de Maçons operativos; "nenhuma Loja será mantida numa casa habitada, mas em pleno campo, salvo os casos de mau tempo, quando então se escolherá uma casa na qual não se possa ser visto nem ouvido".[62]

Muitos autores têm se empenhado em explicar o que é uma Loja. Na Maçonaria moderna "os autores maçons discutem ainda as denominações respectivas de *Templo* e *Loja*. Para uns, a Loja é o próprio Templo; para outros, é apenas um grupo de maçons; para outros ainda, a Loja só existe quando os maçons se reúnem, para em seguida dissolver-se".[63] Não temos competência para elucidar essa delicada questão, todavia nos parece que a terceira opinião, exposta acima por Jules Boucher, é que está mais próxima da verdade. René Guénon, como de costume, dá uma explicação transcendental da Loja. Para ele "a palavra sânscrita *loka* [mundo], derivada da raiz *lok*, que significa *ver*, tem

---

58 P. DU COLOMBIER, *op. cit.*, pp. 43-44.
59 G. DELAVALLE, *Storia dei Duomo di Orvieto*, Roma, 1791, *apud* L. LACHAT, *op. cit.*, p. 143.
60 H. F. MARCY, *op. cit.*, t. I, p. 42.
61 Chama-se *sessão* ("tenue") uma reunião ritual de franco-maçons regulares. Uma *sessão branca aberta* é uma reunião em que "os assistentes são profanos ou pedreiros" e uma *reunião branca fechada* é uma reunião de franco-maçons em que *só* "o conferencista é profano" (cf. J. BOUCHER, *op. cit.*, p. 193, nota 1).
62 H. F. MARCY, *op. cit.*, t. II, p. 40.
63 J. BOUCHER, *op. cit.*, p. 76.

relação direta com a luz, como o demonstra o próprio vocábulo latino *lux*; de outro lado, a vinculação da palavra Loja a *loka*, provavelmente possível por intermédio do latim *locus*, que é idêntico no sentido, está longe de ser destituída de sentido, pois a *loja* é considerada um símbolo do mundo, do *cosmos*;[64] é exatamente por oposição às *trevas exteriores*, que correspondem ao mundo profano, o *lugar aclarado e regular* em que tudo é feito de acordo com o rito, quer dizer, de conformidade com a *ordem* [*rita*]."[65] Vale a pena lembrar que a catedral era construída a partir da pedra fundamental, colocada no nordeste do edifício, que não deve ser confundida com a pedra angular que corresponde a um outro simbolismo inteiramente diferente sobre o qual voltaremos a falar mais adiante.[66] Ora, existe na Maçonaria especulativa, e isto em estreita relação com a Maçonaria operativa, quando da iniciação no primeiro grau, uma tomada de posse do ângulo norte-leste da Loja pelo novo aprendiz[67] assemelhando-

---

64 Diz-se que a Loja se estende do Ocidente ao Oriente no sentido do comprimento, do Norte ao Sul no sentido da largura e vai do Nadir ao Zênite no sentido da altura. Tudo isso significa que a Loja tem dimensões ilimitadas, pois é a imagem do cosmos.
65 R. GUÉNON, *Aperçus sur l'initiation*, p. 289, nota 4.
66 Para os alquimistas, escreve Fulcanelli, sem razão, está "a obtenção da *primeira pedra*, a pedra angular da grande obra filosofal. É sobre esta pedra que Jesus edificou sua igreja, e os franco-maçons medievais seguiram simbolicamente o exemplo divino. Mas antes de *ser talhada* para servir de base para a obra de arte gótica, como também para a obra de arte filosófica, dava-se muitas vezes à pedra bruta, impura, material e grosseira a *imagem do diabo*". (FULCANELLI, *Le mystère de cathédrales*, 2ª ed., Paris, 1957, p. 38.) Dificilmente se poderia ir mais longe no confusionismo mental da tendência pseudoesotérica. Para pôr as coisas em seus devidos lugares, poder-se-á ler com proveito e interesse sobre o mesmo assunto as páginas inteligentes de J. HANI em *Le symbolism du temple chrétien*, Paris, La Colombe, 1962, pp. 64-68 e 127-139. Ver também a excelente colocação de R. GUÉNON, "La pierre angulaire" (*Études Traditionnelles*, abril/maio de 1940, reproduzida em *Symboles fondamentaux de la science sacrée*, Paris, Gallimard, 1962, pp. 278-292).
67 Convém observar também que o teto do Templo tem a forma de abóbada "azulada e estrelada como a do céu pois, como a abóbada do céu, abriga todos os homens sem distinção de classe ou cor" (RAGON, *Rituel de l'apprenti*, p. 67) e R.

-se este último à pedra (simbólica) que serve de base fundamental para o Templo.[68] A Loja, na antiga Maçonaria, era aberta segundo um ritual não escrito que os maçons deviam saber de cor.[69] Resta-nos muito pouco dos rituais anteriores a 1717, segundo os quais "os trabalhos eram libertos por uma invocação a um nome divino hebreu inteiramente estranho à liturgia".[70] A revista *The Speculative Mason*[71] apresenta o texto de uma oração aprovada pela assembleia geral dos Maçons de Wakefield, no dia 30 de novembro de 1663 e

---

GUÉNON afirma mais esotericamente: "A abóbada celeste é a verdadeira abóbada da perfeição, à qual se faz alusão em certos graus da Maçonaria escocesa" (*La grande triade*, p. 131, nota 1). Em *L'Art du Monde* (Paris, Gallimard, 1942, pp. 47-48), L. BENOIST observa: "Um fragmento do templo de Ramsés II, conservado no Museu do Cairo, traz uma inscrição que proclama: *Este templo é como o céu, em todas as suas partes!*" É evidente que estamos aqui diante da Maçonaria da perfeição que corresponde ao céu, diferente da Maçonaria simbólica nascida da Maçonaria operativa, correspondente à medida da Terra, quer dizer, uma iniciação de ofício que resultava exclusivamente nos *pequenos mistérios*, o que equivale no plano iniciático à Salvação (alcançada esotericamente pelo conhecimento dos símbolos) no plano exotérico e religioso.

Sobre a ocupação do ângulo norte-leste da Loja pelo neófito, ver É. FOLANGE, "Les douze points de l'initiation maçonnique" em *Le Symbolisme*, nº 351, janeiro/março de 1961, p. 162.

68 "O aprendiz (pedra bruta), após uma fase de silêncio durante a qual é aparelhado, *adquire faces unidas* e se torna companheiro. Essas *faces* (pedra cúbica) se polirão e perderão pouco a pouco sua rugosidade. Enfim, o mestre na plenitude de seus direitos maçônicos e de seus deveres, verdadeiramente *individualizado*, será na Loja um elemento, uma pedra perfeita, indispensável à existência da dita Loja." (J. BOUCHER, *op. cit.*, p. 278.) Num plano inteiramente superior, recomenda-se a proveitosa leitura dos artigos de R. GUÉNON: "Pierre brute et pierre taillée" (*Études Traditionnelles*, setembro de 1949) e "Pierre noire et pierre cubique" (*Études Traditionnelles*, dezembro de 1947), reproduzidos em *Symboles fondamentaux de la science sacrée*, Gallimard, 1952, pp. 313-319 e 309-313.

69 É ainda o caso atual na Franco-Maçonaria anglo-saxônica, quando da abertura ou do encerramento dos trabalhos da Loja.

70 J. REYOR, "Sur la route des Maîtres-Maçons", em *Le Symbolisme*, nº 352, abril/junho de 1961, p. 221.

71 Année 1956-1957, nºs 1 e 2.

traduzida por Jean Reyor:[72] "Santíssimo e Glorioso El Shaddaï, Grande Arquiteto do Céu e da Terra, doador de todos os dons e de todas as graças, que prometeu que, quando dois ou três estivessem reunidos em teu nome, estarias no meio deles: em Teu nome, nos reunimos, suplicando muito humildemente que nos abençoes em todas as nossas empresas, que nos concedas Teu espírito santo, para iluminar nossos espíritos com a sabedoria e a inteligência de nosso venerável e digno ofício, a fim de que possamos conhecer-Te e Te servir como convém e que todas as nossas ações possam contribuir para a Tua glória e a salvação de nossas almas". J. Reyor acrescenta que essa oração existe também num ritual de abertura dos trabalhos no grau de aprendiz. A Loja é então aberta "no nome do rei Salomão".[73]

Todo novo maçom recebido na Loja devia *prestar juramento* depois de ter ouvido a leitura das constituições próprias da oficina. O manuscrito de *Sloane* (1640-1720) dá as obrigações a cumprir: "Esta palavra Maçom, e tudo que ela implica, a guardarás em segredo; jamais a declinarás por escrito, direta ou indiretamente. Tudo o que nós ou nossos visitantes (supervisores) te recomendarem de guardar segredo, tu guardarás diante de homem, mulher, criança, madeira ou pedra; só o revelarás a um irmão ou em uma Loja de franco-maçons, e observarás fielmente as disposições de nossa constituição. Tudo isso prometes e juras fielmente observar, sem equívoco nem reserva mental direta ou indiretamente. Assim Deus te ajude e o conteúdo deste livro".[74] Um outro texto, cópia de uma antiga *Old Charge,* declara: "Há várias palavras e vários sinais do franco-maçom a te revelar, se consentes em responder diante de Deus e no grande e terrível dia do julgamento final, se juras o segredo, que não revelarás aos ouvidos de quem quer que

---

72 REYOR, *op. cit.*, pp. 229-230.
73 A tradução desse ritual foi apresentada pela revista *La France anti-maçonnique,* de 16 de outubro de 1913; conforme, sobre o assunto, J. REYOR, *op. cit.*, p. 23.
74 H. F. MARCY, *op. cit.*, t. II, pp. 8-9.

seja, salvo os mestres e companheiros da dita sociedade dos franco-maçons, assim Deus me ajude".[75] Sobre a palavra *maçom* e seu segredo, estamos reduzidos a hipóteses. Parece-nos, todavia, interessante citar a opinião de Robert Kirk (1691), ministro de Aberfaill: "A palavra Maçom", escreve ele, "é um mistério, sobre o qual não quero esconder o pouco que sei. É uma espécie de tradição rabínica, uma espécie de comentário sobre Jakin e Boaz, as duas colunas erigidas no Templo de Salomão (Reis, I, 7, 21) com o acréscimo de certo sinal secreto transmitido de mão em mão, por meio do qual se reconhecem e se tornam familiares entre si".[76]

Em 1678, o reverendo Georges Hickes, referindo-se aos maçons, diz: "Eram obrigados a receber a designação de maçons, que é um sinal secreto de que se servem para serem reconhecidos no mundo inteiro [...] quem o possui pode acercar-se de seus confrades sem precisar designá-los e de uma maneira que ninguém perceba o sinal".[77] Essas palavras secretas levam G. Bord a afirmar: "O certo é que sem indiscrição é impossível adivinhá-las e podem ser meios de reconhecimento entre iniciados. Como podem e devem ser ditas em voz baixa, são mais seguras do que os sinais e toques, que um olhar indiscreto pode captar, reter e reproduzir".[78] Essa transmissão de palavras, sinais e toques constitui um dos segredos, o mais externo, todavia, da Franco-Maçonaria. Quando um profano é iniciado, recebe essas palavras e um ensinamento ritual e simbólico adequados. Então, e só então, "é integrado na fraternidade".[79] Esse ensinamento iniciático na Maçonaria opera-

---

75 *Id., ib.*, t. I, p. 54. É sem dúvida em razão desse gênero de juramentos que um escritor católico militante pôde escrever no início do século XX: "... a F∴ M∴ é uma religião, a religião anticristã, uma espécie de Anticristo... Esta potência secreta (a Franco-Maçonaria), cujos membros são *ligados* por juramentos, que lhes tiram a liberdade de agir [...]". (Ex-capitão MAGNIEZ, *Répliques du bon-sens aux attaques et objections modernes contre la religion*, Lille, 1908, pp. 175 e 179.)
76 *Id., ib.*, t. II, pp. 9-10.
77 *Id., ib.*
78 G. BORD, *op. cit.*, t. I, p. 278.
79 H. F. MARCY, *op. cit.*, t. II, p. 7.

tiva diz respeito "ao uso do esquadro e do estalão".⁸⁰ É "por meio dos símbolos [que os maçons] conservavam os princípios da arte, pois era proibido reproduzi-los por escrito".⁸¹ Bem entendido, o novo iniciado deve fazer juramento de nada revelar "sobre a maneira de utilizar esses conhecimentos para o bem da humanidade".⁸² Os Regulamentos de York, de 1370, são explícitos nesse sentido: "Determina-se também que nenhum pedreiro seja recebido como operário para o trabalho da referida igreja antes de ser examinado uma semana ou mais sobre o seu trabalho, em termos de qualidade e de suficiência, de ser recebido por comum assentimento do mestre e dos supervisores da obra e do mestre pedreiro, e jurar sobre a Bíblia que pretende ativa e sinceramente, dentro de suas possibilidades, sem embuste ou dissimulações, manter e observar todos os pontos da citada lei".⁸³ Esse texto é muito importante. Em primeiro lugar refuta totalmente, a propósito do juramento sobre a Bíblia, a afirmação de Marius Lepage: "Não creia", escreve este último, "que a Bíblia repousasse sobre o altar dos maçons da Idade Média. Afirmar tal fato é um erro histórico. Não havia Bíblias nas oficinas maçônicas da Idade Média, pela simples razão de que antes da invenção da imprensa só havia Bíblias manuscritas e estas em número muito reduzido. Querer dizer que nossos antepassados prestavam juramento sobre a Bíblia é um erro profundo sob diferentes aspectos".⁸⁴

Esse texto de 1370 mostra, em seguida, que uma aprendizagem bastante longa e um exame de "uma ou mais semanas" eram impostos ao operário antes de sua iniciação, o que significa que essa iniciação, ao contrário da Maçonaria especulativa, conferia de imediato o grau de companheiro e não de aprendiz. Isso parece

80 L.VITET, *Études sur l'histoire de l'art,* Moyen Age, 2ª série, Paris, 1868, p. 55.
81 *Id., ib.,* p. 54.
82 *Id., ib.*
83 *Apud* H. F. MARCY, *op. cit.,* t. I, p. 41.
84 M. LEPAGE, "Que votre cœur cesse de se troubler...", em *Le Symbolisme,* nº 352, abril/junho de 1961, p. 206.

ser confirmado por este texto citado por H. F. Marcy:[85] "O aprendiz devia ser engajado por cinco anos, não podendo ser o contrato elaborado ou rescindido a não ser na Loja. Quando o aprendiz preencheu sua tarefa de cinco anos, a Loja o declara livre,[86] confere-lhe o título de companheiro e o admite em seu seio. Ele, de sua parte, deve prometer fidelidade à confraria, jurar que jamais mudará de marca distintiva, a qual permite distinguir seu trabalho, e que não divulgará os segredos que lhe forem revelados. Ser-lhe-á ensinada a maneira de saudar para ser reconhecido, assim como a palavra de passe e as formalidades que precisará empregar para pedir ajuda a seus irmãos". Achamos ter demonstrado suficientemente que não existia na antiga Maçonaria senão um único grau, o de *companheiro*,[87] a partir do qual só a iniciação era concedida.

Na Loja reúnem-se os franco-maçons. O mestre da Loja ali exerce sua autoridade "que delega, em caso de ausência, a um supervisor indicado oficialmente por ele".[88] Dirige os trabalhos da Loja como dirige os trabalhos do canteiro,[89] chama a Assembleia à ordem com um golpe de martelo que impõe o silêncio. O parágrafo 28 das Ordenanças de Torgau (1462) estabelece que "O mestre baterá três vezes, o supervisor, duas vezes consecutivas e uma vez para os avisos da manhã, do meio-dia e da tarde como é de costume no país".[90] A esse propósito, H. F. Marcy se pergunta com certa ingenuidade se não estaria ali "a origem das baterias do Rito

---

85 H. F. MARCY. *op. cit.*, t. I, p. 37. Texto das Ordenações de Torgau, 1462.
86 Portanto, só quando o aprendiz, ao qual não foi ainda concedida a iniciação, completou seus cinco anos de trabalho, é declarado "livre", o que corresponde à expressão "livre e de bons costumes" empregada na Maçonaria especulativa no momento da iniciação no primeiro grau.
87 Na Maçonaria especulativa, a idade simbólica do companheiro é de *cinco anos*. Essa idade corresponde ao serviço de *cinco anos* realizado pelo aprendiz na Maçonaria antiga.
88 Na Inglaterra, o nome *supervisor* é substituído pelo de *guarda* (*warden*). O nome *supervisor* parece peculiar à Maçonaria dos países latinos.
89 Esse papel é do *venerável*, cujo nome existe já na Maçonaria operativa inglesa.
90 H. F. MARCY, *op. cit.*, t. I, p. 37.

Escocês e do rito francês".[91] Não seria necessário ver no mestre da Loja "mesmo na época áurea da Maçonaria operativa" e com mais razão em nossos dias "um mestre no sentido definido ou um guru ou xeque, isto é, mestre espiritual".[92] A Franco-Maçonaria não dá a seus membros nenhum mestre espiritual pessoal, repousando o trabalho iniciático no trabalho coletivo de todos os irmãos que compõem a Loja.

Existiu na Escócia, a partir do século XV, um personagem encarregado dos trabalhos do soberano e que "exerce sua jurisdição sobre (as) Lojas e traz o título de supervisor geral dos maçons".[93] Conhecemos, para aquela época, o nome próprio desse homem: William Schaw.[94]

Mais interessante ainda, sobretudo como longínquo antepassado da função de orador nas lojas da Franco-Maçonaria moderna, nos parece a menção, nas *Hütte* ou *Tabernacula* alemãs do século XV, do maçom chamado *Parlier*. "Com o lugar do mestre a leste, o qual a ninguém mais é dado ocupar[95] [...] À frente se encontra o mestre responsável pela observação dos estatutos e da submissão ao costume. Abaixo um personagem cujo nome é bastante singular: o *Parlier,* forma germanizada do francês 'parleur' [falador]. O *Parlier* é encarregado de falar aos companheiros, de atuar junto deles como intérprete do mestre a quem presta juramento e é seu representante."[96] Esse *Parlier* já é conhecido em Praga no século XVI.[97] A confecção das formas era de sua competên-

---

91 *Id., ib.*
92 As características de iniciação maçônica, em *Cahiers de la grande loge,* 10 de junho de 1949, p. 5.
93 H. F. MARCY, *op. cit.,* t. I, p. 38.
94 *Id., ib.* W. Schaw assina e promulga estatutos publicados em 1599.
95 O lugar do venerável é situado a leste. "O venerável é o presidente da oficina; tem uma tarefa extremamente pesada: dele dependem em grande parte a orientação espiritual da oficina e os trabalhos que ali são executados." (J. BOUCHER, *op. cit.,* p. 105.)
96 Pierre DU COLOMBIER, *op. cit.,* p. 43.
97 J. NEUWIRTH, *Die Wochenrechnungen und der Betrieb des Prager Dombaues in den Jahren 1372-1378,* Praga, 1890, pp. 42-44.

cia. Ele deu seu nome — a função criou um nome próprio — à família *Parler*.⁹⁸ Os brasões do segundo arquiteto da catedral de Praga, Peter Paler, são, nesse sentido, muito significativos. Neles se encontra "não, como de início se acreditava, um esquadro, mas um pequeno instrumento análogo a uma puxavante de carpinteiro, que serve para traçar a forma do entalhe".⁹⁹

Após o mestre da Loja, o supervisor e o Parlier, vêm os companheiros e os aprendizes. Sabemos que "o aprendiz que fez sua aprendizagem numa Loja pode ali ficar como companheiro ou viajante. Se pretende tornar-se *Parlier*, deve ter mesmo viajado".¹⁰⁰

O que se fazia nessas Lojas, além das iniciações? Sem dúvida, jamais o saberemos! Sem dúvida algo bastante diferente do trabalho que se realiza nas Lojas de maçons especulativos.¹⁰¹ Antes de encerrar este parágrafo, resta dizer algumas palavras sobre os arquitetos e seu papel na vida da Loja, como também sobre aqueles que se chamam *Irmãos Servos*. O arquiteto na Maçonaria operativa tem um lugar à parte bastante difícil de determinar. Pierre Du Colombier nos diz que até a Renascença "o arquiteto é um operário e assim ficará até o fim. Apesar disso desfruta de privilégios consideráveis".¹⁰² Pelo contrário, os estatutos de Basileia indicam

---

98 P. DU COLOMBIER, *op. cit.*, p. 78.
99 *Id.*, *ib.* Os brasões de Peter Parler são reproduzidos na mesma obra: prancha XXVII, nº 46.
100 *Id.*, *ib.*, p. 43.
101 "O trabalho propriamente iniciático na Maç∴ moderna reduz-se à abertura e ao encerramento dos trabalhos. É certo que, primitivamente, o intervalo entre essas duas operações rituais devia ser ocupado por algo cuja natureza exata é hoje ignorada, embora seja possível, nesse sentido, se fazer algumas conjecturas por analogia com outras formas de iniciação, a respeito das quais se pode assegurar que não se tratava de discursos sobre os assuntos mais diversos." Essa hipótese de J. REYOR ("Sur la route des maîtres maçons", em *Le Symbolisme*, nº 352, abril/junho de 1961, pp. 233-234) nos parece muito audaciosa, tendo os homens da Idade Média o hábito de misturar o profano com o sagrado. Em suma, nenhum texto apresenta qualquer informação sobre o trabalho efetuado em Loja.
102 P. DU COLOMBIER, *op. cit.*, p. 74.

que "o mestre, um arquiteto, tem sua banca na Loja, a leste, e ninguém tem o direito de usurpar esse lugar".[103] Somos de parecer que esses dois textos, aparentemente opostos, podem ser compatibilizados. O arquiteto não passa de um operário se não pertence à Franco-Maçonaria, como testemunha o fato ocorrido, em Milão, em 1434, com o arquiteto Brunelleschi. No momento em que o famoso Domo estava para ser concluído, ele foi preso a pedido da "corporação dos pedreiros à qual tinha, por negligência, deixado de se filiar".[104] Segundo André Bouton, o sábio historiador do Maine, o escultor de imagens recebia em Mans mais de cinco *sous* por dia.[105] A história e a lenda nos transmitiram o nome de um célebre arquiteto medieval, Erwin de Steinbach, que fez construir o portal e a torre da catedral de Estrasburgo.[106]

---

103 *Id., ib.*
104 *Id., ib.*, p. 106. Em resposta a esse pedido, as autoridades da Catedral prenderam "um dos cônsules da corporação dos maçons (pedreiros)".
105 A. BOUTON, "Le chantier de la cathédral du Mans", em *La province du Maine*, 1955, fasc. IV e 1956, fasc. I (janeiro/março de 1956). Ver sobre esse notável trabalho as notas críticas de M. LEPAGE, "Nos ancêtres, les bâtisseurs d'églises", em *Le Symbolisme*, nº 6, 238, julho/agosto de 1956, pp. 327-335. De A. BOUTON e sobre o mesmo assunto, ver seu excelente livro *Le Maine, histoire économique et sociale des origines au XIVᵉ siècle*, Le Mans, 1962, pp. 436-439; cf. especialmente o "vitrail" do século XIII da catedral de Le Mans, reproduzido na página 437.
106 L. LACHAT (*op. cit.*, p. 150) nos fala da filha de Steinbach, Sabine, que "executou esculturas no portal Sul", o que confirma aquilo que já sabíamos, isto é, que na Idade Média mulheres "tanto na Inglaterra como na Alemanha e nos países escandinavos eram admitidas nas mesmas condições que os homens em todas as guildas de mercadores e de artífices". (P. NAUDON, *L'humanisme maçonnique*, Paris, Dervy, 1962, p. 105.) Os estatutos da Guilda de Norwich, de 1375, se referem "aos irmãos e às irmãs" e o *Livre des métiers*, do preboste Etienne Boileau (1268), fala da admissão das mulheres na mestria do ofício. Além disso, um texto de 1693, a respeito da recepção de novos maçons na Loja, observa: "Um dos antigos toma o livro; *esse* ou *essa* que vai tornar-se maçom põe as mãos sobre o livro. Em seguida, são dadas as instruções". (Manuscrito maçônico inglês de 1693, de propriedade da Loja de York, nº 236, citado por G. BORD, *op. cit.*, p. 508.) A esse propósito, H. F. MARCY (*op. cit.*, t. I, pp. 59-60, nota 1) escreve: "Segundo esse texto, mulheres teriam sido iniciadas". Isso nos parece

Quanto aos servidores da Loja, André Bouton nos informa que havia dois deles em Le Mans, na Loja que "era um alpendre coberto e fechado, ao abrigo das intempéries".[107]

COSTUMES E INSTRUMENTOS DOS MAÇONS OPERATIVOS

Quando de sua recepção, o novo maçom era obrigado "a vestir a Loja", isto é, a pagar luvas a seus irmãos.[108] Desde a Idade Média, em Le Mans "o capítulo comprava em Marion luvas para os trabalhos dos mestres da pedra, dos pedreiros e dos dois servos

---

inteiramente convincente e justifica a filiação maçônica regular das mulheres, apesar da opinião de Anderson, muito conhecida, em suas *Constituições* de 1723: "As pessoas admitidas como membros de uma *Loja* devem ser homens de bem e leais, nascidos livres, de idade madura e circunspectos, nem servos, nem mulheres, nem homens sem moralidade ou de conduta escandalosa, mas de boa reputação". (Artigo III: "Das Lojas", ed. M. Paillard, p. 51) e a de R. GUÉNON, "[...] a iniciação maçônica exclui notadamente as mulheres" (*Aperçus sur l'initiation,* p. 102). Isso justificaria também a constituição da obediência do Direito Humano, pois mulheres e homens eram admitidos na Maçonaria. P. NAUDON escreve ainda: "Os próprios ingleses têm uma organização para as mulheres, a *honorável fraternidade da Maçonaria antiga*, que segue o rito *Emulação.* Na América, as organizações maçônicas femininas reúnem mais de três milhões de membros (Ordem da Estrela do Oriente, Ordem do Arco-íris)" (P. NAUDON, *op. cit.,* p. 107, nota 1).

Sobre Sabine de Steinbach, ver *Le Magasin Pittoresque,* anuário 1845, pp. 169-171, que reproduz a estátua de Sabine na catedral de Estrasburgo, de M. Grass. A moça traz um livro na mão direita e uma talocha na mão esquerda. "Diz a tradição que Bernard de Sunder foi em seguida chamado com sua mulher (Sabine) a Magdeburgo, onde reproduziram para a catedral vários grupos que já haviam esculpido em Estrasburgo." (p. 171, col. 1.)

107 A. BOUTON, *op. cit.*

108 "Após a recepção, havia sempre um banquete à custa dos novos inscritos, que estavam além disso obrigados a *vestir a loja,* isto é, a desembolsar uma quantia correspondente ao preço das luvas que, segundo a tradição, deviam fornecer à oficina." (H. F. MARCY. *op. cit.,* t. II. p. 3.)

ou valetes".[109] Os documentos de York, de 1370, precisam que, "numa reunião chamada de garantia,[110] os operários juravam observar os regulamentos e recebiam túnicas, aventais, luvas[111] e calçados". B. Jones diz que "no século XV foi adotada uma libré, signo distintivo, na forma de vestimentas, de modelo e cores particulares. A vestimenta simbólica do maçom, seu avental, deve certamente muito à libré da companhia londrina (um ritual muito antigo faz alusão à roupa do franco-maçom atual sob o nome de libré).[112] É sabido que na Maçonaria moderna "as luvas brancas são [...] não só um símbolo, mas também objetos rituais"[113] e que "a oficina constitui o essencial do *adorno* do maçom".[114] Dispomos de poucas informações precisas sobre os instrumentos empregados pelos maçons operativos.[115] Pierre Du Colombier indica: "Além do martelo, os instrumentos mais comumente vistos nas mãos dos talhadores de pedra, ou perto deles, são o esquadro e o fio de prumo, às vezes sob a forma de arquipêndulo, quer dizer, de um triângulo retângulo isósceles, em cuja extremidade superior é preso o fio [...] os pedreiros têm a trolha e uma espécie de paleta que serve para misturar a argamassa".[116]

109 A. BOUTON, *op. cit.*
110 Cf. nota 85. Trata-se da recepção ao grau de companheiro, isto é, da iniciação maçônica.
111 B. JONES, *op. cit.*, p. 342.
112 *Id., ib.*
113 *Id., ib.*, p. 313.
114 *Id., ib.*, p. 291. Sobre o avental maçônico, ver RAGON, *Rituel de l'apprenti*, pp. 56-57; PLANTAGENET, *Causeries en loge d'apprenti*, pp. 92-94; O. WIRTH, *Le livre de l'apprenti*, p. 126; L. A. GRÉMILLY, *Paroles aux apprentis*, p. 6; F. MÉNARD em *La Chaîne d'Union* (1945, 6º Anuário), p. 88 ss.; F. CHAPUIS, "Pourquoi le tablier fut-il abandonné", em *Bulletin des ateliers supérieurs*, 1934, p. 153; visão geral em J. BOUCHER, *op. cit.*, pp. 291-302.
115 "Quando se constrói uma casa, constrói-se com pedras todas preparadas na pedreira, de modo que nem martelo, nem machado, nem qualquer outro instrumento de ferro são ouvidos na casa durante sua construção." (*Livro dos Reis*, I, 6-7.)
116 P. DU COLOMBIER. *op. cit.*, pp. 23-24.

SANTOS PATRONOS E LENDAS DOS QUATRO COROADOS

Jules Boucher escreve um tanto inconscientemente: "Encontram-se como patronos dos pedreiros e talhadores de pedra os seguintes santos: são Brás, são Tomás, são Luís, são Gregório, santo Alpiniano, são Marinho, são Martim, santo Estêvão, santa Bárbara e os Quatro Coroados".[117] H. F. Marcy não deixa de observar a esse respeito: "Os franco-maçons da Idade Média não podem ser senão católicos[118] e ninguém pode entrar para a Confraria se não o é. Embora suas Constituições manuscritas não cessem de invocar a Deus, a Bem-Aventurada Virgem Maria e os Quatro Coroados, os franco-maçons nem sempre têm a fé do carvoeiro;[119] mostram-se muitas vezes irreverentes para com o clero e até mesmo para a Santa Madre Igreja, mas são crentes como todos naquela época".[120]

Apesar de todas as nossas pesquisas nesse campo, não pudemos encontrar senão um único patrono dos talhadores de pedra e assim mesmo só para a cidade de Paris.[121] Contrariamente a Jules Boucher que diz que "são João não é mencionado[122] entre os santos patronos dos maçons, vemos que "na maior parte das Lojas [na Escócia] a festa de são João Evangelista [27 de dezembro] era celebrada com um banquete; era nessa ocasião que se escolhiam o supervisor, o diácono e os outros oficiais e muitas vezes era a única reunião do ano (o supervisor quer dizer o presidente, o diácono exerce a vice-presidência)".[123]

---

117 J. BOUCHER, *op. cit.*, p. 82.
118 Poderiam também ser ateus e nada os impediria de o ser, pelo menos, se se abstivessem de apregoar abertamente suas opiniões religiosas ou não.
119 E por que o teriam de ser obrigatoriamente? Há tanta simplicidade em imaginar uma Idade Média essencialmente católica como um século XVI ateu ou livre-pensador (cf. Lucien FEBVRE, *Le problème de l'Incroyance au XVIe siècle: la Religion de Rabelais,* Paris, Albin Michel, 1942, *passim*).
120 H. F. MARCY, *op. cit.*, t. I, p. 58.
121 Cf. P. DU COLOMBIER, *op. cit.,* p. 106, nota 2.
122 J. BOUCHER, *op. cit.,* p. 83.
123 H. F. MARCY, *op. cit.*, t. I, p. 39 e *ib.*, nota 1.

Sobre a lenda dos Quatro Coroados existe uma bibliografia considerável.[124] Trata-se de quatro talhadores de pedra cristãos, martirizados sob Deocleciano, que trabalhavam nas pedreiras da Panônia. Tinham nome, evidentemente: Claudius, Castorius, Symphorius, Nicostratus. Em *La légende dorée*, Jacques de Voragine nos faz este relato: "Os Quatro Coroados chamavam-se Severo, Severiano, Carpóforo e Vitorino. Por ordem de Deocleciano, foram surrados até a morte com varas de chumbo. Durante muito tempo não se conheciam os nomes dos quatro mártires e a igreja, por não saber os seus nomes, resolveu celebrar sua festa no mesmo dia da festa de cinco outros mártires, Cláudio, Castor, Sinforiano, Nicostrato e Simplício, que sofreram o martírio dois anos depois. Esses cinco mártires eram escultores; por haverem-se recusado a esculpir um ídolo para Deocleciano, foram encerrados vivos em tonéis de chumbo e atirados no mar, no ano 287 do Senhor. Foi, portanto, no dia da festa dos cinco mártires que o papa Melquíades ordenou que fossem comemorados sob o nome de os Quatro Coroados os quatro outros mártires cujos nomes se ignoravam. E embora depois uma revelação divina tivesse permitido se conhecer os nomes desses santos, conservou-se o uso de os designar pelo nome coletivo de os Quatro Coroados. Sua festa é celebrada no dia 8 de novembro".[125] Paul Naudon informa que a mais antiga menção dos Quatro Coroados remonta a 1317. Trata-se dos estatutos de mestria dos talhadores de pedra de Veneza. Du Colombier, pelo contrário, faz recuar ao século IV a primeira menção conhecida dos Coroados[126] ("Pas-

---

124 Ver principalmente Mgr DUCHESNE, *Mélanges d'Archéologie et d'histoire*, t. XXI (1931), pp. 231 ss.; P. DU COLOMBIER, *op. cit.*, pp. 100-106; D. LECLERC, *Dictionnaire d'archéologie chrétienne*, art. "Les Quatre Couronnés"; J. MEISEL, "Les Quatre Couronnés", em *Le Symbolisme*, nº 351, janeiro/março de 1961, pp. 152-153 (trata-se sobretudo da Loja inglesa *Quator Coronati Lodge*, nº 2076); J. ZEILLER, *Les origines chrétiennes dans les provinces danubiennes de l'Empire romain*, Paris, 1918, *passim*.
125 J. de VORAGINE, *La légende dorée*, tradução de Théodore de Wyzewa, 1925, pp. 616-617.
126 P. NAUDON, *Les origines religieuses et corporatives de la Franc-Maçonnerie*, Paris, Dervy, 1947, *passim*.

sio Quator Coronatorum"). Todavia, a afirmação de Naudon quanto à *scuola* veneziana de talhadores de pedra é confirmada pela constituição desses pedreiros, na data de 16 de novembro de 1396 (e não 1317), que fixa sua sede no mosteiro de São João Evangelista, com a festa solene em 8 de novembro.[127] Além disso, a quinta parte do *Regius* "glorifica os Quatro Mártires Coroados, mas encaminha para maiores detalhes à Lenda Dourada".[128] Se o *Regius*, uma das mais antigas *Old Charges* conhecidas, glorifica, segundo Pierre Mariel,[129] esses Quatro Mártires, R. F. Goul não parece ser dessa opinião: "É sobejamente sabido que os maçons ingleses jamais tomaram como patronos os Quatro Coroados, que eram indiscutivelmente os patronos protetores da Germânia. Surgiu uma certa confusão e os Quatro Coroados passaram a ser os patronos protetores do ofício da construção, em substituição aos cinco pedreiros, enquanto a profissão destes últimos foi atribuída ao nome dos outros quatro".[130] Fora essas disputas bizantinas, nós nos contentaremos em observar que esses mártires deixaram uma influência duradoura, uma vez que os maçons operativos quiseram também fixar seus traços, evidentemente lendários, na pedra. Assim, "na Igreja de Nossa Senhora de Fort, em Étampes,[131] uma das chaves da abóbada da nave lateral norte do coro traz as efígies dos Quatro Coroados. São encontrados também numa chave de abóbada da Igreja de São Sulpício em Chars,[132] Seine-et-Oise".[133] Por outro lado, "numa gravura do *Isabella Missal*, que data mais ou menos do ano 1500, cada

---

127 P. DU COLOMBIER, *op. cit.*, apêndice III, p. 100. Uma igreja foi consagrada no século VII aos Quatro Coroados, na Cantuária (cf. P. DU COLOMBIER, *op. cit.*, p. 101).
128 *Id., ib.*, pp. 101-102.
129 P. MARIEL, *Rituels des sociétés secrètes*, Paris, La Colombe, 1961, p. 30.
130 R. F. GOULD, *Histoire abrégée de la Franc-Maçonnerie*, p. 122.
131 Século XII "irregularidade do interior (da igreja), chaves de abóbadas notáveis". (A. JOUANNE, *Géographie de Seine-et-Oise*, Paris, Hachette, 1885, p. 49, coluna 1 ao alto.)
132 Canton de Marines, "Belle église (monument historique) do século XIV" (A. JOUANNE, *op cit.*, p. 43, 2ª coluna, embaixo).
133 P. MARIEL, *op. cit.*, p. 31.

um dos futuros mártires tem na mão um ou vários instrumentos da Arte Real, e três magníficas pinturas atribuídas a Nicola de Pietro Gerini, pintor florentino do século XIV, reproduzem os Quatro Coroados de uma maneira impressionante".[134] Todavia, se os Quatro Coroados deixaram sua marca lendária na pedra de nossas igrejas ou no pergaminho de nossos velhos livros, não parece, pelo menos segundo P. Du Colombier, que sua lembrança tenha permanecido na França.[135] Todavia, permitimo-nos sorrir ao ler a afirmação do mesmo cândido autor, isto é, que "a palavra franco-maçom [pedreiro livre] [...] parece desconhecida dos textos medievais".[136] P. Du Colombier nos oferece algumas observações interessantes: "Tolosa [...] entre os corpos santos de são Sernin tem as relíquias — completas, asseguram os livros do século XVIII — dos cinco panonianos. Ora, não se registra nenhuma confraria de talhadores de pedra que tenha esses patronos".[137] A acreditar no mesmo autor, os Quatro Coroados teriam sido, outrora, muito cultuados em países flamengos, "mas [esse culto] quase não parece ter tido influência nas terras belgas".[138] Mas não é menos verdadeiro que essa lenda dos Quatro Coroados tenha tido considerável influência sobre a Franco-Maçonaria moderna, especialmente a anglo-saxônica. Com efeito, uma ilustre loja britânica tomou esse título distintivo dos *Quatro Coroados* e se dedicou, a partir de 1884, abandonando toda imaginação *intuitiva*, à complexa tarefa de fazer a história da Franco-Maçonaria.[139] Quanto às festas de outrora relativas à ordem dos franco-ma-

---

134 J. MEISEL, "Les Quatre Couronnés", em *Le Symbolisme*, nº 351, janeiro/março de 1961, pp. 152-153.
135 "O que é estranho é que esse culto dos Coroados parece muito pouco difuso na França." (P. DU COLOMBIER, *op. cit.*, p. 105.)
136 P. DU COLOMBIER, *op. cit.*, p. 105.
137 *Id., ib.*
138 *Id., ib.*, p. 106.
139 Quator Coronati, loja de pesquisas históricas, foi fundada no dia 28 de novembro de 1884, mas só foi instalada em janeiro de 1886. No ano seguinte, essa oficina criou um *círculo de Correspondentes* (que compreendia, em 1961, 4 mil membros). A Loja *Quator Coronati 2076* teve como primeiro mestre de cátedra Sir Charles Warren, sendo o segundo Robert F. Goul. Essa célebre

çons, só podemos oferecer um único dado preciso: a festa dos talhadores de pedra de Tolosa realizava-se na ascensão.[140]

Até o momento, como se tem visto, temos procurado ser prudentes nesse estudo da Franco-Maçonaria operativa, ao contrário da maioria dos historiadores maçons que, de boa-fé a maior parte das vezes, têm querido fazer os textos dizerem mais do que continham e muito menos na realidade do que revelavam. Não falaremos dos historiadores não maçons. Sua ignorância, se não sua má-fé, ou mais comumente uma e outra coisa, os mantém à margem da história propriamente dita. Vale observar ainda que nos é mais difícil abordar o estudo, por breve que seja, das *Old Charges*, quer dizer, dos textos mais antigos conhecidos da Maçonaria operativa. São monumentos respeitados pelos historiadores maçons. Parece que a maior parte destes últimos teve a coragem de se dar conta de que a Franco-Maçonaria, por mais cristã que se tenha tornado depois de Cristo, não começa com o *Regius* ou com o *Cook* e de que sua origem não humana não pode ser examinada pela crítica histórica de alguma nacionalidade ou de alguma obediência que seja.

AS OLD CHARGES

"O que era a Maçonaria antes de 1717?" — pergunta Marius Lepage, que, depois de apresentar um resumo da matéria, exami-

---

loja publica uma revista muito conhecida de todos quantos se interessam pela história da Franco-Maçonaria: *Ars Quator Coronati* (A.Q.C.). Em 1961 já tinham aparecido 72 volumes. Ver a esse respeito: M. LEPAGE, *L'Ordre et les obédiences*, pp. 21-22, e J. MEISEL, *op. cit.*, pp. 154-159; cf. também *Bulletin du Centre de Documentation du G∴ O∴ de Fr...*, nº 14, dezembro de 1958/janeiro de 1959, pp. 24-29.
140 A. DU BOURG, "Les corporations toulousaines", em *Mémoires de la Société Archéologique du Midi de la France*, t. XIII, anos 1883-1885 e t. XIV, anos 1886-1889, *passim*. Para maiores detalhes, ver P. DU COLOMBIER, *op. cit.*, p. 105 e *ib.*, nota 1.

na o que são as *Old Charges*, "os velhos deveres [que] contêm páginas e páginas de regras de civilidade, de como se comportar à mesa quando se é convidado à casa de alguém, de como se comportar com relação ao mestre, com relação à mulher do mestre, da filha do mestre, das pessoas que o cercam". E conclui que os maçons da Idade Média precisavam "dessa *codificação*, para tornar esses bravos labregos um pouco mais evoluídos do que aqueles com quem viviam normalmente".[141] M. Lepage alude aos textos dos antigos deveres e estatutos recolhidos por ordem de Guilherme III de Orange, em 1694, e publicados em tempos passados por Krauss.[142] Jean Reyor se compraz em destacar o fato de que ninguém duvidava de que "os franco-maçons eram católicos".[143] Acrescenta que o franco-maçom era um católico como os demais, mas também "um católico não como os outros" e que "seus contemporâneos tinham talvez uma ideia mais ou menos confusa disso".[144] É dar-se muito trabalho para tentar explicar as diferenças entre exoterismo e esoterismo e nos perguntamos como Jean Reyor pode nos restituir o estado de alma dos confrades não iniciados dos maçons medievais. É puro romance e não dos melhores! Mas passemos a coisas mais sérias e digamos algumas palavras sobre os textos mais antigos conhecidos da Maçonaria dita operativa.

O mais antigo texto é o *Regius*, manuscrito real, como seu nome o indica, conservado no Museu Britânico de Londres.

---

141 M. LEPAGE, "Que votre cœur cesse de se troubler...", em *Le Symbolisme*, nº 352, abril/junho de 1961, pp. 203-204.
142 Sua tradução encontra-se em G. BORD, *op. cit.*, pp. 48-49. Há oito artigos, dos quais o mais importante nos parece ser o quarto: "Além disso, deveis frequentar assiduamente as lojas para ali receber com constância as instruções, conservar os antigos costumes e *guardar fielmente o segredo* sobre tudo que tereis podido aprender das coisas que dizem respeito à Maçonaria, a fim de que os estranhos não sejam ali iniciados de uma maneira irregular".
143 Artigo 1º: "Vosso primeiro dever é o de ser fiel a Deus e de evitar todas as heresias que o desconhecem". (Cf. G. BORD, *op. cit.*, p. 48.)
144 J. REYOR, *Sur la route des Maîtres-Maçons*, pp. 225-226.

Apresenta-se sob a forma de "trinta e três folhas de pergaminho, numa bela escrita gótica eclesiástica".[145] Nós nos perguntamos como Lepage, que acabamos de citar, distingue uma escrita eclesiástica de uma escrita leiga. Marc Bloch observou recentemente a extrema dificuldade encontrada pelos historiadores em matéria de paleografia e essa afirmação categórica do excelente historiador da Maçonaria, que é M. Lepage, nos surpreende totalmente.[146]

O *Regius* dataria dos anos de 1388-1445, o que leva a crer que se trata de uma espécie de compêndio de textos reunidos durante 57 anos.[147] Esses textos dividem-se em duas partes: os *Artigos* para os mestres e os *Pontos* para os operários. O *Regius* declara: "O terceiro ponto deve ser particularmente recomendado ao aprendiz. Os conselhos de seu mestre devem ser guardados e não revelados, assim como os conselhos de seus companheiros. Voluntariamente não revela a ninguém o que se passa na Loja, nem o que ouve, nem o que vê fazer. Não diz a ninguém, aonde quer que vá, os conselhos da sala e os conselhos da câmara. Guarda-os com a maior honra, temeroso de que os revelando se torne culpável e, com a sua falta, seja motivo de opróbrio para o ofício".[148] O *regius* nos dá também outras informações: "A Maçonaria foi introduzida na Inglaterra no tempo do rei Athelstan. Esse príncipe foi um grande construtor de casas e de templos, por conseguinte um de-

---

145 M. LEPAGE, *L'Ordre et les obédiences*, p. 86.
146 M. BLOCH, *Apologie pour l'histoire ou métier d'historien*, Paris, A. Colin, 1949, p. 53 e p. 110, nota 7. "Ouvi, na minha juventude", escreve o saudoso Marc Bloch, "um erudito muito ilustre, que foi diretor da Escola de Chartres, nos dizer com muito orgulho: 'Posso datar, sem erro, a escritura de um manuscrito de cerca de vinte anos'." Ele só se esquecia de uma coisa: muitos homens, escribas, vivem mais de quarenta anos. E se as escritas se modificam às vezes com a idade, dificilmente isto acontece para se adaptar às novas escritas ambientes. Devia haver por volta do ano 1200 escribas sexagenários que escreviam ainda como haviam aprendido a fazer por volta de 1150. Na realidade, a história da escrita sofre, estranhamente, um atraso com relação à da linguagem.
147 Sobre o *regius*, ver também B. JONES, Le mot "franc" dans "Franc-Maçon" et l'idée de Liberté au cours de six siècles, *op. cit.*, pp. 327-355.
148 *Apud* J. GIMPEL, *op. cit.*, p. 129.

votado protetor dos pedreiros e propagador zeloso de sua arte. Após longos esforços, foi-lhe dado constituir um conselho composto de personagens de elevada posição e sabedoria, que redigiram em quinze artigos e em quinze pontos os estatutos maçônicos".[149]

O manuscrito chamado *Cooke*, do nome de seu primeiro editor (1861), Mathew Cooke, também do Museu Britânico, seria do século XV. Detalha a lenda de Athelstan, tomada sem dúvida do *Regius*: "Em seguida reinou Athelstan. Seu filho mais jovem se interessava pela geometria e se deu conta de que a arte do pedreiro nada mais fazia do que aplicá-la. Tornou-se também mestre em geometria e deu testemunho de sua afeição aos pedreiros. Filiou-se à sua corporação, obteve-lhes uma constituição real, regulou seus salários e deu-lhes estatutos que ainda estão em uso na Inglaterra e em outros lugares.[150] Vê-se que esses textos antigos fazem menção a pedreiros "aceitos", o que quer dizer que o uso de incorporar à ordem iniciática não maçons data de longas eras e não do século XVIII como quer grande número de historiadores maçons, desejosos de mostrar que a Maçonaria operativa estava em plena decadência quando foi criada em 1717 a Grande Loja de Londres.

O manuscrito dito de *William Watson* (século XV), conservado na biblioteca da Grande Loja provincial de West Yorkshire, dá sobre o assunto informações complementares,[151] como também o

---

149 Boletim mensal das oficinas superiores. — Supremo conselho de França e suas dependências, nº 137.
150 *Id.*, p. 137.
151 "As constituições [de santo Albano] acabaram por se perder no meio das dificuldades ocasionadas pelas guerras da época, até o reinado de Athelstan. Esse príncipe gostava também dos pedreiros e confirma a constituição que santo Albano havia outrora obtido para eles. Seu filho mais novo, Edwin, aprendeu a geometria e a arte de pedreiro. Deu prova da maior benevolência para com os pedreiros e lhes obteve de seu pai uma nova constituição que lhes dava mais liberdade do que no passado. Presidiu a assembleia geral que se reuniu em York, convidou-os a reunir os antigos arquivos da corporação, dos quais foi feita uma nova constituição. Foi a partir dessa época que a arte de pedreiro foi realmente fundada e confirmada na Inglaterra." (*Id., ib.*)

manuscrito de *Tew* (segunda metade do século XVII) conservado na mesma biblioteca.¹⁵² De outra parte, existiu também um antigo manuscrito maçônico que nunca mais foi encontrado, conhecido pela citação que dele faz Dr. Robert Plot em sua obra aparecida em 1686: *Natural history of Staffordshire*, e por esse motivo chamado comumente de *manuscrito Plot*. A esse respeito escreve René Guénon: "[...] Se, de uma parte, considera-se a atitude de difamação assumida por esse Dr. Plot, com referência à Maçonaria, e, de outro lado, sua relação com Elias Ashmole, há algo que não contribui para tornar verossímil o papel iniciático que alguns atribuem gratuitamente a este último. Por outro lado, é curioso encontrar em Dr. Plot a 'origem' de um dos argumentos que assaca, contra a filiação 'operativa' da Maçonaria moderna,¹⁵³ Alfred

---

152 "As regras da boa Maçonaria se perderam até o rei Athelstan que restabeleceu a paz. Mandou fazer numerosas construções. Gostava dos pedreiros. Do mesmo modo, seu filho Edwin. Este, hábil em geometria, tornou-se pedreiro e obteve de seu pai uma constituição que autorizava seus irmãos a se reunirem anualmente em qualquer lugar do reino. Ele próprio presidiu a uma assembleia em York, convidou os pedreiros a pesquisarem os antigos documentos relativos a sua Confraria. Esses arquivos foram recolhidos e se escreveu um livro traçando a origem e a história da Maçonaria, assim como os deveres dos maçons. É este livro que foi sem cessar corrigido e ampliado em diferentes assembleias anuais." (*Id.*, pp. 137-138.) Sobre o rei Athelstan e seu filho Edwin, ver H. PRENTOUT, *Histoire de l'Angleterre*, Paris, 1926, t. I, *Des origines à 1688*, pp. 34-35. Ali se aprende principalmente que o rei Athelstan (falecido em 940) introduziu a Inglaterra "novamente na política europeia" (p. 35). Seu filho Edwin reinou de 940 a 946. "As descobertas mais recentes trazem às vezes confirmações bastante notáveis dos dizeres desses antigos manuscritos, ao mesmo tempo que desmentem os historiadores modernos que os criticaram a torto e a direito; é o caso, por exemplo, de Edwin, cuja existência tem sido tão discutida; o único erro de certos manuscritos é o de terem feito dele filho do rei Athelstan, quando na realidade era seu irmão; mas, tendo sido encontrada uma constituição na qual sua assinatura era seguida de um título que o designava herdeiro do trono, até essa confusão é perfeitamente explicável." (R. GUÉNON, *Études Traditionnelles*, nº 219, março de 1938, p. 118.)
153 Ver sobre o não relacionamento da Maçonaria moderna com a Maçonaria operativa a opinião de um partidário dessa tese no mínimo curiosa: P.

Dodd em seu livro sobre Shakespeare: trata-se do edito que abole a Maçonaria sob Henrique VI; dizem que esse rei, que tinha então três ou quatro anos de idade, o revogou ele próprio, na idade adulta, e aprovou, pelo contrário, as *Old Charges*.[154] Existem cerca de 87 manuscritos de *Old Charges* conservados na Grã-Bretanha.[155]

A ORGANIZAÇÃO DA MAÇONARIA ANTIGA

Foi por volta de 1268 que Étienne Boileau, preboste dos Negociantes de Paris, mandou redigir seu famoso *Livro dos ofícios*, que continha os estatutos de todas as corporações. Trata-se de "uma fonte preciosa entre todas para a história social e econômica da França do século XIII". O 48º estatuto diz respeito exatamente aos "pedreiros, cortadores de pedra, estucadores e misturadores",[156] quer dizer, nossos irmãos, os franco-maçons daquela época.[157] Esse 48º estatuto teria lido dado por Guilherme de Saint-Patu, mestre maçom de Luís IX. Esse *Livro dos ofícios* nos interessa muito particularmente em seu

---

VICTOR, "Franc-Maçonnerie, magie et initiation", em *Bulletin du Centre de Documentation du Grand Orient de France*, 14 de dezembro de 1958/janeiro de 1959, nº 15, p. 8 (esse artigo apareceu inicialmente no número 15 de maio/junho de 1958 da revista *La Tour Saint-Jacques*, pp. 24-30 e mais particularmente pp. 29-30).
154 R. GUÉNON, *Études Traditionnelles*, nº 219, março de 1938, p. 118.
155 Sobre esse assunto, consulte-se além de ANDERSON, *The Constitutions of the free-masons*, Londres, 1723, in-4º; BEGEMANN, *Vorgeschichte und Anfänge der Freimaurerei in England*, Berlim, 1910-1911, in-8º; M. COOKE, *The history and articles of Masonry*, Londres, 1861; R. F. GOULD, *The history of freemasonry*, Manchester, 1949; KNOOP, JONES e HAMER, *The two earliest masonic mas*, Manchester, 1938; J. O. HALLIWELL, *The early History of freemasonry in England*, Londres, 1840, in-8º; HUGHON, *The Old Charges*, 2ª ed., 1895, in-8º; G. SPETZ, *Ars quatuor Coronatorum*, Londres, 1889, t. II e IV de Masonic Reprints.
156 R. DE LESPINASSE e F. BONNARDOT, *Le livre des métiers d'Etienne Boileau*, Paris, 1879, in-4º, *passim*.
157 "A Grande Loja de França vos fala..." Edição de novembro de 1962, p. 4.

7º parágrafo do 48º estatuto, quando declara: "Os pedreiros, os estucadores, os misturadores podem ter quantos ajudantes e valetes forem de seu agrado, contanto que não mostrem a nenhum deles nada de seu ofício". Isso parece confirmar o segredo próprio dos maçons.[158] Sabemos que, em Florença, os talhadores de pedra são colocados no último degrau das artes menores e que "o preconceito contra os talhadores de pedras remonta pelo menos a Luciano".[159] Isto não prova absolutamente nada contra a organização esotérica dos maçons, uma vez que os profanos não são evidentemente mantidos a par das tradições maçônicas. Na Inglaterra, pelo contrário, e é um autor antimaçônico que o reconhece, "[...] a corporação dos pedreiros tinha goza do [...] um prestígio considerável e dele tinha sabido se servir".[160] Dispomos, porém, de mais informações sobre os regulamentos da Maçonaria da Escócia, por ter boa parte de seus arquivos "escapado do auto de fé de 1720"[161] e "uma loja como a de Aberdeen possui processos verbais de guildas cobrindo, quase sem interrupção, o período que vai de 1398 a 1745".[162] Ainda na Escócia,

---

158 J. GIMPEL (*op. cit.*, p. 128) observa, entretanto, que na Inglaterra existem outros ofícios além do de pedreiro "que estão incluídos em seus estatutos dos parágrafos sobre a discrição a observar em face dos estranhos aos ofícios". Trata-se, porém, da Inglaterra e convém constatar que, na França, E. Boileau recomenda o segredo *só aos pedreiros*, o que nos parece inteiramente significativo. Isso, evidentemente, contraria aqueles que não querem admitir a existência, na França da Idade Média, de uma Maçonaria como ordem iniciática.
159 P. DU COLOMBIER, *op. cit.*, p. 106.
160 B. BAY, *La Franc-Maçonnerie et la Révolution intelectuelle du XVIIIe siècle*, Paris, La Librairie française, nova edição, 1961, p. 71. Vemos em outra parte, nesse texto, B. Bay cometer a confusão habitual entre as ideias de *corporativo* e de *operativo*.
161 M. LEPAGE, "La Franc-Maçonnerie écossaise en France", em *Le Symbolisme*, nº 4/314, abril/maio de 1954, p. 240.
162 H. F. MARCY, *op. cit.*, t. I, p. 38. H. F. Marcy observa com razão que, nessa época, "as palavras Mestre e Companheiro têm a [...] mesma significação" (*id., ib.*). Sobre esse assunto, ver igualmente G. D'ALVIELLA, *Des origines du Grade de Maître, dans la F∴ M∴*, Bruxelas, 1928, pp. 5-6. Em 1862, escrevia Findel: "no princípio o ritual da recepção formava um todo indivisível e não há dúvida de que só existe um grau; o grau de mestre não existia, portanto, nessa época" (t.

um regulamento de 1598 nos dá informações sobre a recepção de um membro que "exige a presença de seis mestres do ofício [...] e de dois aprendizes não matriculados; o candidato passa por uma prova que demonstra sua habilidade e seu mérito no ofício".[163] A minuta de Edimburgo, de 27 de novembro de 1599, tem o mérito de falar da convenção dos maçons, convocada para Santo André, para o mês de janeiro de 1600, por William Shaw, supervisor geral dos maçons,[164] e os estatutos de 28 de dezembro de 1599 dão à Loja de Kilvinning jurisdição sobre as oficinas do oeste da Escócia "Cliddsdail, Glasgow, Ayr, Carrick. Atribuem o primeiro lugar na Escócia à Loja de Edimburgo, o segundo à de Kilvinning, o terceiro à de Stirling".[165] Quanto à Inglaterra, os Anais da Abadia de York (1352) nos revelam os "regulamentos para os pedreiros e operários", editados pelo capítulo. A distinção é bem acentuada entre pedreiros e operários, quer dizer, entre os profanos e os iniciados. "O primeiro e o segundo maçom, que trazem o título de mestres maçons, do mesmo modo que os carpinteiros, deverão prestar juramento de observar fielmente os antigos costumes subscritos", e esses Anais estipulam que os operários almocem e jantem na Loja dos artesãos.[166] B. Jones escreve: "Tanto quanto nos é dado saber, Londres foi a única cidade inglesa a possuir uma companhia de maçons modelada numa guilda".[167] Essa companhia "possuía um mestre e dois supervisores e, no fim do século XV, foi como a 'fraternidade dos franco-maçons' livres na honorável cidade de Londres".[168]

I, p. 186, trad. francesa). Pode-se ler também nas *Antient Charges:* "Nos tempos antigos nenhum irmão, por mais hábil que fosse no ofício, era chamado de Mestre Maçom, antes de ter sido eleito para a direção de uma Loja". (*Apud* G. D'ALVIELLA, *op. cit.*, p. 6.)
163 H. F. MARCY, *op. cit.*, t. I, p. 39. Ver também: L. VIBERT, *La Franc--Maçonnerie avant l'existence des Grandes Loges*, trad. do inglês por Fernand Duriez, Paris, Gloton ed., 5950 (1950), pp. 81-82.
164 H. F. MARCY, *op. cit.*, t. I, pp. 38-39.
165 *Id.*, *ib.*, p. 41.
166 B. JONES, Le mot "Franc" dans "Franc-Maçon", *op. cit.*, p. 341.
167 *Id.*, *ib.*, p. 342.
168 M. SAINT-LÉON, *Histoire des corporations de métier*, t. IV, vol. II, p. 139.

Temos alguns dados sobre a Loja fundada em Estrasburgo em 1276, cujo exemplo, ao que parece, foi "seguido na Alemanha, em Viena, em Colônia e em Landshut"[169] e encontrou confrarias semelhantes em "Laon, Noyon, Senlis, Soissons, Chartres".[170] Em 1462, as ordenanças de Torgau "nos informam, em seu preâmbulo, que os mestres reunidos em Estrasburgo, em 1459, tinham enviado uma cópia de suas constituições às Lojas do norte e do leste da Alemanha, porque não tinham sido representadas, embora estivessem sob a obediência de Estrasburgo. Os irmãos reunidos em Torgau declararam sua adesão às constituições de 1459 e redigiram as ordenanças que, segundo eles, são apenas o desenvolvimento do código de Estrasburgo e se fundam nas antigas tradições estabelecidas pelos "santos mártires coroados" em honra e glória da Santa Trindade e de Maria, rainha do céu".[171] As constituições de Estrasburgo de 1459 declaram, em seu preâmbulo, que "os mestres e os companheiros reunidos em Spire, em Estrasburgo, em Ratisbona, renovaram e reviram (os) antigos usos e, com benevolência e amizade, resolveram adotar esses estatutos e criar a Confraria".[172] Jost Dotzinger, de Worms, mestre dos pedreiros da catedral de Estrasburgo, foi então reconhecido como juiz-chefe da fraternidade, devendo essa dignidade passar a seus sucessores. Aditivos a essas constituições de Estrasburgo reconhecem, como juízes-chefes de suas respectivas regiões, os mestres de obras de Colônia, de Viena e de Berna.[173] Ora, em 1620, a Grande Loja de Estrasburgo viu-se privada do "privilégio de fazer julgamentos na França chamados de cartas de loja, julgamentos

---

169 Id., ib., 4ª ed., p. 63.
170 H. F. MARCY, op. cit., t. I, p. 35. Essas constituições de 1459 duraram até 1563. Nessa data foi redigido o Livro dos Irmãos, quer dizer, "a última compilação de regulamentos maçônicos alemães de que temos conhecimento". (H. F. MARCY, op. cit., t. I, p. 36.)
171 Id., ib., p. 36.
172 Id., ib., p. 35.
173 Id., ib., p. 36.

pronunciados a propósito das contestações relativas ao ofício".[174] H. F. Marcy observa, e não sem razão, que "a medida era no mínimo inútil se as lojas não tivessem existido".[175] Enfim, um decreto de 1707, emanado da dieta imperial, aboliu a supremacia da Loja-chefe de Estrasburgo sobre as lojas alemãs e, em 1731-1732, dois novos decretos declararam ilegais as fraternidades operárias, "o que visava sobretudo ao companheirismo".[176]

Parece haver contradição ou pelo menos confusão no espírito de um historiador franco-maçom quando escreve: "[...] os pedreiros livres operativos tiveram de desaparecer logo da França, onde a arte da Renascença suplantou rapidamente e quase completamente a arte medieval. O único monumento gótico importante a ser levantado depois do século XVI é a catedral da Santa Cruz, em Orléans".[177] Todavia, acabamos de citar os textos desse mesmo autor relativos à supressão dos privilégios da Loja de Estrasburgo.[178] Parece-nos também bastante surpreendente ver Marc Leprévot escrever, e naturalmente sem apresentar nenhuma prova do que aventa, que no início da Maçonaria especulativa na França, "ao contrário do que havia ocorrido na Inglaterra [...]", não havia mais nas lojas "nenhum membro do *ofício*". Todavia, reconhece que sua opinião, "por mais verossímil que seja, não tem de modo algum um caráter decisivo",[179] o que é bastante consolador. O próprio H. F. Marcy escreve que "a lenda do ofício convinha mal a um país [a França], em que a Maçonaria operativa tinha caído há muito tempo no esquecimento".[180] Tudo isso para explicar a passagem do operativo para o especulativo, as modificações que "acabaram provocando o aparecimento de formações que, embora

---

174 *Id., ib.*, p. 35.
175 *Id., ib.*
176 *Id., ib.*, p. 38.
177 *Id., ib.*, p. 35.
178 Cf. nota 176.
179 M. LEPRÉVOT, *Digression insolite à propos des rituels du premier degré*, op. cit., p. 99.
180 H. F. MARCY, *op. cit.*, t. II, p. 88.

com a pretensão de maçônica, não terão mais nenhum vínculo real com a Maçonaria dos construtores de catedrais e serão um desafio ao espírito de igualdade que animava as confrarias de são João. Essas modificações resultarão da criação de graus desconhecidos dos operativos".[181] Essa apreciação nos parece errônea. Sabe-se, com efeito, que a Maçonaria medieval foi uma sociedade iniciática, não possuindo, por conseguinte, como todo grupamento semelhante, nada de democrático, erro muito difuso junto à maioria de nossos maçons e profanos contemporâneos. O que dizer igualmente dessas afirmações de B. Jones sobre o *especulativo*: *especular* é ter uma visão de alguma coisa mentalmente. Essa palavra vem de *specio*, que significa *eu vejo* ou *eu olho*. É a raiz de várias palavras como espetáculo, espelho. No sentido do século XVII, toda pessoa devotada à contemplação, à meditação, entregava-se à "especulação". O "especulativo" era o idealista e não o homem das coisas concretas e prático.[182] Diante de um texto assim surpreendente, citaremos estas poucas linhas tão lógicas e tão claras de R. Guénon: "Na realidade, não havia antigamente outra distinção além da de pedreiros *livres*, que eram homens do ofício [...] e da de pedreiros *aceitos*, que não eram profissionais, entre os quais era reservado um lugar à parte para os eclesiásticos, que eram iniciados em Lojas especiais [essas Lojas eram chamadas de *Lodges of Jakin* e o próprio *capelão* era chamado *Brother of Jakin* na antiga maçonaria *operativa*] para poder preencher a função de capelão nas lojas ordinárias; mas, embora a títulos bem diferentes, uns e outros eram igualmente membros de uma única e mesma organização, que era a Maçonaria *operativa*".[183] Guénon mostra que são os maçons *aceitos* que formaram a Maçonaria chamada especulativa[184] e nos oferece um indício preciso: "Os maçons", escreve, "não tinham, além disso, recebido a totalidade dos graus

---

181 *Id.*, *ib.*, p. 6.
182 B. JONES, "Freemason's Guide et Compendium", p. 162, traduzido por M. LEPAGE em *L'Ordre et les obédiences*, p. 28.
183 R. GUÉNON, *Aperçus sur l'initiation*, p. 193 e nota 2.
184 *Id.*, *ib.*, p. 194.

operativos e é por isso que se explica a existência, no início da Maçonaria moderna, de certas lacunas que foi preciso cobrir em seguida, o que não se pôde fazer a não ser pela intervenção dos sobreviventes da Maçonaria *antiga*, muito mais numerosos ainda no século XVIII do que acreditam em geral os historiadores".[185] Isso viria em parte em apoio a G. Bord que, segundo Daruty, mas sem o citar, declara que o grau de aprendiz teria sido inventado em 1646, o de companheiro, em 1648, e o de mestre, em 1652.[186] Tratar-se-ia, portanto, de uma Maçonaria relativamente antiga (queremos falar daquela que criou ou recriou esses graus, pois mal remonta ao início do século XVII). Em todo caso, isso nos confirma na nossa própria opinião, isto é, de que na verdadeira Maçonaria antiga havia senão único grau, o de companheiro.

Está com a razão René Guénon quando mostra a inferioridade do especulativo com relação ao operativo.[187] Esta não é, ao que parece, a opinião de H. F. Marcy, que observa: "A Franco-Maçonaria operativa que tinha sido limitada à cristandade está moribunda em 1717. A Franco-Maçonaria especulativa nasce na mesma data em que se forma a Grande Loja da Inglaterra: vão conquistar o mundo".[188] Para Marius Lepage, é, ao contrário, a partir dessa data de 1717 que começa "o declínio da Maçonaria autenticamente tradicional".[189] Não é menos verdade que, antes como depois de 1717, a Ordem Maçônica continua sendo uma sociedade iniciática tradicional, a única autêntica no Ocidente, com o Companheirismo.

---

185 *Id., ib.*, p. 194, nota 2.
186 G. BORD, *op. cit.*, p. 54, nota 1; cf. J. E. DARUTY, *Recherches sur le Rite Ecossais Ancien, Accepté*, Paris, 1879, p. 16.
187 R. GUÉNON, *Aperçus sur l'initiation*, pp. 195-196.
188 H. F. MARCY, *op. cit.*, t. I, p. 44.
189 M. LEPAGE, *L'Ordre et les obédiences*, p. 45.

2. Da Maçonaria operativa à Maçonaria especulativa

Se é difícil, como vimos no capítulo anterior, conhecer, por falta de documentos, um pouco da Maçonaria operativa, a dificuldade é ainda maior com referência ao período que vai do fim da Idade Média a 1717, data da fusão de quatro Lojas inglesas e, por isso mesmo, da constituição da Grande Loja de Londres.

Sabemos que numa época relativamente recente (fim do século XV), não profissionais foram aceitos nas lojas de maçons operativos. Seria muito instrutivo ter uma data um pouco mais precisa, o que permitiria ver por que foi permitida essa aceitação de uma pessoa estranha ao ofício, podendo o contexto histórico esclarecer essa transformação. Não se poderia ver nisso uma certa decadência, até mesmo uma queda no sentido em que, no tempo de Constantino, a Igreja Católica passou da forma esotérica à forma do exoterismo, sem que por isso, tanto num caso como no outro, tenha havido uma perda do depósito tradicional iniciático.

Uma tese das mais correntes entre os franco-maçons é de que a Maçonaria operativa teria entreaberto as portas das lojas a *proscritos religiosos*, vítimas ao mesmo tempo dos braços seculares e eclesiásticos, tais como os templários, os rosa-cruzes, os cátaros, os *vaudois* etc. Achamos que existe uma confusão nascida da concepção errônea que faz da Franco-Maçonaria uma associação franca, isto é, provida de certas liberdades, quando então, como já demonstramos anteriormente, a expressão pedreiro livre é ligada ao ofício de talhadores de pedra e por isso mesmo a uma realização espiritual operada em função do *corte* operativo da pedra. Que certos membros das citadas organizações tenham sido aceitos nas lojas, é muito provável, embora nenhum texto venha corroborar essa asserção. A questão principal é na realidade muito importante, pois mostraria, se pudesse ser autenticamente provada, a filiação existente entre certos graus superiores do Escocismo, o 18º e o 30º graus entre outros, com os rosa-cruzes e os templários. Acreditamos que certas pessoas foram simplesmente agregadas às Lojas em função mesmo de seu ofício profano (os médicos, por exemplo) ou de sua função sacerdotal (papel de capelão). Achamos que outros se fizeram iniciar em vista de sua própria realização espiritual numa época, a da pretensa Renascença, em que, com exceção da Maçonaria, as iniciações artesanais que conduziam aos pequenos mistérios desapareciam umas depois das outras. Não é menos verdade que jamais saberemos por que a Maçonaria antiga *aceitou* profanos no ofício de pedreiro.

Goblet d'Alviella nos diz: "[...] esses membros honorários, chamados também de especulativos, teóricos, geomânticos,[1] em oposição aos maçons profissionais, práticos, domáticos (*domatics*), foram no início proprietários de terra, clérigos, funcionários, grandes senhores, cujo patrocínio podia servir aos interesses da corporação". É o inverso do que dizíamos mais acima. São os maçons, os próprios maçons que chamam para junto de si personagens importantes para

---

[1] Isso é muito interessante. Na realidade, os geomânticos são os praticantes de uma espécie de adivinhação que se opera "ora traçando sobre a terra linhas e círculos, sobre os quais se acredita poder adivinhar o que se pretende saber, ora traçando ao acaso, no chão ou no papel, vários pontos sem observar qualquer ordem; as figuras formadas pelo acaso constituem a base de um julgamento sobre o futuro". (J. C. DE PLANCY, *Dict. infernal*, Paris, 1844, 3ª ed., p. 240, coluna 1.) A aceitação dos geomânticos na Maçonaria mostra, já naquela época, uma confusão entre esse método de adivinhação e o *método dos cinco pontos* da Maçonaria operativa para realizar uma construção que "consistia em fixar inicialmente os quatro ângulos, onde deviam ser colocadas as quatro primeiras pedras, depois o centro, isto é, a base, que era normalmente quadrada ou retangular, o ponto de encontro de suas diagonais; esses piquetes que marcavam os cinco pontos eram chamados *landmarks* e está aí sem dúvida o sentido primeiro e original desse termo maçônico". (R. GUÉNON, *Symboles fondamentaux de la science sacrée*, Paris, 1962, p. 295, nota 1.) Por esse exemplo, vê-se claramente o que separa os verdadeiros operativos dos maçons aceitos. Convém notar que os *Cinco pontos da Mestria* são, na Maçonaria especulativa, aplicados a um simbolismo corporal, representando o homem o próprio edifício (grau de mestre). Sobre a geomancia, ver E. CASLONT, *Traité élémentaire de géomancie*, Paris, 1935.

com eles se protegerem. Essa teoria, embora não seja totalmente absurda, nos parece demasiadamente "moderna" e se identifica com a ideia que um maçom do início do século XX poderia fazer ao pensar na Maçonaria imperial protegida pelo marechal Magnan, imposto à ordem por Napoleão III e em seguida aceito pela própria ordem. Prossegue Goblet d' Alviella: "A partir do segundo terço do século XVII, vemos juntarem-se [aos maçons], em quantidade cada vez maior, letrados, naturalistas, médicos, professores, arqueólogos".[2] Trata-se, naturalmente, do que se passa na Inglaterra. A primeira anotação segura de um maçom aceito é a de John Boswell, de Auchinleck, cuja assinatura figura no processo verbal da Loja de Edimburgo, no dia 18 de junho de 1600; na Inglaterra, trata-se de Robert Moray, iniciado no dia 20 de maio de 1641, em Newcastle, "pelos membros desta mesma Loja de Edimburgo, que ali se achava com o exército escocês".[3]

O PROBLEMA DE ELIAS ASHMOLE E DOS ROSA-CRUZES

Elias Ashmole foi o célebre arqueólogo e físico inglês[4] do século XVII que "fundou em Oxford um museu que traz o seu nome".[5]

---

2 G. D'ALVIELLA, *Des origines du grade de Maître dans la Franc-Maçonnerie*, Bruxelas, 1907, p. 17.
3 L. VIBERT, *La Franc-Maçonnerie avant l'existence des Grandes Loges*, Paris, 1950, p. 81.
4 Escreveu E. ASHMOLE: *Fasciculus chemicus of chymical collections expressing the ingress, progress and egress of the secret hermetic science and of the choicest and most famous authors*, Londres, 1650; *Theatrum chemicum Britannicum*, Londres, 1652; *The way to Bliss*, Londres, 1658; *Diary and Will*, ed. R. T. GUNTHER, Oxford, 1927.
Sobre Ashmole ver entre outras obras: D. WRIGHT, *Elias Ashmole: archaelogist, astrologer, historian, rosicrucian and freemason*, Londres, 1924; L. VIBERT, *op. cit.*, pp. 111-112; H. F. MARCY, *Essai sur l'origine de la Franc--Maçonnerie et l'histoire du grand orient en France*, t. I, pp. 53-56 e t. II, pp. 72-88; G. D'ALVIELLA, *op. cit.*, pp. 17-19.
5 H. F. MARCY, *op. cit.*, t. I, p. 53.

O diário desse sábio nos oferece com precisão a data de sua admissão na Ordem Maçônica: 4h 30min da tarde do dia 16 de outubro de 1646. "Tornei-me franco-maçom em Warrington, no Lanchashire, com o coronel Henri Mainwaring, de Karichan, no Cheshire." E mais tarde ele observa ainda em seu diário: "10 de março de 1682. Por volta das 5 horas da tarde, recebo uma convocação para me apresentar a uma Loja que deve reunir-se no dia seguinte em Mason's Hall, em Londres. Consequentemente compareci à reunião e, por volta do meio-dia, foram admitidos na fraternidade dos maçons: Sir William Wilson, cavaleiro, o Capitão Rich. Bortwick, M. Will Woodman, M. Wim-Grey, M. Samuel Taylour e M. William Wise. Eu era o decano dos companheiros presentes (pois já faz trinta anos que fui admitido). Estavam presentes ao meu lado os companheiros a seguir relacionados: M. Tho Wise, mestre da companhia dos maçons para o ano corrente, M. Thomas Shorthose, M. William Hamon, M. John Thompson e M. William Stanton. Fomos todos almoçar na taverna da Meia-Lua em Cheapside, reunidos num banquete solene, cujas despesas correram por conta dos novos maçons aceitos".[6]

Esse texto é importante por mais de uma razão. Inicialmente, refuta a asserção dos historiadores maçons que, por falta de referências nos textos, pretendem que Ashmole tenha sido um maçom pouco assíduo. Ora, vemos que recebeu uma convocação para uma reunião da Loja no dia 11 de março de 1682; é pouco provável que lhe tivessem enviado essa convocação, se comparecesse de uma maneira irregular a essas reuniões. Por outro lado, ele mesmo nos diz que era o decano dos companheiros presentes, o que prova que conhecia perfeitamente os irmãos que compunham a Loja e também que até então não havia senão companheiros, o que desmente a asserção citada mais acima, de Daruty, segundo o qual o grau de mestre foi instituído em 1650,[7] após a morte de Carlos I (1649). Não se compreende, sendo verdade o

---

6 *Apud* H. F. MARCY, *op. cit.*, t. I, p. 53 e p. 55.
7 J. E. DARUTY, *Recherches sur le Rite Ecossais Ancien, Accepté*, Paris, 1879, p. 16.

que diz Daruty, por que um homem tão ilustre como Ashmole e sobretudo tão antigo maçom não trouxesse o título de mestre em 1682, após 35 anos de Maçonaria. Cabe ainda observar que "entre os companheiros recentemente recebidos, de que fala Ashmole, encontrava-se um baronete, Sir William Wilson, e um oficial, o capitão Richard Borthwick. É, portanto, evidente que os não profissionais, como o próprio Ashmole, eram admitidos de imediato como *fellows* e que não havia, no caso deles, a questão de um grau anterior. Mais ainda: os quatro outros membros recebidos na presença de Ashmole eram pessoas do ofício, que já figuravam anteriormente na *qualidade de mestres* nos registros da companhia dos maçons. Como explicar? Ali estão mestres que são, *em seguida*, promovidos a companheiros".[8] A admiração de Goblet d'Alviella, cujo texto acabamos de citar, é bastante ingênua. É evidente que os mestres do ofício que acabam de ser iniciados na Loja de Ashmole — estamos no século XVII — traziam um título corporativo provavelmente comprado a peso de ouro e, por mais perfeitos pedreiros corporados que fossem, não tinham ainda recebido a iniciação que fazia deles verdadeiros *operativos*. Essa confusão entre *operatismo* e *corporatismo* é muito frequente entre os historiadores maçons.[9]

Além disso, uma tradição muito sólida quer que Elias Ashmole tenha sido rosa-cruz e que foi por seu intermédio que a corrente rosa-cruz se introduziu na Maçonaria, o que justificaria a transmissão regular e, por isso mesmo, o valor iniciático do 18º grau da Franco-Maçonaria atual. Lionel Vibert, com muito bom-senso, pôde escrever sobre esse assunto: "Mas falta a prova histórica no que diz respeito à menor relação entre as duas organizações (os rosa-cruzes e a Maçonaria); não basta o fato de Ashmole e outros terem sido, no século XVII e depois, ao mesmo tempo maçons e rosa-cruzes".[10] H. F. Marcy, num certo sentido, tem tam-

---

8 G. D'ALVIELLA, *op. cit.*, pp. 18-19.
9 Cf. R. GUÉNON, *Aperçus sur l'initiation*, Paris, 1953, 2ª ed, pp. 192-197.
10 L. VIBERT, *op. cit.*, p. 112.

bém razão de ridicularizar a ousada afirmação de Gould, segundo a qual os rosa-cruzes teriam sido "o último elo de uma cadeia invisível ligando a Franco-Maçonaria nascente a uma escola científica qualquer da antiguidade, escola que na atualidade teria quase completamente caído no esquecimento".[11] A questão dos rosa--cruzes põe problemas graves que parecem ter sido complicados à vontade.[12]

Se existiu uma fraternidade dos rosa-cruzes no começo do século XVII, é dessa organização exterior que nasce a lenda de Christian Rosenkreutz; não serviu senão de salvaguarda para os escritos de Valentin Andreae, autor de *Noces chymiques de Christian Rosenkreutz*. Em 1623, foram afixados em Paris cartazes que

11 GOULD, *Histoire abrégée*, p. 100. Cf. H. F. MARCY, *op. cit.*, t. II, p. 73.
12 Ver sobre os rosa-cruzes: R. AMBELAIN, *Templiers et Rose-Croix*, Paris, 1955; P. ARNOLD, *Histoire des Rose-Croix*, Paris, 1953 (cf. parecer crítico de M. LEPAGE, "La Rose Crucifiée", em *Le Symbolisme*, nº 5, 327, maio/junho de 1956, pp. 301-310); F. HARTMANN, *The secret Symbols of the Rosicrucians*, Boston, 1888; W. E. PEUCKERT, *Die Rosenkreutzer*, Iena, 1928; H. SCHICK, *Das ältere Rozenkreutzertum*, Berlim, 1942; W. SCHRODTER, *Geschichte und Lehre der Rosenkreutzer*, Villach, 1956; F. WITTEMANS, *Histoire des Rose-Croix*, Paris, 1925; F. HARTMANN, *Au seuil du sanctuaire*, Paris, 1920; U. TRIACA, *Le livre du Rose-Croix*, 1950 (cf. parecer muito crítico de M. LEPAGE, "Faits et légendes", em *Le Symbolisme*, setembro/outubro de 1958, nº 341, pp. 5-18). As páginas de H. F. MARCY sobre o assunto (*op. cit.*, t. II, pp. 72-88) não são desprovidas de interesse no plano histórico, mas o fundo do problema não chegou a ser mesmo entrevisto. O pequeno livro de S. HUTIN, *Histoire des Rose-Croix*, Paris, 1962, 2ª ed., será útil pelo menos quanto à abundante bibliografia crítica. O livro de Sédir continua sempre importante e pode dispensar a leitura das outras obras. Enfim, recomendamos sobretudo a proveitosa leitura das páginas tão profundas de R. GUÉNON em *Aperçus sur l'initiation*, Paris, 2ª ed., 1953, pp. 241-243, que, ao contrário da maioria dos autores, estabelece as diferenças existentes entre rosa-cruzes e rosacrucianos. No plano literário, ver o capítulo, não destituído de interesse, embora tratando de um assunto particular, da tese recente de L. GUINET, *Zacharias Werner et l'ésotérisme maçonnique*, La Haye, Mouton et Co., 1962, pp. 130-158 (Franc-Maçonnerie et Alchimie). O número especial da revista *Le Voile d'Isis* (Paris, Chacornac, 32ᵉ année, agosto/setembro de 1927) continua sendo muito importante com relação ao problema dos rosa-cruzes.

se diziam dos "irmãos da Rosa-Cruz, que, visíveis ou invisíveis, estavam na cidade e ensinavam todas as ciências", o que de longe tem o cheiro da mistificação. Do mesmo modo, um pouco mais tarde, em 1628, encontra-se em Londres "uma comunicação misteriosa [...] em nome do embaixador do presidente da sociedade dos Rosa-Cruzes [que] prometia ao rei Carlos I depositar no tesouro real até 3 milhões de libras esterlinas, ensinar-lhe o meio de suprimir o Papa, de expandir a religião anglicana em toda a cristandade e de converter os judeus e os turcos à religião cristã".[13] Esse texto tem, pelo menos, o mérito de sublinhar que aqueles que se diziam rosa-cruzes eram oriundos de um movimento de reformados e convém lembrar, a propósito, que o selo de Lutero era formado por uma cruz ornada com uma rosa. Na realidade, esses personagens misteriosos não eram senão rosacrucianos (Leibnitz era um deles) e não rosa-cruzes. Essa distinção se prende a algo inteiramente diferente, "o termo Rosa-Cruz é [...] a designação de um grau efetivo iniciático [...] a perfeição do estado humano, pois o próprio símbolo da Rosa-Cruz representa pelos dois elementos de que é composto a reintegração do ser no centro desse estado e a plena expansão de suas possibilidades individuais a partir desse centro; marca, portanto, com exatidão, a restauração do *estado primordial* ou, o que vem a ser a mesma coisa, o acabamento da iniciação nos *pequenos mistérios*".[14] O que equivale, portanto, exatamente à realização espiritual própria da Maçonaria azul e não corresponde de modo algum a um grau maçônico de qualquer perfeição. Por outro lado, é compreensível que seria inútil a um grupo de pessoas ou mesmo a um indivíduo qualquer pretender-se rosa-cruz, pois se trata de um estado individual com tendência à "personalização" dessa individualidade. Mas, a confusão entre rosa-cruz e rosacrucianos é total na maioria dos casos. Assim, no século XIX, parece que Balzac, martinista,

---

13 H. F. MARCY, op. cit., t. II, p. 83, segundo GOULD, *Histoire abrégée*, p. 84.
14 R. GUÉNON, *Aperçus sur l'initiation, op. cit.*, p. 242.

talvez franco-maçom,[15] tivesse sido um rosacruciano.[16] Pode-se dizer rosacruciano, mas não rosa-cruz. Aqueles que se apresentam como tal pertencem à primeira categoria e são "adeptos das ciências secretas: alquimia, astrologia, magnetismo, comércio com os espíritos, o que não ocorre sem misticismo e iluminismo". H. F. Marcy concluiu, com razão, que foram essas pessoas que provocaram "o aparecimento dos primeiros escritos satíricos de Andreae, que se reúnem sob o nome de manifestos rosacrucianos",[17] aos quais já nos referimos anteriormente.

A FORMAÇÃO DA GRANDE LOJA DE LONDRES

Não se saberá jamais ao certo por que a Grande Loja de Londres foi criada em 1717. Sobre o assunto, escreve H. F. Marcy: "Cada oficina interpreta à sua maneira as velhas constituições [*Old Charges*] e entre as maneiras de proceder às iniciações, às reuniões, existe uma diversidade que, com o tempo e a longo prazo, pode destruir a unidade moral que permanece como o único vínculo entre os maçons aceitos. A confusão aumenta todos os

---

15 I∴ César MOREAU, *La Franc-Maçonnerie...*, etc., Paris, 1855, cita Balzac entre os maçons célebres de seu tempo (p. 13, nota 1) e apresenta mesmo uma poesia (?) do autor da *Comédia humana* à glória da Franco-Maçonaria (p. 62):

> "Soldados franceses, bravos guerreiros
> Sede maçons em vossa ronda,
> No campo, na terra e no mar,
> Por toda parte criai *oficinas*:
> O número de bons operários
> Pode trazer a paz ao mundo."

Versos medíocres mais ou menos comparáveis aos apresentados por Balzac em *Ilusões perdidas*.
16 J. PALOU, "L'ésotérisme de Balzac", em *Bulletin de la société des amis de Balzac*, 1953.
17 H. F. MARCY, *op. cit.*, t. II, p. 87.

dias e a velha instituição ameaça falir sem esperança de recuperação. Nesse país tão tradicionalista que é a Inglaterra, as Lojas se tornam cada vez mais *ocasionais*, deixam-se dispersar e se perderem seus arquivos, chega-se ao ponto de não se celebrar mais a festa anual de são João do inverno, de não se realizar mais o banquete prescrito pelas *velhas constituições*".[18] Marius Lepage, não sem fineza, observou com precisão o clima de incerteza econômica, social e política existente no começo da Grande Loja.[19]

Escreve Anderson:[20] "O rei Jorge I chegou a Londres no dia 20 de setembro de 1714. Algumas lojas de Londres, desejosas de um ativo protetor, em face da incapacidade de Sir Christopher Wren (pois o novo rei não era franco-maçom e, além disso, não conhecia a língua do país), acharam por bem cimentar, sob um novo e grande mestre, o centro de união e de harmonia. Com esse objetivo, as lojas:

Nº 1 — No Ganso Grelhado, na praça da catedral de São Paulo,[21]

Nº 2 — No Coroa, na avenida Parker, perto da avenida Drury,

Nº 3 — Na taberna da Macieira, na Charles Street, Covent--Garden,

Nº 4 — Na taberna Caneca de Vinho, na Channel-Row, Westminster,

18 *Id., ib.*, t. I, p. 63.
19 M. LEPAGE, *L'Ordre et les obédiences*, Lyon, Derain, 1956, pp. 42-43.
20 ANDERSON, *Constitutions de la confrérie des Francs et Acceptés Maçons,* ed. M. Paillard, IV parte, pp. 14-15.
21 A taberna do Ganso Grelhado existia ainda em 1897, "uma escada em caracol, muito estreita, conduzia ao primeiro andar onde se encontrava uma sala de refeição de dimensões bastante amplas. Foi nessa sala, sem dúvida, que se realizou a reunião dos fundadores da Grande Loja" (descrição de R. ROBERTSON dada por L. DALTROFF, "La Taverne à l'Oie et au Gril", em *L'Acacia*, nº 29, maio de 1926, p. 477). Lê-se em *Catéchisme des Maîtres* (Recueil précieux de la Maçonnerie adonhiramite, A Philadelphie, chez Philarèthe, rue de l'Équerre, à l'Aplomb, 1787, p. 84): "Como ali chegastes (à sala do meio). — Por uma escada feita em forma de parafuso, que sobe por três, cinco e sete".

reuniram-se com alguns outros antigos irmãos no dito Macieira e, tendo dado a presidência ao mais velho mestre maçom, mestre de uma loja, constituíram-se numa grande loja, *par interim* na devida forma. Resolveram restaurar a comunicação trimestral dos oficiais das lojas, reunir-se em assembleia nas festas anuais e escolher então entre eles um grão-mestre, na expectativa de terem a honra de ter à sua frente um irmão nobre". Anderson acrescenta que no Dia de são João Batista realizou-se uma assembleia de maçons *francos e aceitos* na taberna do Ganso Grelhado, "na praça da catedral de São Paulo" e que estes [*sic*] elegeram com a mão levantada o "nobre Anthony Sayer para grão-mestre dos maçons, o qual imediatamente investido nos adornos de seu ofício pelo mestre mais antigo, e instalado, foi felicitado pela assembleia, que lhe rendeu homenagem". Esse texto muito importante de Anderson mostra que Christopher Wren tinha uma função nas lojas antes de 1717. Ora, sabemos, segundo Aubrey, que na segunda-feira, 18 de maio de 1691, ocorreu uma reunião da Loja em São Paulo e que Christopher Wren foi na ocasião "adotado como irmão, e Sir Henry Goodric, da torre, e diversos outros".[22] Mas L. Vibert desmente que Wren tenha tido qualquer função e assegura que a afirmação de Anderson "não tem a mínima base documental".[23] A partir de 1717, a Maçonaria se dá então uma estrutura escrita e M. Lepage declara melancolicamente: "No meu parecer, a partir desse dia nefasto data o declínio da Maçonaria autenticamente tradicional. Ao se dar chefes e regulamentos gerais, os maçons da época rejeitaram a mais bela ideia maçônica, isto é, "o maçon livre, na Loja livre".[24] E B. Jones: "[...]a nova Grande Loja viveu tranquilamente durante três anos. Em seguida, ela conheceu uma grande atividade, durante a qual as quatro lojas primitivas aumentaram em número até se tornarem 64, se se der crédito a uma lista registrada em 1725. Dessas 64, cinquenta estavam em Londres (as outras no interior) [...]".[25]

22 *Apud* L. VIBERT, *op. cit.*, p. 143.
23 L. VIBERT, *op. cit.*, p. 143.
24 M. LEPAGE, *L'Ordre et les obédiences*, p. 45.
25 B. JONES, *Freemason's guide*, p. 172, *apud* M. LEPAGE, *L'Ordre et les obédiences*, p. 47.

Não é nosso propósito, como já o dissemos no prefácio, acompanhar o desenvolvimento das Lojas inglesas no século XVIII, do mesmo modo que o desenvolvimento das Lojas na França durante o mesmo período. É suficiente dizer, em função dos documentos ingleses, que uma Loja se reunia em Paris (em 1725), na Rua de la Boucherie, na casa de Hure, dono de uma estalagem.

Em 1735, havia sete Lojas em Paris e existiam algumas no interior.[26] É nessa época que as Lojas de Paris exigem da Grande Loja da Inglaterra o direito de formar uma Grande Loja provincial. Isso só é concedido em 1743 e resultou na constituição da *Grande Loja inglesa da França*. Diz M. Lepage: "A administração é de tal ordem medíocre, e, convém dizer, as Lojas se negam a se submeter a toda ingerência estrangeira, direta ou indireta, que essa Grande Loja declara-se independente em 1755, para assumir o título de *Grande Loja da França*".[27] Mas nos antecipamos um pouco, tornando-se agora necessário apresentar os três personagens que marcaram profundamente o nascimento e o primeiro desenvolvimento da Maçonaria moderna ou especulativa: Anderson, Désaguliers e o cavaleiro Ramsay.[28]

---

26 Essas Lojas são: São Tomás, n.º 1 renovada no dia 3 de abril de 1732, 12 de junho de 1726; Loja de Coastown (Goustaud), 12 de junho de 1726; São Luís de Prata, chamada São Tomás II (Lebreton), 7 de maio de 1729; São Martinho (Peny père), 7 de maio de 1729; as Artes Santa Margarida, 15 de dezembro de 1729; São Pedro-São Paulo (Puisieux), 15 de dezembro de 1729; Loja de Bussy (Aumont), 15 de dezembro de 1735. Os nomes próprios são os dos veneráveis que presidem a essas Lojas (conforme G. BORD, *La Franc-Maçonnerie des origines à 1815*, Paris, 1908, t. I, p. 155 e nota 1).
27 M. LEPAGE, *L'Ordre et les obédiences*, p. 62.
28 Sobre a evolução das Lojas, tanto na Inglaterra como na França, consultem-se com proveito: H. F. MARCY, *op. cit.*, t. I, pp. 45-148; Gaston-MARTIN, *Manuel d'histoire de la Franc-Maçonnerie française*, Paris, 1929, pp. 3-21, 32-118.

3. Anderson, Désaguliers, Ramsay

Anderson, Désaguliers e Ramsay viveram na mesma época e desempenharam nos primórdios da novel Ordem Maçônica papel preponderante, embora cada qual muito diferente. Anderson foi o organizador da Maçonaria dita especulativa; Désaguliers, seu propagador. Por último Ramsay, que deve ser diferenciado dos dois outros, tanto no plano das ideias como no plano maçônico, foi o renovador da Maçonaria francesa, propagando sua corrente chamada de *Escocismo*.

JAMES ANDERSON (1684-1739)

James Anderson nasceu em Aberdeen, na Escócia, por volta de 1684. Não se sabe nada sobre sua infância. Formado pela Universidade de sua cidade natal, tornou-se em 1734 ministro de uma capela presbiteriana de Piccadilly. Não se conhece a data de sua iniciação na Franco-Maçonaria. Escreve M. Lepage: "Parece não haver tomado parte na fundação da Grande Loja, nem mesmo ter estado presente a suas reuniões antes de 1721".[1] Acredita-se que, depois de 1723, data da publicação das *Constituições,* não compareceu mais às reuniões da Grande Loja durante sete anos; redigiu seu livro sobre *Les généalogies royales,* "a obra de sua vida",[2] publicada em 1732. A

---

1 M. LEPAGE, *L'Ordre et les obédiences*, Lyon, Derain, 1956, p. 47.
2 *Id., ib.*

segunda edição das *Constituições* apareceu em 1738, profundamente reformulada. Morreu em 1739. O jornal *The Daily Post*, de 2 de junho de 1739, nos apresenta uma descrição muito interessante de seus funerais: "Ontem à tarde, foi enterrado numa sepultura de profundidade fora do comum o corpo do dr. Anderson, professor não conformista. Quatro professores da mesma religião e o Reverendo Dr. Désaguliers seguravam os cordões do manto funerário. Era acompanhado mais ou menos por uns doze franco-maçons que ficaram em torno da sepultura. Depois que dr. Earle pronunciou uma alocução sobre a incerteza da existência, os irmãos tomaram uma solene atitude fúnebre, levantaram suas mãos, suspiraram e bateram três vezes em seus aventais em honra do defunto".[3] Esse texto é sugestivo por mais de uma razão e a expressão de uma "sepultura de profundidade fora do comum" é reveladora de certas sociedades iniciáticas, às quais devia pertencer o defunto, como também aparece aqui o "sinal de horror",[4] principalmente aquele ainda usado na Maçonaria inglesa.[5]

A maioria dos historiadores mostra-se muito severa com relação a Anderson, e M. Lepage escreve: "Na realidade, a reputação de Anderson, na época, não foi muito além da reputação de um

---

3 *The Daily Post* (2 de junho de 1739), *apud* M. LEPAGE, *op. cit.*, p. 48.
4 Números VI, 22-23: "O Eterno falou a Moisés, assim: fala a Aarão e a seus filhos, dizendo: Assim abençoareis os filhos de Israel."
5 "O oficiante levanta os dez dedos, os dois polegares e os dois indicadores respectivamente aproximados na forma de triângulo, que contém em si a figura emblemática do correspondente do *iod* hebraico com o *iod* celeste. O padre eleva suas mãos de maneira que possa ver por um de seus olhos seu auditório através do triângulo formado por eles. É segundo esse modelo que os artistas figuraram a providência sob a forma triangular com um olho no centro. Observemos ainda que [...] o padre separa o médio do auricular de cada mão [...], nessa posição pronuncia a bênção, cerimônia que se perpetua até nossos dias pelo ministério dos *Kohanim* (D. ROSENBERG, Explication du tableau intitulé: "Aperçus de l'origine du culte hébraique, avec l'exposé de quelques usages et leur signification symbolique", Paris, 5601-1841 (?). Citado por J. REYOR, "Réflexions sur la Maçonnerie", em *Études Traditionnelles*, nº 302, setembro de 1952, p. 283, nota 1, abaixo).

homem destemido e bastante excêntrico, um escritor que atualmente qualificaríamos de plagiário, pelo menos no que concerne à sua obra-prima, *Les généalogies royales*, amplamente *copiada* do livro do alemão John Hübner [...]".[6] O mesmo historiador da Franco-Maçonaria acha que o papel de Anderson na redação das *Constituições* foi de simples secretário "a serviço de um irmão que, por motivos que ignoramos, não queria assumir a paternidade das novas *Constituições*",[7] o que não passa de uma afirmação inteiramente gratuita. Depois de haver declarado que "a reputação de Anderson [cresceu] à medida que sua lembrança se apagava da memória dos homens, sobretudo daqueles que o haviam conhecido pessoalmente",[8] o próprio M. Lepage demonstra um pouco de remorso com relação ao pobre Anderson, dizendo que a propósito de suas obras, é preciso evitar "[...] os dois excessos contrários: rejeitá-lo em bloco, aceitá-lo em bloco".[9]

É que o aparecimento das famosas *Constituições* em 1723, isto é, no fundo a manifestação mais sensível da exteriorização maçônica, é um momento capital na história da Franco-Maçonaria. A esse propósito escreve Oswald Wirth: "Em 1723, quando a Grande Loja de Londres, fundada havia sete anos, promulgou o *Livro das Constituições*, a Franco-Maçonaria foi apresentada ao mundo como uma instituição *una* em sua universalidade. Devia ser uma confraria moral unindo os homens de bem de todos os países, de todas as línguas, de todas as raças e de todas as posições sociais, apesar das opiniões políticas ou religiosas que os dividissem".[10] Essa exteriorização da ordem corresponde, além disso, a um tempo e a um país, a Inglaterra do início do século XVIII, onde a liberdade fazia progressos consideráveis, de tal modo que a Inglaterra será em breve o

---

6 M. LEPAGE, *op. cit.*, p. 48.
7 *Id., ib.*, p. 49.
8 *Id., ib.*, p. 48.
9 *Id., ib.*, p. 48.
10 O. WIRTH, "Le dédoublement de la Franc-Maçonnerie", em *Le Symbolisme*, junho de 1930, p. 141.

modelo ideal dos filósofos franceses, tais como Montesquieu e Voltaire. Nesse sentido observa Gabriel Langlois: "O espírito de equidade tem o seu berço no liberalismo do pensamento e do sentimento. Não existe homem ignorante que possa ser livre. Não há homem que possa pretender-se maçom se antes não for um homem livre".[11] Nisso é corroborado por Albert Lantoine: "Eu imagino qual deve ter sido o estado de espírito de Anderson, de Désaguliers, de Thomas Payne e seus colaboradores quando, em 1721, estabeleceram a carta da Maçonaria especulativa [...] a elite, sobretudo, sob a influência cada vez mais audaciosa da filosofia e dos progressos da ciência, estava desejosa de encontrar um lugar tranquilo onde lhe fosse possível entregar-se a torneios intelectuais e mesmo espirituais, fora das espiritualidades dogmáticas".[12] Isso equivaleria a reconduzir o espírito da Ordem Maçônica, perfeitamente iniciático, a um limite muito estreito, porque filosófico e não metafísico. Aproximando a verdade histórica tradicional para mais perto dos primórdios da Maçonaria especulativa, no limiar do século XVIII, mas cujas origens remontam, como se viu, à noite dos tempos, Armand Bédarride afirma: "É certo que a corrente maçônica de 1717-1723 desenvolveu-se num terreno ideológico e esotérico, pelo qual o Oriente se detém na Palestina. Pode-se dizer que nossa ordem é a imagem do mundo ocidental em sua formação mental".[13] O racionalista Gaston-Martin, pelo menos uma vez, parece ter entrevisto uma parcela da realidade esotérica: "Só na Inglaterra", escreve, "sociedades de pensamento, talvez influenciadas pelos rosa-cruzes da Alemanha, filiam-se no fim do século XVII a confrarias operativas em plena decadência, mas protegidas por suas concessões. Não tardarão em dominá-las e está aí a origem certa da Franco-Maçonaria

---

11 G. LANGLOIS, "L'Avenir de la Franc-Maçonnerie: le problème des élites", em *Le Symbolisme*, nº 238, abril de 1939, p. 108.
12 A. LANTOINE, "Gémissons! Mais espérons!", em *Le Symbolisme*, nº 209, agosto/setembro de 1936, p. 205 (Resposta a Jean Barles, diretor dos arquivos de Trans).
13 A. BÉDARRIDE, "Le complément rituélique" [sic], em *Le Symbolisme*, nº 166, outubro de 1932, pp. 231-232.

especulativa moderna".[14] Opinião surpreendente na pena desse autor, mas que nos parece muito perto da verdade, embora a corrente rosa-cruz alemã a que alude fosse uma corrente de ideias protestantes[15] e não, como parece ser opinião predominante em certos meios maçônicos contemporâneos, de origem católica romana.

Para redigir suas *Constituições,* Anderson entregou-se a um trabalho considerável de pesquisas das antigas *Old Charges*. Os historiadores põem em dúvida "a existência do comitê dos catorze irmãos que teria ajudado Anderson na compilação das *Antigas Obrigações* e na redação da nova carta".[16]

As *constituições* aparecidas em 1723 tiveram várias edições: uma em 1738, de Anderson, ainda vivo; as outras, depois de sua morte, em 1756, 1767 e 1784. Esse texto capital foi traduzido para o francês em 1742 pelo I∴ La Tierce (reedição em 1745). Anote-se no período contemporâneo a tradução comentada por Mons. E. Jouin (1930), que foi um dos mais ferozes e também dos mais simplórios adversários da Franco-Maçonaria,[17] e sobretudo a excelente edição de Maurice Paillard,[18] que contém uma importante introdução crítica do texto *Constituições*.

Não nos compete, e não dispomos nem de tempo nem de

---

14 GASTON-MARTIN, *Manuel de l'Histoire de la Franc-Maçonnerie française*, Paris, P.U.F., 1929, p. 3.
15 O selo de Martinho Lutero trazia uma cruz tocada por uma rosa.
16 M. LEPAGE, *op. cit.*, p. 49.
17 Mons. Jouin escrevia, por exemplo: "Satã, chefe invisível, dirige sempre, em último recurso, por suas infernais persuasões, o poder maçônico, seja ele qual for, e se faz acumular de ruínas: ruínas nas almas desamparadas, ruínas nos corpos corrompidos, ruínas nas famílias divorciadas, ruínas nas sociedades desequilibradas, até que, de hecatombe em hecatombe, se possa subverter a Igreja Católica. Pois é ela o verdadeiro alvo do ataque da anti-Igreja". (Prefácio ao livro de C. NICOLLAUD, *L'initiation dans les sociétés secrètes: l'initiation maçonnique*, Paris, Perrin, 1931, 4ª ed., p. xv.) Essa citação de um escritor que se tem por muito inteligente está abaixo de qualquer comentário.
18 "Reproduction des Constitutions des Francs-Maçons ou Constitutions de Anderson de 1723 en anglais et en français", *copyright* de Maurice Paillard, 33ᵉ Londres, 1952.

meios materiais para tanto, entregarmo-nos aqui a um exame do texto integral. Antes, gostaríamos de, por meio de citações de alguns extratos, distinguir os principais elementos, as ideias-forças. O *Livro das Constituições* é muito célebre pelo artigo seguinte: "I. Com relação a Deus e à Religião. Um maçom é obrigado por sua condição a obedecer à lei moral e, se compreende bem a arte, não será jamais ateu estúpido nem libertino irreligioso. Mas, embora nos tempos antigos os maçons fossem obrigados em cada país a ser da religião, qualquer que ela fosse, desse país ou dessa nação, hoje é considerado mais conveniente limitar-se a essa religião sobre a qual todos os homens estão de acordo, deixando a cada um suas próprias opiniões, isto é, de ser homens de bem e leais, ou homens honrados e probos, quaisquer que sejam as denominações ou confissões que ajudem a distingui-los, em razão do que a Maçonaria torna-se o centro de união e o meio de travar uma amizade sincera entre pessoas que de outra forma permaneceriam eternamente estranhas".[19] Nas *constituições* de 1738 (2ª ed.), Anderson precisa sobre esse assunto, expondo seu pensamento: "Um maçom é obrigado por sua condição a observar a lei moral, como um verdadeiro Noaquita, e se compreende bem o ofício, não será jamais ateu estúpido, nem libertino irreligioso, nem agirá contra a sua consciência".[20] No mesmo texto encontra-se a afirmação singular, mas que parece aludir a uma tradição muito profunda: "Pois todos [os maçons] estão de acordo sobre os três grandes artigos de Noé, para preservar o cimento da Loja".[21] Tem

---

19 *Apud* H. F. MARCY, *op. cit.*, t. I, p. 149.
20 *Apud* H. F. MARCY, *op. cit.*, t. I, p. 150.
21 *Apud* H. F. MARCY, *op. cit.*, t. I, p. 150, que acrescenta (nota 1) "que vêm fazer no texto esse verdadeiro Noaquita, esses três grandes artigos de Noé?" Observar-se-á que, no Escocismo, o 21º grau chama-se *Noaquita* ou *Cavaleiro Prussiano*. Nesse grau os trabalhos têm lugar num "ambiente disposto de modo a receber a luz da lua cheia. Não há outra luz além da luz desse astro" (ritual do 21º grau). Vê-se facilmente que existe entre esses diferentes textos das correspondências próprias do simbolismo da Arca de Noé e o da lua e das águas, isto é, da matéria-prima da obra. De resto, esses três grandes artigos de Noé

havido muitas disputas sobre esses textos. Sobre a frase: "Um maçom é obrigado por suas condições [...] etc.", Knoop e Jones escrevem de uma maneira um tanto obscura: "Ao mesmo tempo que maçom, ele deve observar o que a 6ª obrigação chama de *a mais antiga religião católica* [...]". O que queria dizer esta frase: "a mais antiga religião católica"? Pode-se pensar, com razão, que se trata ao mesmo tempo da "religião sobre a qual todos os homens estão de acordo", quer dizer também os "três grandes artigos de Noé". Ela é também idêntica ao que o "Pocket Companion" de 1734-1735 chama de "religião da natureza", o que quer dizer, com toda a probabilidade, a religião "natural" enquanto distinta da religião "revelada".[22] Nós nos perguntamos, pelo contrário, se não existe nisso uma alusão ao rito celta ou irlandês, cujos operários edificavam suas igrejas em madeira, o que tem, por conseguinte, estreita relação com a arca igualmente de madeira e que nos leva à ideia de Noé. Serão igualmente apreciadas as observações sutis de M. Paillard, mas de natureza totalmente diferente, sempre a propósito da famosa frase: "Um maçom é obrigado por sua condição a obedecer à lei moral; e se compreender bastante a arte, não será jamais ateu estúpido, nem libertino irreligioso". Escreve M. Paillard: "Esta frase [...] visa àquele que já possui a qualidade de

---

fizeram correr bastante tinta e, pela primeira vez, não estamos inteiramente de acordo com R. GUÉNON, pelo menos quanto à segunda parte de sua frase, quando escreve: "a segunda redação das *Constituições*, a de 1738, acrescentava apenas alusões ao *Verdadeiro Noaquita* (sic) e aos *Três Grandes Artigos de Noé* que Oswald Wirth acha *enigmáticos* e que o são, na realidade, no sentido de que existe uma referência a alguma coisa que pode remontar a tempos longínquos; mas, no pensamento pouco esotérico do próprio Anderson, os três artigos em questão não podiam significar outra coisa que não fosse *paternidade divina, fraternidade humana e imortalidade*, o que certamente nada tem de misterioso [...]" (R. GUÉNON, em *Études Traditionnelles*, outubro de 1938, comentário sobre um artigo de A. LANTOINE e O. WIRTH publicado em *Le Symbolisme* de julho de 1938). Confessamos não ter compreendido bem a animosidade de Guénon e outros historiadores maçons para com Anderson, que tendem a negar nele todo sentido tradicional, o que nos parece muito longe da realidade.
22 KNOOP e JONES, A. Q. C., t. LVI, p. 43, *apud* M. LEPAGE, *op. cit.*, pp. 91-92.

franco-maçom e afirma que a compreensão da arte maçônica afastará certamente o iniciado do estado de ateu estúpido ou de libertino irreligioso; mas não significa que se recusa a admissão ao candidato não crente, desde que preencha as condições requeridas".[23] E acrescenta: "Foi só em 1815 que a *Grande Loja* de 1717, por razões da ordem particular, fundida com a *Grande Loja* de 1753, tendo assumido o título de *Grande Loja Unida da Inglaterra*, modificou substancialmente o segundo parágrafo da 1ª obrigação concernente a "Deus e à religião", de 1723.[24] Achamos interessante levar ao conhecimento de nossos leitores esses *Princípios fundamentais para o reconhecimento das grandes Lojas, aceitos pela Grande Loja (da Inglaterra), no dia 4 de setembro de 1929*:

"O Venerável Grão-Mestre, tendo manifestado o desejo de que o conselho geral redigisse uma declaração sobre os princípios fundamentais, segundo os quais esta Grande Loja pudesse ser convidada a reconhecer toda Grande Loja que pedisse para ser reconhecida pela jurisdição inglesa, o conselho atendeu com presteza a esse desejo. O resultado seguinte foi aprovado pelo grão-mestre e deve formar a base do questionário que será no futuro encaminhado a toda jurisdição que pedir o reconhecimento inglês. O conselho deseja que não só esses organismos, mas os maçons dependentes da jurisdição do grão-mestre sejam plenamente informados da natureza desses princípios fundamentais da Franco-Maçonaria, que a Grande Loja da Inglaterra sempre defendeu no curso de toda a sua história."

1. A regularidade de origem: isto é, que cada Grande Loja terá sido regularmente fundada por uma Grande Loja devidamente reconhecida ou por três Lojas ou mais regularmente constituídas.
2. Que a crença no Grande Arquiteto do universo e em Sua vontade será condição essencial à admissão dos membros.

23 M. PAILLARD, *op. cit.*, p. 27.
24 *Id., ib.*, pp. 22-23.

3. Que todos os iniciados deverão prestar seu juramento sobre o livro da lei sagrada, ou os olhos fixos nesse livro aberto, pelo qual é expressa a revelação do alto, à qual é ligada irrevogavelmente à consciência do indivíduo que se inicia.

4. Que a Grande Loja e as Lojas particulares serão exclusivamente constituídas de homens; e que cada Grande Loja não manterá qualquer relação maçônica, de qualquer natureza, com Lojas mistas ou com organizações que admitam mulheres na qualidade de membros.

5. Que a Grande Loja exercerá jurisdição soberana sobre as Lojas submetidas ao seu controle, quer dizer, será um organismo responsável, independente e inteiramente autônomo, possuindo uma autoridade única e inconteste sobre o ofício ou os graus simbólicos (aprendiz registrado, companheiro e mestre) postos sob sua jurisdição; e que não será de nenhuma maneira subordinada a um conselho supremo ou outro poder que reivindique controle sobre esses graus, nem partilhará sua autoridade com esse conselho ou esse poder.

6. Que as três grandes luzes da Franco-Maçonaria [quer dizer, o livro da lei sagrada, o esquadro e o compasso] serão sempre expostas durante os trabalhos da Grande Loja ou das Lojas sob o seu controle, sendo a principal dessas luzes o livro da lei sagrada.

7. Que as discussões de ordem religiosa e política serão rigorosamente proibidas na Loja.

8. Que os princípios dos *antigos marcos*, costumes e usos do ofício serão estritamente observados.[25]

---

25 *Apud* M. PAILLARD, *op. cit.*, pp. 24-25. Pelo contrário, no dia 4 de abril de 1938, o Grande Oriente da França tomava a seguinte decisão: "O livro da lei, sobre o qual o candidato à admissão deverá prestar seu juramento, compreende, com a constituição e o regulamento geral do Grande Oriente de França, as primeiras obrigações da ordem redigidas pelo Ir.˙. Anderson e aprovadas, em 1723, pela Grande Loja da Inglaterra". (Citado por M. PAILLARD, *op. cit.*, p. 5.)

Os autores, todavia, muitas vezes divergem a propósito da obra principal do pastor Anderson. Não é, entretanto, sem razão que Eugène Bernard Leroy pode afirmar: "Os pais da Maçonaria moderna tiveram a feliz ideia de conservar as formas rituais [sic] que presidem aos trabalhos e às admissões, como também os próprios termos e os objetos essenciais empregados pelos maçons construtores; estas coisas se converteram em muitos símbolos maravilhosamente adaptados à nova orientação da associação; desde o esquadro e o nível até o humilde avental de couro, tudo falou aos olhos e ao espírito para lembrar sem cessar ao iniciado tanto as origens históricas da ordem como o objetivo perseguido".[26] E cabe a O. Wirth acrescentar: "Os fundadores da Maçonaria moderna foram tradicionalistas, ciosos da perpetuação de usos venerados. Foi a fim de poder celebrar dignamente o Dia de são João do verão, que eles se decidiram pela união de quatro Lojas de Londres, presididas por um grão-mestre. Inovaram assim, ao mesmo tempo que renunciavam definitivamente à prática da arquitetura material, para se ater doravante ao exclusivo aspecto moral da iniciação maçônica".[27] Aí se encontra evidentemente o aspecto moral e moralizador, errôneo na concepção que a maioria dos maçons do começo do século queria dar à Franco-Maçonaria, sem levar em conta que, sendo a Maçonaria uma ordem iniciática, nada tem a ver com o ponto vista de moral, o qual, pelo contrário, por ser do domínio exotérico, é próprio de cada religião. De resto, em outra parte, Wirth, a propósito dos "princípios fundamentais para o reconhecimento das grandes Lojas" que citamos anteriormente, lamenta amargamente ao reconhecer o que se chama de falência da fundação de 1717-1723, sem considerar sua própria contradição: "Eles (os irmãos) reunir-se-ão na sala do meio[28] para chorar o

---

26 E. B. LEROY, "Fragments sur la Franc-Maçonnerie", em *Le Symbolisme*, nº 180, janeiro de 1934, p. 15.
27 O. WIRTH, "De l'équerre au compas", em *Le Symbolisme*, nº 220, agosto/setembro de 1937, p. 197.
28 A sala do meio é a Loja onde se reúnem os mestres maçons. "A sala do meio

assassinato de Hiram e ressuscitar o mestre sob uma nova forma da Maçonaria, se o último avatar não for mais reanimável".[29] G. Langlois declara: "Esta constituição não é de nenhuma época, de nenhum país. Não reflete nenhum sistema político, social ou filosófico. Cada um de seus artigos, mesmo os mais contestados, como o artigo sobre Deus e a religião, é, para quem os estudar sem paixão, a quinta essência da liberdade do espírito, da generosidade do coração e da elevação do pensamento, ao mesmo tempo do respeito pelas disciplinas civil e maçônica".[30] Esta parece ser também a opinião de Ubaldo Triaca que, em 1938, se compraz em sublinhar diante do "diktat" da Grande Loje Unida da Inglaterra o que as *Constituições* de Anderson tinham de razoável no plano político: "Contradições, confusões e tumultos no seio da Maçonaria", escreve ele, "impotência e perseguições do exterior, é justamente o que os fundadores da Maçonaria quiseram evitar".[31] Isso diz da importância dessas *Constituições* de Anderson, qualquer que seja a opinião dos exegetas, e deve ser absolutamente rejeitada a opinião

---

é a perda das ilusões, é o atanor hermeticamente betumado, no qual se realiza a gloriosa transmutação dos centros de conhecimento, que passam do cérebro para o coração. O conhecimento do coração é a comunicação direta, sem intermediário mais ou menos opaco, com a fonte de toda vida. É a iluminação intelectual diante da qual tudo se reduz à sua justa grandeza, apaga-se e desaparece, é um reflexo da verdadeira luz, um eco da palavra perdida." (M. LEPAGE, *Le Symbolisme*, 1933, p. 44.) Ver a esse respeito o sugestivo capítulo de R. GUÉNON, "Entre l'équerre et le compas", em *La grande triade, op. cit.*, pp. 128-134 e sobretudo a nota 3 da página 133 sobre as correspondências alquimísticas inerentes ao grau de mestre (o Rebis) que poderão ser cotejadas com notas pertinentes a G. E. MONOD-HERZEN em seu livro: *L'Alchimie méditerranéenne, ses origines et son but — La table d'Emeraude*, Paris, éd. Adyar, 1963, pp. 152-160. Sobre a *Sala do Meio*, ver também J. BOUCHER, *La symbolique maçonnique*, Paris, 1953, 3ª ed, pp. 272-276.
29 O. WIRTH, "L'Universalité de la Franc-Maçonnerie". II. "Le schisme anglais", em *Le Symbolisme*, nº 226, março de 1938, p. 62.
30 G. LANGLOIS, "L'Avenir de la Franc-Maçonnerie. Le problème des élites", em *Le Symbolisme*, nº 238, abril de 1939, p. 105.
31 U. TRIACA, "Aux pays où l'esprit meurt", em *Le Symbolisme*, nº 233, novembro de 1938, p. 277.

inteiramente "profana" de F. T. Cramphorn que inverte totalmente o problema: "Os hábitos sociais do século XVII", escreve ele, "impuseram-se modelando as Lojas segundo os clubes da época".[32] O que prova o desconhecimento total desse autor não só da Maçonaria como da história do século XVIII.

Resta-nos agora abordar a parte da obra de Anderson, a nosso ver a mais interessante, porque iniciática, isto é, aquela em que ele esboça a história da Ordem Maçônica desde as origens até 1723 e que é a mais desconhecida, mas sem razão, dos historiadores maçons, conforme testemunha a opinião radical de H. F. Marcy: "Lenda sobre lenda, isto não basta para fazer uma verdade".[33] A grande censura feita a Anderson, quanto às "obrigações", é a de ter feito desaparecer, num objetivo nem sempre preciso, as antigas *Old Charges*. Mas também nesse ponto os comentadores não estão de acordo. R. Le Forestier, historiador consciente das correntes de pensamento oculto no século das Luzes, não hesita em escrever: "A Freemasonry especulativa observava fielmente, a exemplo da *antiga* fraternidade, as tradições da sociedade da qual viera [...] O *Livro das Constituições* reproduzia escrupulosamente as *Old Charges* na sua segunda parte".[34] O racionalista Marcy observa contrariamente: "E para evitar as reclamações dos operativos que, como todos os bons ingleses, eram apegados aos velhos textos, às velhas fórmulas, nada havia de mais simples do que fazer desaparecer definitivamente esses velhos documentos, evitando assim toda controvérsia. Foi o que aconteceu em 1720, tão logo Anderson elaborou seu manuscrito que viria a se converter assim no texto único, que será preciso adotar e que poderá ser discutido".[35]

---

32 F. T. CRAMPHORN, "Le Rituel Maçonnique", em *The Freemason*, de 27 de outubro de 1934.
33 H. F. MARCY, *op. cit.*, t. II, p. 72.
34 R. LE FORESTIER, *L'occultisme et la Franc-Maçonnerie écossaise*, Paris, Perrin, 1928, pp. 147-148.
35 H. F. MARCY, *op. cit.*, t. I, p. 75.

Knoop e Jones, todavia, se comprazeram, com mais nuanças, em reconhecer em Anderson uma preocupação de pesquisa histórica: "Como Anderson não era mesmo capaz de recopiar corretamente seus próprios escritos,[36] seria surpreendente que se saísse melhor na transcrição de escritos de outros. É possível que Anderson tenha sido congenitamente incapaz de copiar corretamente um trecho que desejasse citar. Provavelmente não se daria mesmo conta de que bordava frequentemente os textos de outros escritores, atribuindo-lhes ideias que não eram expressas nos originais. Apesar disso, a maior parte dos fatos, se não todos, que narra sobre a Maçonaria na Inglaterra, a partir da conquista, tem autenticidade, embora os ditos fatos tenham sido um tanto alterados no curso da compilação. Tinha também outro defeito muito frequente nas pessoas que se dedicam à história. Tinha a tendência de exagerar a parte que ele próprio desempenhara no desenvolvimento dos eventos maçônicos contemporâneos".[37] Uma das coisas mais curiosas que choca o leitor na obra de Anderson é que a palavra "aprendiz", embora frequentemente substituída pela palavra "irmão", é igualmente empregada para designar o "maçom do 1º grau", como também para designar uma pessoa que não é ainda "irmão" ou "maçom do 1º grau".[38] Existem, entretanto, muitas incertezas sobre essas qualificações de graus no período de transição entre a Maçonaria operativa e a Maçonaria especulativa. Daruty, em suas obras sobre o Rito Escocês, escreveu coisas muito curiosas, até mesmo inverossímeis.[39] A propósito da ausência do

---

36 Afirmação inteiramente gratuita.
37 KNOOP e JONES, *Genesis*, pp. 166-167, *apud* M. LEPAGE, *op. cit.*, p. 49.
38 M. PAILLARD, *op. cit.*, p. 9.
39 "Assim é reformulado, em 1646, o grau de aprendiz, mais ou menos como é conferido nas lojas escocesas e inglesas; dois anos depois (1648), é instituído o grau de companheiro e, em 1650, o de mestre, cujas alegorias tendem, de acordo com alguns autores, a suscitar a lembrança da morte de Carlos I, decapitado no dia 30 de janeiro de 1649, e cujos maçons da Inglaterra e principalmente da Escócia, partidários dos Stuart, trabalham secretamente para restabelecer o trono a favor de Carlos II." (DARUTY, *Recherches sur le rite*

grau de mestre nos primeiros momentos da Maçonaria especulativa, René Guénon afirma claramente que "essa situação anormal era devida às qualificações defeituosas dos membros das quatro lojas que haviam formado a Grande Loja em 1717 e que não possuíam todos os graus da hierarquia operativa".[40] Voltaremos a discutir o assunto num próximo capítulo.

Em todo caso, há em Anderson lampejos de conhecimentos esotéricos bastante profundos e que refutam sua reputação quase profana junto a alguns autores, como M. Lepage e, sobretudo, R. Guénon. Assim, se lê, não sem interesse, na história da Ordem Maçônica traçada por Anderson: "Mas junto aos pagãos, quando a nobre ciência da *geometria* era devidamente cultivada, muito mais antes do que depois do reino de *Augusto*, e mesmo até o século V da era cristã, a Maçonaria era tida em grande estima e veneração. À medida que o Império Romano conhecia a glória, a arte real era propagada com zelo até a *extrema Tule*, e uma loja era fundada em quase toda guarnição *romana* [...]".[41] Quando se sabe o que Tule representa na tradição, essa alusão de Anderson é do mais alto interesse.[42] "Essa Tule era provavelmente idêntica à pri-

---

écossais. Paris, 1879, p. 16.) É realmente lamentável que Daruty não ofereça as fontes de semelhantes informações. A esse propósito, G. d'Alviella (*Des origines du grade de Maître dans la Franc-Maçonnerie*, pp. 72-73, nota 1) escreve: "Deixo de lado os romances como esse que se pode ler em Ragon: seria Ashmole que teria organizado os três graus sobre uma base egípcia; teria principalmente introduzido no grau de mestre o personagem e a lenda de Osíris. Após a morte de Carlos I, seus partidários teriam substituído o deus egípcio pelo arquiteto Hiram, como personificação da dinastia dos Stuarts!".
40 "Speculative Mason", abril de 1939, *apud* R. GUÉNON, *Études Traditionnelles*, julho de 1939; p. 276.
41 Ed. M. Paillard, p. 27.
42 "Tula ou Tule é ainda chamada de ilha branca e dissemos que essa cor é a que representa a autoridade espiritual." (R. GUÉNON, *Le roi du monde*, 3ª ed., 1950, p. 79.) Convém lembrar que a Inglaterra se chama Albion, quer dizer, a ilha branca, e que Anderson indica, portanto, que a Maçonaria existia num tempo imemorial na Inglaterra. Mas se trata aqui sobretudo da geografia sagrada, a única que no plano iniciático nos interessa.

mitiva *Ilha dos quatro mestres* [...] mas [...] é preciso distinguir a Tula atlante da Tula hiperboreal e é esta última que, na realidade, representa o centro primeiro e supremo para o conjunto do *Manvatara* atual; é ela que foi *a ilha sagrada* por excelência, e [...] sua situação era literalmente polar na origem". ⁴³

De outra parte, e num outro plano, Anderson insiste muito na palavra *cape-stone*, que se traduz por *carapuça*. M. Paillard escreve: "Essa palavra inglesa *cape-stone* tem sido geralmente traduzida por *Pedra-mestra, Pedra terminal, Chave de abóbada* e *Pedra angular.* Ora, *cape-stone* é o nome dado em inglês à pedra que forma o telhado; à pedra, por exemplo, que encima a ponta de um telhado na forma de uma pirâmide. Anderson empregou também essa palavra na página 19, onde, falando da reconstrução do Templo de Jerusalém, ele diz: 'Enfim, puseram a carapuça no 6º ano de Dario, quer dizer, puseram, enfim, a última pedra, ou o *coroamento* ou a *carapuça do templo*'".⁴⁴ Trata-se, portanto, aqui, de todo o simbolismo da pedra angular que desempenha um grande papel na Franco-Maçonaria.⁴⁵ E Anderson precisa ainda: "Enfim, todas essas obrigações [dos franco-maçons] devem ser por vós observadas, como também as que vos serão comunicadas de outra maneira;⁴⁶ cultivando o *amor fraterno,* o fundamento e a carapuça, o cimento e a glória desta antiga confraria".⁴⁷ E ainda: "Finalmente, porém, puseram a Carapuça no 6º ano de Dario, o monarca persa, época na qual

---

43 R. GUÉNON, *Le roi du monde,* pp. 77-78.
44 Ed. M. Paillard, p. 44.
45 "Convém observar que em certos ritos maçônicos os graus que correspondem mais ou menos de maneira exata à parte superior da construção [...] são designados [...] pelo nome de *graus de perfeição.* Por outro lado, a palavra *exaltação,* que designa o acesso ao grau de *Arco Real,* pode ser entendida como uma alusão à posição elevada da Keystone [pedra fundamental]." (R. GUÉNON, "La pierre angulaire", *Études Traditionnelles,* abril/maio de 1940 e em *Symboles fondamentaux de la science sacrée,* Paris, 1962, p. 285, nota 2; todo esse notável artigo (pp. 278-291) deve ser lido e meditado para melhor compreensão do que Anderson quis exprimir.)
46 Alusão ao segredo maçônico.
47 Ed. M. Paillard, p. 56.

foi dedicado com alegria e em meio de numerosos e grandes sacrifícios, por Zorobabel, príncipe e mestre maçom geral dos judeus".[48]
Já dissemos o suficiente para mostrar que o pastor Anderson não foi o ignorante em que muitas vezes se tem tentado transformá-lo, mas também que sua obra não é, como deploravelmente se tem dito com frequência, semelhante à organização de um bom clube inglês, mas que contém, além das indicações precisas, parcelas de verdade iniciática.

JEAN-THÉOPHILE DÉSAGULIERS (1683-1744)

Pouco se sabe da vida profana e maçônica de Jean-Théophile Désaguliers. Todavia, deve ser muito importante seu papel na constituição da ordem. Mas isso é antes de tudo subjetivo, pois há poucos vestígios de sua atividade real. J.-Th. Désaguliers nasceu em Rochelle no dia 13 de março de 1683. Era filho de um pastor da comunidade de Aytré, então subúrbio de Rochelle. Após perseguições ordenadas pelo grande rei contra os reformados, seus pais abandonaram a França para se refugiar na Inglaterra. Désaguliers estudou em Oxford, onde sucedeu a seu mestre, o Dr. Keil, na cátedra de filosofia experimental, em 1712.[49] Em 1713 ensina em Westminster e se torna amigo de Newton. Membro da *Royal Society*, foi igualmente capelão do príncipe de Gales. Em 1731, faz viagens à Holanda onde trava relações com o matemático Huyghens. Em 1742 está em Bordeaux, onde faz experiências sobre a eletricidade dos corpos. "De volta à Inglaterra, ajudou Newton, então já velho, em suas experiências e demonstrações e divulgou seu sistema sobre

---

48 *Id.*, p. 19. Observar-se-á que no 20º grau do Escocismo (venerável Grão-Mestre de todas as lojas regulares ou príncipe soberano da Maçonaria ou ainda mestre *ad Vitam*), o candidato representa Zorobabel.
49 Por curioso que pareça, H. F. MARCY (*op. cit.*, t. I, p. 65) escreve que Désaguliers era "professor de física experimental".

os movimentos celestes."⁵⁰ Publicou diferentes obras científicas e também uma poesia sobre o sistema de Newton (1728). Uma de suas obras, evidentemente secundária, nos dá muito a pensar. Désaguliers tinha publicado em 1716 uma obra *Sobre a construção de chaminés com os meios de evitar a fumaça*. Quando se sabe que os *cowan*, quer dizer, os maçons não iniciados eram especialmente empregados na construção das chaminés, não se pode deixar de considerar a afirmação de R. Guénon, de que os fundadores da Grande Loja de Londres não tinham as qualificações iniciáticas suficientes (Désaguliers estava entre eles), como muito sugestiva. Todavia, Désaguliers iniciou na Maçonaria, em 1719, o príncipe de Gales, e foi ele mesmo o terceiro grão-mestre da obediência. Seu papel nas origens da Maçonaria especulativa está longe de ser claro. É evidente que sua vida profana e a natureza de suas obras científicas nos parecem pouco apropriadas a um trabalho de ordem espiritual e iniciático. G. Bord, cujas posições e tendências desconhecemos, observa que "é com o concurso desses maçons profissionais e desses maçons aceitos que em junho de 1717 ele lançou as primeiras bases da Maçonaria especulativa, na forma que deveria triunfar".⁵¹ Para Jean Barles, "suas obras científicas e outros aspectos de sua atividade profana" foram a causa da "recepção que lhe foi feita na loja de Edimburgo em 1721 e de sua visita à loja de Bussy em Paris, em 1735".⁵² René Guénon, como de costume, mostra-se severo com relação a Désaguliers (e também a Anderson) quando escreve sobre a desgenerescência sofrida pela Franco-Maçonaria ao passar do plano "operativo" para o plano "especulativo". "Os primeiros responsáveis por esse desvio, ao que parece, são os pastores prostestantes Anderson e Désaguliers, que redigiram a constituição da Grande Loja da Inglaterra, publicada em 1723, e que fizeram desaparecer todos os documentos antigos nos quais puderam pôr as

---

50 G. BORD, *La Franc-Maçonnerie des origines à 1815*, Paris, 1908, t. I, p. 59.
51 *Id., ib.*, p. 60.
52 J. BARLES, *Archives de Trans*, nº de maio/junho/julho de 1937, *apud* R. GUÉNON, *Études Traditionnelles*, outubro de 1937, pp. 360-361.

mãos, para que não fossem percebidas as inovações que introduzissem e também porque os documentos continham fórmulas que consideravam muito incômodas, como a obrigação de 'fidelidade a Deus, à *Santa Igreja* e ao rei', marca incontestável da origem católica da Franco-Maçonaria. Esse trabalho de deformação os protestantes o haviam preparado aproveitando-se dos quinze anos que decorreram entre a retirada de Christophe Wren, último grão-mestre da Maçonaria *antiga* (1702) e a fundação da nova Grande Loja da Inglaterra (1717). Deixaram, todavia, subsistir o simbolismo, sem duvidar de que este, por quem quer que o compreendesse, testemunhava contra eles de uma maneira tão eloquente quanto os textos escritos, os quais, aliás, não haviam conseguido destruir todos."[53] Esse texto é muito importante não só quanto à crítica levantada contra Désaguliers, mas também porque opõe a Maçonaria especulativa jacobita (a da Grande Loja da Inglaterra) à Maçonaria que reivindicará origens diferentes, a Maçonaria dita stuartista, em outras palavras, o Escocismo, sobre o qual voltaremos a falar mais extensamente no próximo capítulo. O retrato mordaz logo adiante não é tampouco de molde a mostrar um Désaguliers interessado na "busca" espiritual, embora nos esboce um quadro pitoresco das Lojas do século XVIII, Lojas nas quais o cavaleiro Ramsay iria brevemente querer impor um pouco de ordem e, sobretudo, menos displicência: "Na sua vida particular, (Désaguliers) era um homem sério, chegando quase à austeridade. Mas se relaxava no seguro retiro de uma Loja bem guardada, na companhia de seus irmãos, quando os elos e as convenções sociais eram atenuados. Considerava os trabalhos da Loja estritamente confidenciais. Persuadido de que seus irmãos, pela iniciação, ocupavam a mesma posição que seus irmãos de sangue, sentia-se, sem segundos pensamentos, inteiramente livre e familiar nos intercâmbios de uma cortesia sem rodeios. Na Loja era jovial, alegre, tirava sua cançoneta e não recu-

---

53 R. GUÉNON, em *Regnabit* (fevereiro de 1926), *apud* Pierre e Jean-Louis GRISON, "Deux aspects de l'œuvre de René Guénon", em *France-Asie*, 80, janeiro de 1963, pp. 1226-1227 e 1238.

sava um bom vinho, embora fosse um dos homens mais instruídos e mais célebres de sua época".⁵⁴

ANDRÉ-MICHEL DE RAMSAY (1686-1743)⁵⁵

André-Michel Ramsay nasceu em Ayr, no dia 9 de julho de 1686. Seu pai era protestante e sua mãe, anglicana. Uma tradição muito incerta quer que seu pai tenha sido padeiro, fato de que Voltaire não se esquecerá mais tarde em sua *Ramsayde*.⁵⁶ Ramsay fez seus estudos em Ayr, depois em Edimburgo e, ainda muito jovem, tornou-se preceptor dos filhos do conde de Wemyss. Permanece nessa função até 1706, data em que viaja à Holanda onde conheceu

---

54 Macksey's Revised, artigo "Désaguliers", *apud* M. LEPAGE, em *L'Ordre et les obédiences*, pp. 51-52.

55 Muito pouco se sabe sobre a vida de Ramsay. Ver a obra medíocre de A. CHÉREL, *Un aventurier religieux au XVIIIᵉ siècle: André-Michel Ramsay*, Paris, Perrin ed., 1926 (B. N.: 8º-Nx 4662); A. DE COMPIGNY, *Les entretiens de Cambrai: Fénelon et le chevalier de Ramsay*, Paris, Rasmussen, 1929; sobre a correspondência trocada entre Fleury e Ramsay (1737) ver LEMONTEY, *Histoire de la Régence et de la minorité de Louis XV jusqu'au ministère du Cardinal Fleury*, Paris, 1832, *apud* DARUTY, *op. cit.*, pp. 287-288; sobre o mesmo tema, conforme também G. BORD, *op. cit.*, pp. 64-65. Alguns detalhes poderão ser encontrados no *Dictionnaire historique* do padre LADVOCAT, Anecdotes de la vie de messire André-Michel de RAMSAY et A. LANTOINE, "Quelques points d'histoire concernant le discours de Ramsay et les grandes constitutions", em *Le Symbolisme*, nº 104, fevereiro de 1927, pp. 35-43.

56
"Momus cansado de ver na França
O mérito sem recompensa,
Quer, para reparar essa deficiência,
Levar à dignidade o mais alto
E tirar a farinha do rosto
Do humilde escocês, cuja origem
Quer a do poeta Quinault."
[Quinault era filho de um padeiro.]

o pastor Pierre Poiret (1646-1719) que editou as obras de Mme Guyon e de Antoinette Bourignon. A influência de Pierre Poiret "devia ser considerável em toda a Europa; na Inglaterra será lido assiduamente pelos 'Filadelfos' e por William Low [...] [foi] um teósofo bastante original, a cujo sistema, amplo quadro da criação, da queda e da redenção do mundo, não falta grandeza".[57] Em 1709, Ramsay encontra-se em Cambraia, ao lado do arcebispo Fénelon. Torna-se secretário desse prelado, que o batiza.[58] Mais tarde, Ramsay foi o executor testamentário de Fénelon, o que prova a confiança que lhe testemunhava o autor de *Télémaque*.[59] Fénelon enviou Ramsay a Blois, à casa de Mme Guyon, de quem se tornou secretário (1714). Preceptor na casa do duque de Bouillon, depois, de 1717 a 1724, na casa do conde de Sassenage, "cunhado dos duques de Luynes e de Chevreuse, por recomendação deste último, amigo de Fénelon. Será hóspede do duque de Sully, casado com uma filha de madame Guyon [...]".[60] Em seguida, foi enviado pelo cardeal-ministro Fleury ao pretendente Jacques II Stuart, para ser preceptor de seus filhos. Antes de partir

---

57 S. HUTIN, *Les disciples anglais de Jacob Boehme* (Tese de doutorado em Letras), Paris, Denoël, 1960, coleção "La Tour Saint-Jacques", p. 27. Ver sobre Poiret, na mesma obra, as páginas 186-188, notas 67-74.
58 É de se perguntar com que base G. BORD, *op. cit.*, p. 62, pode qualificar o Catolicismo de Ramsay de "Catolicismo tenro e afetado exagero da fé do orador de Cambraia".
59 Sobre as relações de Fénelon com a Maçonaria convém citar o curioso texto de Lesueur, infelizmente não autenticado: "Por volta de 1733, a influência de Fénelon começa a se manifestar nas lojas da região (artesiana); a dar crédito a Ramsay, a *Parfaite Union* de Valenciennes, fundada pela Grande Loja da Inglaterra, no dia 1º de julho deste ano, deve o seu nome a Fénelon. Tal é, sem dúvida, a origem dos títulos distintivos de oficinas de artesanato: santo Homero, Hesdin e Montreuil vêm quatro lojas sucessivamente estabelecidas sob esse nome [...] Fénelon era venerado em Artois e suas ideias tinham alcançado ali um sucesso tão rápido quanto duradouro [...], durante esse primeiro período a Maçonaria artesanal parece claramente dominada por sua influência". (LESUEUR, *Histoire de la Franc-Maçonnerie artésienne*, p. 233.) A *Parfaite Union* de Valenciennes foi instalada no dia 13 de julho de 1733; figura no quadro gravado de 1735 sob o nº 135 (cf. H. F. MARCY, *op. cit.*, t. I, p. 104).
60 H. F. MARCY, *op. cit.*, t. I, p. 116.

para Roma, onde se encontrava Jacques II, o regente da França o fez cavaleiro de São Lázaro e lhe concede uma pensão de 2 mil libras a receber da abadia de Signy. Ramsay está em Roma em 1724 e seu contato com Jacques II Stuart é muito curto. No fim do mesmo ano vamos encontrá-lo na Escócia, em casa do duque de Argyle (todavia, em 1730, Jacques II Stuart concedeu a Ramsay o título de baronete da Escócia). Sabemos que em 1730 Ramsay, apesar de sua confissão católica, é recebido como doutor na Universidade de Oxford. Está em constantes viagens. Parece um desses misteriosos viajantes apenas notado pela história oficial, mas do qual se pode perceber, em algumas ocasiões, a importância e o papel profundo nas correntes de pensamento oculto que atravessam os séculos e os povos. Ramsay se detém em Sedan, em casa do príncipe de Turenne, feito duque de Bouillon. Em Paris, frequenta Louis Racine e J.-J. Rousseau. Os últimos anos de sua vida são ainda menos conhecidos. Parece que Ramsay foi iniciado antes de 1728, mas a data de sua entrada na Maçonaria ainda continua incerta. G. Bord, sem nenhuma prova, como muitas vezes acontece, afirma que ele tentou entrar para a Grande Loja da Inglaterra para ali introduzir os graus irlandeses de noviço e de cavaleiro do templo, "o que se praticava há muito tempo na Loja de Santo André da Escócia". Recusado como católico jacobita, Ramsay vai a Paris para ali desenvolver nas Lojas "o sistema dos graus superiores que, antes dele, só eram conhecidos na França como graus irlandeses".[61] Isso nos parece bonito demais para ser verdadeiro e teremos de voltar, num capítulo posterior, ao nascimento ou à renascença tão complicada dos graus superiores no século XVIII. Parece-nos também muito problemática a afirmação de Kloss e Findel, segundo a qual Ramsay foi o fundador ou, no mínimo, o propagador da Sociedade dos Gormogones, fundada em 1724. Mais segura é a opinião de Thory, que escreve: "O cavaleiro escocês Ramsay exerce as funções de orador nessa assembleia de eleição [a Grande Loja]".[62]

61 G. BORD, *op. cit.*, p. 63.
62 THORY, *Acta Latomorum*, t. I, p. 32.

Ramsay casou-se, já na idade de 49 anos, com a filha de um barão jacobita escocês refugiado na França, Marie de Nairne. Voltaire, a esse propósito, com sua maldade habitual, escreveu em sua *Ramsayde*, fazendo alusão à profissão de preceptor exercida por Ramsay durante toda a sua vida:

"Querendo que deste himeneu
Nasça numerosa linhagem,
Para ser, para os burgueses, para os senhores,
Viveiro de Preceptores".

No dia 6 de maio de 1743, uma segunda-feira, morria o cavaleiro Ramsay em Saint-Germain-en-Laye,[63] cidade real onde se haviam refugiado em seu exílio os príncipes Stuart, seus senhores. Foi sepultado na igreja paroquial de Saint-Germain-en-Laye, de cuja sepultura não resta qualquer vestígio, tendo sido a igreja demolida em 1766.[64]

A carreira literária de Ramsay tinha sido fecunda a tal ponto

---

63 "Na terça-feira, dia 7 de maio de 1743, foi sepultado na igreja, vésperas cantadas, na presença do clero, o corpo do Senhor André-Michel de Ramsay, cavaleiro de São Lázaro e cavaleiro Baronete de Escócia, esposo da Senhora Marie de Nairne, morto no dia anterior, com a idade de cerca de 58 anos, tendo os senhores Maurice Murphy e Louis Guillon, sacerdotes, assinado com os parentes e amigos do extinto — Alexander de Montgomery, conde de Eglinboune, Par da Escócia, Charles Radclyffe, conde de Dawenwater, Par da Inglaterra, Alex Home, Michel de Ramsay, Géo de Leslia, Guillon, Murphy, sacerdote." Registro paroquial (ano de 1743), reproduzido no *Bulletin des ateliers supérieurs du rite écossais*, abril de 1938, p. 70.

64 Ver padre TORRY, *Une paroisse royale*, Saint-Germain-en-Laye, Mayenne, Floch, 1927, p. 144. Um autor antimaçom escreve a esse propósito com muita sandice: "De resto, após uma reflexão, talvez seja melhor assim. Imaginem uma embaixada de filhos de Hiram fazendo hoje uma reunião na igreja de Saint--Germain por ocasião de alguma cerimônia solsticial diante dos restos daquele que consideram como o grande precursor?". (J. DE TERLINE, "Autour du Berceau de la F∴ M∴ française", em *Les documents maçonniques*, fevereiro de 1943, 2º ano, nº 5, p. 146, coluna 1 (abaixo) e 2 (acima).)

que disputou, em 1730, uma cadeira na Academia Francesa, onde, como escreve H. F. Marcy, "foi derrotado por um ilustre desconhecido".[65] Ramsay tinha escrito um *Essai sur le gouvernement civil* (1721), uma boa *Histoire de la vie de Fénelon* (1723) — que continua sendo uma obra de base para todos que pretendam estudar o autor de *Lettre à l'Académie* —, uma *Histoire du vicomte de Turenne* (1730) e, sobretudo, em 1727, *Les voyages de Cyrus*, sobre as quais as opiniões são bastante divergentes.[66] A maior parte dos autores se mostra severa e muitas vezes injusta com relação ao cavaleiro Ramsay. Para Montesquieu, "era um homem insípido"[67] e Voltaire o calunia de uma maneira vil e o faz morrer num campo de batalha na Finlândia, a serviço dos russos.[68] Aventureiro religioso, cuja vida "interior é marcada por sucessivas conversões, as quais, talvez, não foram totalmente desinteressadas".[69] Para Lantoine, Ramsay é "um ser atormentado por crises de misticismo",[70] o que dá muito a pensar na maneira de escrever a história desse anedotista. O mesmo Lantoine o qualifica de "o mais nebuloso ou o mais iluminado preceptor [...] que se possa imaginar",[71] sem que se possa saber a fonte em que se alimentou

---

65 H. F. MARCY, *op. cit.*, t. I, p. 117.
66 "Em suas viagens, [Ramsay] copia as frases, os raciocínios de um antigo autor inglês que apresenta um jovem solitário dissecando sua cabra morta e pedindo a Deus por sua cabra. Isto se parece muito com um plágio [...] Um de meus amigos o repreendeu um dia; Ramsay lhe respondeu que as pessoas podem reencontrar-se e que não havia nada de admirável no fato de ele pensar como Fénelon e de se expressar como Bossuet. *Isto se chama ser orgulhoso como um escocês.*" (VOLTAIRE, *Dictionnaire philosophique*, artigo: Plágio.) E A. Lantoine pretende que Ramsay, segundo *Entretiens sur les voyages de Cyrus*, dos padres P. Fr. GUYOT-DESFONTAINES e François GRANET, publicado em Nancy, em 1728, teria transposto para o seu livro a *Vida de Hai-Ebdn*, traduzido do árabe para o inglês em 1708. (A. LANTOINE, *La Franc-Maçonnerie chez elle*, p. 122.)
67 *Apud* LANTOINE, *La Franc-Maçonnerie chez elle*, p. 121.
68 VOLTAIRE, "Les oreilles du comte de Chesterfield", *Œuvres complètes*, t. XXI.
69 A. CHÉREL, *op. cit.*, p. IX.
70 A. LANTOINE, *La Franc-Maçonnerie chez elle*, p. 114.
71 *Id., ib.*, p. 114.

esse romanceiro. G. Bord quer nos apresentar um Ramsay "pessoa de espírito muito fino e da mais vasta ciência [...] que fez todo o esforço para propagar a Maç.·. jacobita no continente e até na Inglaterra e na Escócia [...] De uma atividade incessante e de uma boa-fé indiscutível, dirigia-se a todos os doutores renomados de seu meio para buscar esclarecimentos".[72] Para H. F. Marcy, o catolicismo de Ramsay é "muito pouco ortodoxo" e seu espírito tolerante "não pode ser compreendido por um católico de estrita obediência".[73] Nesse ponto a opinião de Marcy é secundada pelo autor antimaçom B. Fay: "[Ramsay] sonhava [...] com uma igreja católica ampliada e amaciada".[74] Para outros, Ramsay, "emanação de uma corrente de pensamento iniciático, [foi] assaltado pelas forças da contrainiciação, isto é, da subversão, que se opõem à sua obra e à sua missão".[75]

Ramsay é, antes de tudo, o autor de um documento capital para a história da Franco-Maçonaria, esse "discurso tantas vezes invocado, tão raramente conhecido",[76] que constitui "a primeira exposição doutrinária da Franco-Maçonaria francesa".[77] E também "um plano original e ousado de renovação da ordem".[78]

O *Discurso* de Ramsay foi pronunciado no dia 26 de dezembro de 1736, ou no dia 20 de março de 1737, ou no dia 24 de junho de 1738, em Lunéville, em terra estrangeira. Não nos cabe pesquisar aqui a solução do problema ou mesmo empreender a discussão crítica que reservamos para uma futura obra sobre

---

72 G. BORD, *op. cit.*, p. 62.
73 H. F. MARCY, *op. cit.*, t. I, p. 115.
74 B. FAY, *La Franc-Maçonnerie et la révolution intellectuelle du XVIIIe siècle*, Paris, La Librairie française, 2ª ed., 1961, p. 138.
75 "La Grande Loge de France vous parle", programa radiofônico de janeiro de 1963 sobre Ramsay, p. 6.
76 GASTON-MARTIN, *op. cit.*, p. 26.
77 H. F. MARCY, *op. cit.*, t. I, p. 108.
78 GASTON-MARTIN, *op. cit.*, p. 23.

Ramsay.⁷⁹ O *Discurso* foi impresso em 1741⁸⁰ e reimpresso várias vezes em seguida, notadamente com os *Estatutos* publicados por La Tierce (pp. 30-45).

É muito provável que com esse *Discurso*, sem dúvida alguma pronunciado em Loja quando de alguma iniciação ilustre, Ramsay, grande orador da ordem, tenha querido oferecer "à Maçonaria um ideal, todo inspirado no espírito das *Constituições* de Anderson, como também numa austeridade de objetivo que contrastava com os hábitos das pessoas, cujas *Lojas de Mesa* acabavam por absorver todo o zelo",⁸¹ escreve Gaston-Martin, secundando nesse ponto a opinião de Bushing: "[Ramsay] confiava a pessoas de sua intimidade que, para chegar a esse objetivo [de uma Maçonaria renovada, seria suficiente restabelecer as cerimônias antigas da Franco-Maçonaria negligenciadas na Inglaterra, por causa do caráter baixo e materialista dos maçons ingleses".⁸²

Esse *Discurso* de Ramsay contém em algumas páginas uma história da Ordem Maçônica, "um programa ideal e preciso para um desenvolvimento ao mesmo tempo racional e espiritual da Franco-Maçonaria. É, de uma certa forma, o plano diretor e detalhado para se chegar a um humanismo maçônico, válido não só para o século XVIII, mas também para os séculos vindouros".⁸³ Escrevia Ramsay: "O mundo todo não passa de uma grande Re-

---

79 Cf. sobre esse assunto GASTON-MARTIN, *op. cit.*, p. 26 e sobretudo H. F. MARCY, *op. cit.*, t. I, pp. 117-122.
80 "Discurso pronunciado por ocasião da recepção dos franco-maçons, pelo Sr. de R., grande orador da ordem", em *Almanach des cocus ou Amusements pour le beau sexe pour l'année 1741*, ao qual se acrescentou uma coleção de peças sobre os franco-maçons [...], de um jovem filósofo. Em Constantinopla, da Imprensa do Grande Senhor. Com a aprovação dos sultães, 1741, in-16, pp. 48 ss. (cf. H. F. MARCY, *op. cit.*, t. I, p. 109, nota 4). Ver a esse propósito "Lettres de M. de Voltaire, avec plusieurs pièces de différents auteurs, 1738. La Haye, Pappy (segundo BARBIER, *Dictionnaire anonyme*, t. II, 1256, in-12, p. (2) 175 (3).)
81 GASTON-MARTIN, *op. cit.*, p. 27.
82 BUSHING, *Beiträge*, Halle, 1783, t. III, pp. 319-340, *apud* B. FAY, *op. cit.*, p. 138.
83 "La Grande Loge de France vous parle", programa radiofônico de janeiro de 1963 sobre Ramsay, p. 6.

pública, da qual cada nação é uma família e cada indivíduo, um filho. É para fazer renascer e expandir essas máximas essenciais tomadas à natureza do homem, que nossa sociedade [a Franco--Maçonaria] foi de início estabelecida. Queremos reunir todos os homens de espírito esclarecido, de costumes morigerados e de humor agradável, não só pelo amor às belas-artes, mas também e ainda mais pelos grandes princípios da virtude, da ciência e da religião, onde o interesse da confraria se converte no interesse de todo o gênero humano, onde todas as nações podem colher conhecimentos sólidos e onde os súditos de todos os reinos podem aprender a se amar mutuamente sem renunciar à sua pátria. Nossos antepassados, os cruzados, reunidos de todas as partes da cristandade na Terra Santa, quiseram reunir assim, numa só confraria, os indivíduos de todas as nações. Que gratidão se deve a esses homens superiores, que, sem interesse secundário, sem mesmo escutar a vontade natural de dominar, imaginaram um estabelecimento, cujo único objetivo é a união dos espíritos e dos corações para torná-los melhor e formar, no correr dos tempos, uma nação toda espiritual em que, sem prejuízo dos diversos deveres que exige a diferença de Estados, criar-se-á um povo novo, que, composto de várias nações, as cimentará de um certo modo pelo vínculo da virtude e da ciência".[84] Esse trecho é muito importante por mais de uma razão, com destaque para a afirmação: "Nossos antepassados, os cruzados", a propósito da Maçonaria. Até hoje não se deu a devida atenção ao fato de Ramsay ter sido amigo do príncipe de Bouillon e ao fato de que a primeira cruzada foi exatamente dirigida por Godofredo de Bouillon, antepassado dos duques, dos quais Ramsay foi o protegido. De outro lado, ao longo de todo o século XVIII, fala-se de uma *Maçonaria de Bouillon*. Quem não vê que essa Maçonaria é a Maçonaria própria de Ramsay, quer dizer,

---

84 Discurso de Ramsay publicado por H. F. MARCY, *op. cit.*, t. I, pp. 166-167, segundo LA TIERCE, *Histoire, obligations et status de la très vénérable confraternité des Francs-Maçons*, em Francois Warrentrapp, em Francfort-sur-le-Main, 1742, pp. 127-142.

a corrente escocesa, stuartista e *católica*, em oposição à Maçonaria nascida da Grande Loja de Londres, a Maçonaria de Désaguliers e de Anderson? Prossegue Ramsay em seu *Discurso:* "No tempo dos cruzados na Palestina, vários príncipes, senhores e cidadãos associaram-se e fizeram o voto de restabelecer os templos dos cristãos na Terra Santa e de se empenhar na recondução da arquitetura à sua primeira instituição. Concordaram com vários sinais antigos e palavras simbólicas tiradas da essência da religião para se reconhecer entre si quando no meio dos infiéis e dos sarracenos. Esses sinais e essas palavras só eram comunicados àqueles que prometiam solenemente, e muitas vezes ao pé dos altares, jamais os revelar. Essa promessa sagrada não era, portanto, um juramento execrável, como se diz, mas um laço respeitável para unir os cristãos de todas as nações numa mesma confraria. Certo tempo depois, nossa ordem se uniu intimamente aos cavaleiros de são João de Jerusalém. Desde então, nossas Lojas trouxeram todas o nome de Lojas de são João. Essa união foi feita a exemplo dos israelitas, quando construíram o segundo templo. Enquanto manejavam a trolha e a argamassa com uma mão, *traziam* na outra a espada e o escudo" Ramsay continua: "Nossa ordem [é] [...] uma ordem moral fundada desde a mais remota antiguidade e renovada na Terra Santa por nossos antepassados, para despertar as lembranças das verdades mais sublimes em meio a inocentes prazeres da sociedade. Os reis, os príncipes e os senhores, ao retornarem da Palestina para seus Estados, fundaram diversas Lojas" e declara que por ocasião das últimas Cruzadas, havia Lojas "na Alemanha, na Itália, na Espanha, na França e, depois, na Escócia, tendo em vista a estreita aliança dos escoceses com os franceses", o que contraria todos historiadores maçons que pretendem, em contraposição, que foram os soldados e oficiais escoceses a serviço da monarquia francesa que trouxeram a Maçonaria chamada escocesa para a França. Não é menos importante destacar o que diz Ramsay em seguida: "Jacques, lorde Steward da Escócia, era grão--mestre de uma Loja estabelecida em Kilwin, no oeste da Escócia, no ano de 1286, pouco depois da morte de Alexandre III, rei da

Escócia, e um ano antes de Jean Baliol subir ao trono. Esse senhor recebeu franco-maçons em sua Loja, os condes de Glocester e de Ulster, um inglês, o outro, irlandês". Convém lembrar, a propósito, que se atribui a Ramsay a introdução na Maçonaria dos graus irlandeses. Em seguida, o autor do *Discurso* declara que o rei Eduardo III da Inglaterra se tornou protetor da Ordem Maçônica, "concedeu-lhe novos privilégios e nessa ocasião os membros dessa confraria tomaram o nome de franco-maçons a exemplo de seus antepassados. A partir dessa época, a Grã-Bretanha passou a ser a sede de nossa ordem, a conservadora de nossas leis e a depositária de nossos segredos. As fatais discórdias religiosas que tumultuaram e dilaceraram a Europa no século XVI levaram à degeneração da nobreza da ordem em sua origem. Mudaram-se, disfarçaram-se e suprimiram-se vários de nossos ritos e usos que eram contrários aos preconceitos da época. É assim que vários de nossos confrades esqueceram-se, como os antigos judeus, do espírito de nossas leis e delas não conservaram senão a letra e a casca. Começaram a aplicar alguns remédios. Não se trata senão de continuar e conduzir tudo à sua primeira instituição. Essa obra não será muito difícil, num Estado [a França], em que a religião e o governo não poderiam deixar de ser favoráveis às nossas leis. Das ilhas britânicas a arte real começa a voltar para a França, no reino dos mais amáveis dos reis [Luís XV], cuja humanidade anima todas as virtudes, e sob o ministério de um mentor [o cardeal ministro Fleury, antigo preceptor do rei] que realizou tudo o que se havia imaginado de fabuloso".[85] Enfim, conclui o cavaleiro Ramsay: "No

---

85 H. F. MARCY observa, a propósito desse trecho, que na edição do discurso de 1745 a frase sobre o mentor, Fleury, é suprimida e se pergunta se essa modificação do texto é devida ao cavaleiro. Marcy lembra que Fleury morreu no dia 29 de janeiro de 1743 e Ramsay, em 6 de maio de 1743. A interrogação que põe "isto provaria que o autor do *Discurso* teria conservado uma certa atividade maçônica" (H. F. MARCY, *op. cit.*, t. I, p. 173, nota 1) não tem objetivo, pois se passaram dois anos entre a morte de Ramsay e a reedição de seu *Discurso*, tendo sido este sem dúvida corrigido por uma outra mão. Mas, como sói acontecer com H. F. Marcy, isto só vem complicar gratuitamente problemas já complexos em si mesmos.

tempo feliz em que o amor da paz se tornou a virtude dos heróis, a nação, uma das mais espirituais da Europa, tornar-se-á o centro da ordem. Ela derramará sobre nossas obras, nossos estatutos e nossos costumes, as graças, a delicadeza e o bom gosto, qualidades essenciais numa ordem cuja base é a sabedoria, a força e a beleza do gênio. Será em nossas Lojas, no futuro, como nas escolas públicas, que os franceses verão, sem viajar, os caracteres de todas as nações, e que os estrangeiros aprenderão, por experiência, que a França é a pátria de todos os povos. *Patria gentis humanae*".

Como já dissemos, esse *Discurso* fez correr muita tinta. Para o I∴ César Moreau, Ramsay foi o criador, desde 1728, do grau de *Royal Arch*.[86] Infelizmente não aduz nenhuma prova nem referência. Para o L∴ Boubée,[87] Ramsay "construiu seu sistema dos graus superiores sobre o dos cavaleiros do Templo [...] Foi sobre essa ideia que Ramsay construiu a Maçonaria dos graus superiores e substituiu o esquadro e o castiçal pelo punhal e a tocha".[88] Como Moreau, Boubée não apresenta provas para a sua asserção e teremos de voltar a esse assunto num próximo capítulo. Mais curiosa

---

86 C. MOREAU, *Précis de la Franc-Maçonnerie, son origine, son histoire, ses doctrines*, Paris, 1866, p. 17.
87 O I∴ Boubée, 30º, é membro do conselho do grão-mestre e arquivista-bibliotecário do Grande Oriente da França, por decreto de 12 de março de 1855 (cf. Calendarie maçonnique du grand orient de France, suprême conseil. Pour la France e les possessions françaises, 5858 (1858), p. 63).
88 Lembranças maçônicas do I∴ Boubée, oficial de honra do G∴ O∴ da França; deão da maçonaria francesa, precedidas de uma nota histórica sobre a origem da Franco-Maçonaria, Paris, Imprensa do Grande Oriente da França, 1866, p. 31. Boubée tinha sido iniciado em 1795 na Loja "La Sagesse" no oriente de Tolosa, pelo I∴ Verdier, venerável dessa Loja (p. 41). A obra de Boubée é preciosa quanto à instalação do Grande Oriente na rua Cadet (pp. 75-80). Boubée fez parte do rito de Mênfis-Misraim, obteve o 89º grau, deixou esse rito por volta de 1848 e criou no Grande Oriente a Loja "Capitular Jerusalém dos Vales Egípcios", que desempenhou importante papel no início do segundo Império (pp. 55-57). O livro raríssimo de Boubée apresenta uma abundância de informações sobre os ritos e as obediências e, principalmente, sobre as Lojas de adoção.

ainda nos parece a hipótese formulada por um autor anônimo, foliculário da revista das sociedades secretas: "[...] substituí a palavra *cruzado* pela palavra *rosa-cruz*", escreve ele, "e tereis então uma interpretação racional. A F∴ M∴, filha da Rosa-Cruz, ainda viva e atuante naquela época, recusa-se a admitir em seu seio, salvo retratação formal, os inimigos declarados dessa seita, à qual deve sua origem. Isso indicaria que Ramsay teria servido de traço de união entre a Rosa-Cruz agonizante e a F∴ M∴ em suas origens".[89] Para A. Lantoine: "Esse célebre *Discurso* não marca, como se tem pretendido, a doutrina particular do Escocismo. Estamos numa época — 1738 — em que a primeira maçonaria escocesa abandonou seus objetivos conspiratórios e dinásticos e em que a liberalidade — relativa — do regime que se seguiu à morte de Luís XIV lhe permitiu adaptar-se aos costumes franceses da Instituição".[90] E fora disso esse autor não oferece mais referências que os outros. Partilhando por uma vez, numa comunhão de pensamento anticlerical e ateu que explica muitas coisas, as opiniões de Lantoine, H. F. Marcy escreve: "Todos aqueles que quiseram fazer do cavaleiro o pai do Escocismo não têm produzido mais do que afirmações sem documentos".[91] E ainda: "[Ramsay] não admite as origens bíblicas da Maçonaria, vê suas origens nas cruzadas, com os cavaleiros de são João de Jerusalém. Por meio deles a faz passar a Kilvinning, na Escócia, depois à Inglaterra e para sua história no tempo de Eduardo I, que registra como o renovador da Maçonaria universal".[92] Lantoine o acompanha: "[...] os sonhadores como Ramsay, que adoram belas lendas douradas, não reconheceram as cruzadas como antepassados a não ser por seu maravilhoso empreendimento da restauração do Templo de Je-

89 HIRAM, "Les ancêtres de la F∴ M∴ en France", Ramsay VIII, *Revue internationale des sociétés secrètes*, nº 14, 15 de julho de 1938, p. 451.
90 A. LANTOINE, *Le rite écossais ancien et accepté*, Paris, 1930, p. 26.
91 H. F. MARCY, *op. cit.*, t. I, p. 113.
92 *Id., ib.*, p. 114.

rusalém".⁹³ Esse não é o parecer de R. Le Forestier, um dos bons conhecedores da Maçonaria escocesa, que escreve: "Ramsay [...] foi provavelmente o padrinho da Franco-Maçonaria escocesa; pode ser considerado como o pai espiritual dos graus superiores, embora não tenha ele próprio concebido nem proposto grau superior aos três graus simbólicos da Maçonaria azul".⁹⁴ E esse bom historiador não tem dificuldade em responder à fabulação caricatural de Ragon, segundo a qual "toda lenda templária é obra dos jesuítas, dos quais Ramsay foi fiel servidor",⁹⁵ com estas linhas prudentes: "A atividade maçônica de Ramsay é cercada de uma confusão de lendas, que durante muito tempo eram consideradas como artigos de fé. Escritores anticatólicos viram nele um profundo político que, inventando o Rito Escocês, tentou submeter a Maçonaria à direção oculta dos jesuítas e fazer dela uma máquina de guerra a serviço do pretendente Carlos Eduardo. O absurdo dessa fábula imaginada no século XVIII por Bonneville, reeditada no século XIX na França, na Inglaterra e na Alemanha por Thory, Bézuchet, Clavel, Laurie, Oliviers e Kloss, foi vitoriosamente demonstrado pelas pesquisas imparciais e documentadas de Gould e Begemann".⁹⁶

Que concluir de tudo isso? Para dizer a verdade, nós nos sentimos muito menos seguros que Lantoine e Marcy em suas afirmações por demais categóricas. Ramsay, convém não esquecer, foi secretário de Fénelon, e Laharpe conta que Voltaire citou uma carta do cavaleiro onde se diz que Fénelon, quando de uma viagem ao outro lado da Mancha, "teria dado impulso a seus princípios, que ninguém jamais teria conhecido".⁹⁷ Frase singular, sobretudo se se levar em conta que Luís XIV mandou queimar parte

---

93 A. LANTOINE, *La Franc-Maçonnerie chez elle*, p. 189.
94 R. LE FORESTIER, *L'occultisme et la Franc-Maçonnerie écossaise*, Paris, Perrin, 1928, p. 219.
95 J. M. RAGON, *Ordre chapitral des Rose-Croix*, in-8º, Paris, s. d., *apud* A. LANTOINE, *La Franc-Maçonnerie chez elle*, p. 220.
96 R. LE FORESTIER, *op. cit.*, p. 199.
97 LAHARPE, *Cours de Littérature*, t. VII, p. 226.

dos documentos do arcebispo de Cambraia. I∴ Boubée emite, a propósito, a hipótese de que "Ramsay tinha conservado uma cópia dos escritos que continham esses princípios, e que foi sobre esses escritos que construiu o sistema dos graus superiores, que foi apresentar à Grande Loja de Londres, que o rejeitou".[98] Estamos evidentemente aqui na presença dessa história oculta, sobre a qual o historiador oficial não tem qualquer pretensão, mas nem por isso pode deixar de ser a mais real.

Mas como não se insurgir contra a negação de stuardismo imputada a Ramsay por todos esses pretensos historiadores, de Lantoine a Marcy? Por que então os reis Stuarts em seu exílio em Saint-Germain-en-Laye teriam querido que o cavaleiro dormisse seu derradeiro sono com eles em seu próprio túmulo? Honra insigne, que no antigo regime, tão hierarquizado, só se conferia aos mais fiéis servidores. Temos conhecimento desses plebeus de outrora que se dedicaram aos seus senhores e que dormem assim na paz de seus túmulos cobertos de brasões em humildes paróquias rurais. O destino não quis que os despojos do cavaleiro Ramsay permanecessem nos jazigos dos Stuart em Saint-Germain. As cinzas desse homem misterioso foram dispersas. Estava, sem dúvida, inscrito no plano divino que Ramsay, esse grande viajante, esse enigmático passageiro da história "profana" e da história maçônica, não tivesse túmulo. Mas sua alma sensível e antiga está presente a todos estes que têm sabido ler entre as linhas de seu *Discurso...*

---

98 BOUBÉE, *op. cit.*, p. 32.

4. Os degraus do santuário

> É preciso considerar "os próprios fatos históricos como símbolos de uma realidade de ordem mais elevada".
> (R. GUÉNON, *La grande triade*, 3ª ed., Paris Gallimard, p. 22, nota 3)

O século XVIII viu o aparecimento de sistemas de graus superiores maçônicos, todos procedentes do sistema escocês, que consistia em 25 graus (inclusive os dois primeiros), depois 32 e, enfim, no início do século XIX, de 33 graus. Cada um desses graus representava tantos passos para ter acesso ou tentar ter acesso ao conhecimento supremo.

Não hesitamos em colocar o terceiro grau, o de mestre, no sistema de graus superiores, do qual é o primeiro degrau. Na realidade, seu ritual, sua lenda, seu simbolismo, com exceção do esquadro e do compasso, não dependem dos termos do ofício e parecem distinguir-se, ao contrário dos dois primeiros graus, da Maçonaria operativa e por isso mesmo parecem resultar não mais nos pequenos, mas certamente, nos grandes mistérios.

Para dizer a verdade, e como o veremos brevemente, o grau de mestre se nos apresenta muito mais como a manifestação de uma recente criação anglo-saxônica do que se vinculando, como os outros graus superiores, a iniciações cavaleirescas ou herméticas. Achamos, entretanto, que é preciso considerar que houve paralelamente dois graus de mestre no século XVIII: o grau que designamos, para maior comodidade, de *mestria simples,* tal como é ainda praticado no rito francês e no Rito Escocês, e o grau de *mestre escocês,* que o Rito Escocês Retificado retomou, fazendo dele o primeiro de seus graus superiores depois da mestria "simples".

O sistema dos graus superiores forma um todo extremamente coerente para quem tem um conhecimento real do que é verdadeiramente a iniciação, e só os ignorantes, os espíritos superficiais, os inimigos da Maçonaria têm podido ver nisso uma *desordem inextricável*.

O MISTÉRIO DO GRAU DE MESTRE

Ao reeditar, em 1926, o célebre livro de J. M. Ragon sobre *A Maçonaria oculta*, Oswald Wirth escrevia: "O franco-maçom deve buscar sua iniciação em si mesmo por meio de um aprofundamento que, no fim de uma carreira laboriosa, o conduzirá à *câmara do meio*, santuário da desilusão definitiva, onde sorvemos a pura sabedoria construtiva, a sabedoria que personifica Hiram, o mestre chamado a reviver em todo perfeito iniciado".[1] O. Wirth ofereceu, assim, uma excelente definição do grau de mestre e do lugar em que se reúnem os mestres maçons: a câmara do meio. Um pouco mais tarde O. Wirth precisaria: "Esse último grau [a mestria] se nos apresentará assim como o coroamento da hierarquia iniciática".[2]

Está aí uma visão completamente *especulativa* do grau de mestre maçom, uma vez também que esse grau só aparece nos primeiros anos da Maçonaria moderna. Vimos que os maçons operativos não conheciam senão um grau, o de companheiro, e que no período relativamente recente em que os maçons operativos recebem em suas lojas pessoas que não pertencem ao ofício de construtor — os maçons aceitos — só se conhecem dois graus, o de *aprendiz registrado* e o de *companheiro*. Os companheiros trabalham na Loja sob a direção de um mestre (não é um grau, mas uma função). Mas pode acontecer, e a leitura muito superficial de certos processos verbais antigos tem levado a uma confusão nos espíritos, "que numa empresa da importância dos grandes

---

1 J. M. RAGON, *De la maçonnerie occulte et de l'initiation hermétique*, nova edição precedida de uma introdução de O. Wirth, Paris, E. Nourry, 1926, pp. 18-19.
2 O. WIRTH, *Le symbolisme hermétique dans ses rapports avec l'alchimie et la Franc-Maçonnerie*, 2ª ed., 1931, p. 92.

monumentos construídos pelas corporações operárias, um mestre renomado tenha dirigido uma Loja numerosa, onde se achavam outros mestres e que fez destes últimos seus ajudantes e *supervisores*[3] em seus trabalhos. Daí a presença na Loja inglesa de vários mestres trabalhando ao lado dos companheiros sob o maço do *mestre catedrático* ou o *venerabilíssimo mestre*[4] que preside aos trabalhos. Daí também a presença de um *antigo* mestre de loja, *past-master*, para substituir o mestre em caso de ausência".[5] O sistema dos dois graus, aprendiz e companheiro, foi legitimado pela Grande Loja de Londres, no dia 24 de junho de 1721,[6] o que leva H. F. Marcy a dizer: "É certo que, em 1720, quando a Grande Loja organiza e admite dois graus, não existe a questão de um terceiro".[7] Além disso, lê-se no artigo do *Flying Post* de abril de 1723 (A. Masons Examination): "O que é que torna uma Loja justa e perfeita? Um mestre, dois supervisores, quatro companheiros e cinco aprendizes com o esquadro, o compasso e o nível".[8] Por outro lado, as *Constituições* de 1723, redigidas por Anderson, estipulam no artigo IV das *Obrigações de um franco-maçon:* "Nenhum irmão pode ser *supervisor* antes de ter passado pelo grau de companhei-

---

3 A palavra *supervisor* em uso na Maçonaria francesa não é a tradução exata da palavra inglesa *warden*, mas de *overseer*, que era igualmente empregada na antiga Maçonaria operativa, mas que desapareceu da Maçonaria especulativa, pelo menos no que diz respeito à *Craft masonry*: conviria ver nisso um vestígio de algo que na França remontaria a muito além de 1717 (R. GUÉNON, *Études Traditionnelles*, janeiro de 1939, p. 38).
4 "Mas, no meado do século VI, os monges beneditinos, à cuja frente se encontra Austin, padre, arquiteto e primeiro arcebispo de Cantuária, tendo convertido os anglo-saxões ao cristianismo, os franco-maçons, muitas vezes então presididos por padres, aos quais, por deferência, davam o título de *Veneráveis Mestres*..." (DARUTY, *Recherches sur le rite ecossais ancien accepté*, Paris, 1879, p. 3.)
5 JOUAUST, *Histoire du Grand Orient de France*, Rennes e Paris, 1865, pp. 42-43.
6 Artigo XIII dos regulamentos gerais: "[...] salvo por dispensa, só aqui [na Grande Loja] poderão os aprendizes ser admitidos como mestres e companheiros".
7 H. F. MARCY, *Essai sur l'origine de la Franc-maçonnerie et l'histoire du grand orient en France*, Paris, ed. du Foyer philosophique, II, p. 21.
8 *Apud* H. F. MARCY, *op. cit.*, p. 21.

ro; nem mestre antes de ter exercido as funções de supervisor, nem grande supervisor antes de ter sido mestre de uma Loja, nem *grão-mestre*, a menos que tenha sido companheiro antes de sua eleição".[9] Esse texto é muito claro e demonstra muito bem que fora da função ligada ao título de mestre, não existem na Loja senão companheiros. Ademais, lê-se num texto do I∴ Friard, secretário da Loja francesa de Londres, em 1733: "O Venerável Mestre, os supervisores, os companheiros e os aprendizes da Loja francesa de Londres [...] etc.".[10] R. Le Forestier, por seu lado, tem o cuidado de anotar: "A nova organização criada pela Franco-Maçonaria especulativa contentou-se inicialmente [...] com dois graus. Foi completada pela criação do grau de mestre. Esse título era usado pelos talhadores de pedra, mas entre eles designava apenas o companheiro encarregado da direção de um canteiro e tinha sido, no início, atribuído, pela Franco-Maçonaria especulativa, ao companheiro que presidia as assembleias ou lojas. A razão pela qual esse termo passou a partir de 1725 [?] a designar não mais uma função, mas uma dignidade e se tornou a denominação de um terceiro grau, parece ter sido o desejo de fazer um trio entre os membros cada vez mais numerosos da associação e de constituir uma *High Order of Masonry*, assim como foi algumas vezes chamado o grau de mestre". E o mesmo autor ressalta, com razão, que "esse grau representa a criação própria da Franco-Maçonaria especulativa".[11] Jouaust escreve, não sem sutileza: "Os franco-maçons que receberam os três primeiros graus sabem que a iniciação [?] conferida ao companheiro é a única, cujos emblemas [!!] têm relação com a arquitetura e com a construção de um edifício".[12] Além disso, pode-se ter facilmente uma ideia disso comparando-se os tapetes de lojas dos três primeiros graus reproduzidos por

---

9 Ed. M. Paillard, p. 52.
10 LA TIERCE, p. 21, *apud* H. F. MARCY, *op. cit.*, p. 21.
11 R. LE FORESTIER, *L'occultisme et la Franc-Maçonnerie écossaise*, Paris, 1928, p. 154.
12 JOUAUST, *op. cit.*, p. 44.

Jules Boucher em seu manual.[13] Ver-se-á, contradizendo o que aventa Jouaust, que não existe nenhuma medida comum entre os tapetes relativos aos graus de aprendiz e de companheiro e o do grau de mestre, quase inteiramente consagrado à lenda de Hiram. A frase muito conhecida e já citada por nós, de René Guénon, é muito obscura quanto à não existência do grau de mestre no início do século XVIII, isto é, que "essa situação anormal era devida às qualificações deficientes dos membros das quatro lojas que haviam formado a Grande Loja em 1717",[14] e que não possuíam todos os graus da hierarquia operativa. Seria ainda necessário admitir que os operativos tenham possuído realmente esse terceiro grau, além da função de mestria de uma oficina, o que não é de forma alguma demonstrado no estado atual das pesquisas.

A primeira constatação dos três graus maçônicos aparece em 1725 nos arquivos "de uma Loja que desempenhava junto à *Philo-Musicae et Architecturae Societas* papel análogo ao da *aceitação* na companhia dos maçons meio século antes".[15] Isso constitui ainda fonte de ambiguidade por se tratar de uma sociedade musical profana, cujos membros, maçons, tinham fundado uma Loja. No dia 12 de maio de 1725, ali são recebidas quatro pessoas, uma como companheiro, *duas como mestre,* uma como companheiro e mestre. Mas essa Loja foi logo denunciada à Grande Loja, por agir irregularmente.[16] Em 1726, num discurso pronunciado pelo I.·. Francis Drake diante da Loja de York, independente da Grande Loja de Londres, são mencionados "os E. P., os F. C. e os M. M., o que se traduz por aprendizes registrados, companheiros (*fellow crafts*) e mestres maçons".[17] Em 1730, um opúsculo apresentando a "Franco-Maçonaria como uma impostura ridícula e uma asso-

---

13 J. BOUCHER, *La symbolique maçonnique*, Paris, Dervy, p. 195.
14 R. GUÉNON, *Études Traditionnelles*, julho de 1939, p. 276.
15 G. D'ALVIELLA, *Des origines du grade de Maître dans la Franc-Maçonnerie*, Bruxelas, 1907, p. 27.
16 *Antiquarian Reprints de la Quator Coronati Lodge*, t. IX.
17 G. D'ALVIELLA, *op. cit.*, p. 28.

ciação perniciosa"[18], "Masonry Dissected", atribuído ao franco-maçom Samuel Prichard, indica três graus. Essa brochura provocará uma réplica atribuída a Martin Clare, mestre em artes e membro da sociedade real da Inglaterra, onde se diz com precisão: "Há o aprendiz, o mestre de seu ofício ou companheiro e o mestre ou mestre da companhia"[19], o que demonstra de sobejo que mestre e companheiro são sempre sinônimos em 1730 na Grande Loja. Goblet d'Alviella provou que a partir dessa data "observa-se paralelamente que há Lojas que se atêm aos dois graus e Lojas que adotam um terceiro grau. Em 1731, uma Loja de Londres nº 83 fixa os direitos a pagar sucessivamente pelos admitidos nos três graus; enquanto a Loja nº 71, depois de haver fixado o custo da iniciação do aprendiz, acrescenta que ele terá de pagar ainda cinco *shellings*, 'quando se julgar conveniente lhe conferir o grau superior da Franco-Maçonaria'.[20] Mas é em 1733 que surgem em Londres, coisa curiosa, lojas unicamente compostas de mestres maçons 'que se reúnem para conferir aos companheiros o terceiro grau tornado o grau superior da Franco-Maçonaria simbólica'. Parece haver uma certa distinção entre esses novos mestres e os antigos mestres, pelo menos nas Lojas em que a mestria constituía anteriormente o equivalente ao título de companheiro".[21] Segundo os processos verbais da Loja de Kelso (Escócia), vê-se que o terceiro grau surgiu naquele país em 1735, embora muitas Lojas não o tivessem adotado imediatamente. Fazemos nossas as conclusões de Goblet d'Alviella, quando diz que, no início do século XVIII, "só havia uma cerimônia de iniciação, um só grau para os maçons operativos [...] que, depois da formação da Grande Loja em 1717, organizaram-se dois graus, restabelecendo sobre novas bases o grau de aprendiz [...] que um terceiro grau foi introduzido e se propagou gradualmente entre as lojas especulativas a

---

18 H. F. MARCY, *op. cit.*, t. II, p. 25.
19 *Antiquarian Reprints de la Quator Coronati Lodge*, t. IX.
20 G. D'ALVIELLA, *op. cit.*, p. 28.
21 *Id., ib.*, p. 29.

partir de 1725 [...] que a existência de três graus só foi sancionada pela Grande Loja da Inglaterra em 1738 e que não era ainda universalmente aceita em 1757".[22] Mais tarde, em 1813, o artigo II das decisões das duas grandes Lojas da Inglaterra indicará ainda: "Fica declarado e decidido que a pura e antiga Maçonaria consiste em três graus e não mais, a saber, os de aprendiz, de companheiro e de mestre maçom, compreendendo a ordem suprema do santo Arco Real". Está aí um desenvolvimento das ideias expressas desde 1739 pelos maçons praticantes do rito antigo aceito, que acrescentavam aos três primeiros graus os de mestre de marca, mestre passado, excelentíssimo maçom e arco real.[23]

Parece que o terceiro grau se propagou rapidamente pela Europa continental (os Arquivos da Grande Loja da Suécia indicam que o conde de Wrede Spare foi iniciado em Paris, no dia 4 de maio de 1732, recebido companheiro em 16 de novembro do mesmo ano e mestre em 1733).

Foi, portanto, necessário criar um ritual para o terceiro grau. Improvisou-se, então, um drama: foi a lenda de Hiram. Nenhuma *Old Charge* fala ou mesmo alude a Hiram.[24] E H. F. Marcy tem razão de ressaltar que até 1717 "jamais figurou nas *Tradições do ofício* e no cerimonial das Lojas".[25] O nome de Hiram aparece na

---

22 *Id., ib.*, p. 30.
23 Cf. JOUAUST, *op. cit.*, pp. 45-46.
24 Esta não é a opinião de Louis Lachat (*La Franc-Maçonnerie opérative*, Paris, Eugène Figuière, 1934, p. 119), que escreve, embora sem referências: "A lenda de Hiram [...] fazia parte dos antigos rituais, pois a reencontramos ao mesmo tempo entre os franco-maçons modernos e os companheiros, com variantes que indicam não se tratar da cópia de um texto sobre outro, mas de uma fonte idêntica. Poder-se-ia igualmente se levar em conta que os rituais dos três primeiros graus da Franco-Maçonaria são muito provavelmente tirados dos antigos ritos dos operativos; enquanto os aportes de diferentes seitas heterodoxas e iniciáticas, como os albigenses, os templários, os rosa-cruzes, os alquimistas, deixaram traços nos rituais dos graus superiores que não existiam junto aos operativos, mas foram incorporados à Franco-Maçonaria filosófica moderna por seus fundadores ingleses há dois séculos".
25 H. F. MARCY, *op. cit.*, t. II, pp. 36-37.

história antiga da Franco-Maçonaria dado por Anderson no começo do *Livro das Constituições* de 1723.[26] Esse interesse do pastor Anderson (todo inspirado, como de resto seus compatriotas, na letra e no espírito da Bíblia) por Hiram vem talvez do prefácio de *Long Livers*, obra editada em Paris em 1715 e traduzida para o inglês por Robert Chambler, familiar do lorde Montaigu, segundo Goblet d'Alviella, na qual se encontrava uma alusão a essa lenda. Para dizer a verdade, essa hipótese de H. F. Marcy nos parece muito obscura e desprovida de base tanto histórica quanto iniciática[27], principalmente. Para R. Le Forestier, os autores do ritual do 3º grau, "ainda desconhecidos, apelaram para todos os recursos de sua imaginação e de uma erudição tão vasta quanto incoerente e produziram um monstro enigmático, cujas pesquisas as mais conscienciosas não puderam descobrir a verdadeira origem".[28]

A lenda de Hiram tem sido muitas vezes recontada e recomendamos a nossos leitores a narração de R. Le Forestier,[29] ou a de G. de Nerval, infinitamente mais rica em poesia, em sua obra *Voyage en Orient*.[30] É preciso convir que essa lenda é ao mesmo tempo alegórica, se interpretada no plano moral que, a nosso ver, não oferece maior interesse, e simbólica, se apreciada no sentido iniciático. Neste último caso, convém considerar que o candidato ao 3º grau representa ele próprio Hiram atacado, abatido, enterrado, reencontrado e ressuscitado. Não seria necessário ver nisso um mito solar como ocorria habitualmente com os maçons do século XIX alimentados pelas elucubrações de Dupuis. R. Guénon interpretou muito bem o sentido simbólico da morte e ressurreição do maçom comparado a Hiram: "O segundo nascimento [a iniciação], compreendido como corres-

---

26 Ed. M. Paillard, pp. 10-11, com referências à Bíblia: II Livro das Crônicas e I Livro dos Reis.
27 H. F. MARCY, *op. cit.*, t. II, pp. 37-38.
28 R. LE FORESTIER, *op. cit.*, pp. 154-155.
29 *Id.*, *ib.*, pp. 155-157.
30 G. DE NERVAL, *Voyage en Orient*, Éditions Garnier, 1958, t. II, pp. 565-678. G. De Nerval talvez fosse maçom (ver J. RICHER, *Gérard de Nerval et les doctrines ésotériques*, Paris, Le Griffon d'Or, 1947, pp. 25-31). Isso explicaria por que Goethe, maçom notório, recebeu tão bem o jovem e desastrado tradutor de seu *Fausto*.

pondente à primeira iniciação, é exatamente [...] o que se pode chamar de regeneração psíquica; e é, com efeito, na ordem psíquica, quer dizer, na ordem em que se situam as modalidades sutis do ser humano, que se devem efetuar as primeiras fases do desenvolvimento iniciático; mas estas não constituem um fim em si mesmas e não passam de preparativos com relação à realização das possibilidades de uma ordem mais elevada, isto é, da ordem espiritual no verdadeiro sentido dessa palavra [a mestria]. O ponto do processo iniciático, a que acabamos de nos referir, é, portanto, aquele que marcará a passagem da ordem psíquica para a ordem espiritual. E essa passagem poderá ser considerada mais especialmente como constituindo uma *segunda morte* e um *terceiro nascimento* [no simbolismo maçônico, correspondendo esse terceiro nascimento à iniciação ao grau de mestre]".[31] É isso, sem dúvida, que querem dizer os antigos rituais quando declaram que o mestre maçom se encontra sempre entre o esquadro e o compasso, quer dizer, entre a Terra e o Céu.

Os autores, porém, no grau de mestre e de seu ritual, no século XVIII, teriam encarado tudo isso ou simplesmente quiseram apenas aperfeiçoar, segundo eles, uma Maçonaria que lhes parecia cheirar ainda muito a estuque e argamassa?

OS GRAUS SUPERIORES

O sistema dos graus superiores tem sido duramente atacado desde seu aparecimento. Já em 23 de janeiro de 1807, o marquês de Chefdebien escrevia ao seu primo Charles d'Aigrefeuille: "todos esses graus, qualificações e pretensões, uns mais estranhos do que outros, que são alardeados hoje em dia. Transeat",[32] retomando de

---

31 R. GUÉNON, *Aperçus sur l'innitiation*, 2ª ed., 1953, p. 180 e nota 1.
32 *Apud* B. FABRE, *Un initié des sociétés secrètes supérieures "Franciscus, Eques a Capite Galeato"*, Paris, La Renaissance Française, 1913, p. 6. Esse livro odiosamente antimaçônico é importante pelo fato de nos apresentar grande quantidade de documentos inéditos provenientes dos arquivos do marquês de Chefdebien, que desempenhou um grande papel quando da convenção de Wilhelmsbad, em 1782.

uma maneira menos elegante a diatribe de Joseph de Maistre em seu *Mémoire au duc de Brunswick*. Mais recentemente, escrevia Chemin-Dupontes: "De que mais nos admirar, da ênfase desses títulos ou da gravidade daqueles que os conferem?".[33] Finalmente, Albert Lantoine, o G. Lenôtre da História da Franco-Maçonaria (com exceção do estilo, pois G. Lenôtre escrevia bem), dá mostras ao mesmo tempo de uma falta total de compreensão iniciática e de um espírito (?) pouco fraterno, ao observar: "E se o tripeiro da esquina atende à sua clientela com a mais escrupulosa probidade é que talvez, esta noite, na solenidade do Templo maçônico, ele será soberano príncipe rosa-cruz ou comendador da águia branca".[34] O mesmo anedotista superficial congratulava-se em 1937 com o Supremo Conselho da França "por não acolher entre os grandes inspetores-gerais senão uma elite rigorosamente selecionada [que] deveria considerar como ponto de honra acabar com esse ritualismo incoerente e inconveniente [o grau de Kadosch: 30º]",[35] demonstrando assim que não entendia nada do ritual em geral e do simbolismo em particular de um dos mais belos e dos mais ricos graus, iniciaticamente falando, do Escocismo. Sua insuficiência intelectual se revela ainda mais claramente quando ousa escrever a propósito do conjunto dos graus superiores: "A verdade é que em 1804 é estabelecida uma certa ordem nessa barafunda de narrações míticas e religiosas tomadas por empréstimo, pelo século XVIII, ao Antigo Testamento e às iniciações antiquadas. É preciso muito esforço para se expulsar todos esses Jacques de Molay, Sedecias, Zorobabel, Ananias e outros personagens requisitados para a ilustração dos graus superiores".[36] É difícil reunir, em tão poucas palavras, tantos erros e confusões. Lantoine intitulava-se ele pró-

33 CHEMIN-DUPONTÈS, *Mémoire sur l'Ecossisme*, Paris, 1840, *apud* A. LANTOINE em *Hiram couronné d'épines*, Paris, s. d., t. II, p. 565.
34 A. LANTOINE, *Hiram couronné d'épines*, t. II, p. 600.
35 A. LANTOINE, "Les Légendes du rituel maçonnique", em *Le Symbolisme*, nº 213, 1937, p. 20.
36 A. LANTOINE, *Hiram couronné d'épines*, t. II, p. 572.

prio, voluntariamente, de *o Cínico* e chamava a Maçonaria, com desprezo por todo sentido tradicional, de a *Instituição*, demonstrando-nos assim que jamais pôde operar a distinção elementar entre exoterismo e esoterismo e que ficou com a teoria muito cara aos "cientistas" do outro século dos "empréstimos". Esse personagem, que foi *um alto dignatário da Maçonaria escocesa*, escrevia ainda: "Os graus superiores [que linguagem!] não se avaliam então pela linhagem dos irmãos dos três primeiros graus, porque rejeitam, e com razão, todo parentesco com os maçons operativos [...] Os escoceses são, na realidade, alquimistas".[37] Paramos aqui com esse florilégio, pois há limite para tudo, particularmente para a ostentação de uma tolice pretensiosa.

Um outro problema muito importante nos ocupará agora. Qual a origem dos graus superiores e, por conseguinte, uma vez que uns procedem do outro, o que é o Escocismo na história da ordem maçônica?

O APARECIMENTO DO ESCOCISMO

Os autores se dividem e se opõem, muitas vezes violentamente, quanto ao tema do Escocismo, esse rito de base maçônica e de função cavaleiresca iniciática. Uns querem ver nele uma "confusão inextricável"; outros, uma espécie de rito que cobre pesquisas ocultistas de muito má qualidade e, nesse sentido, o próprio título do livro de R. Le Forestier, *L'Occultisme et la Franc-Maçonnerie écossaise*, é inteiramente significativo. Na realidade, R. Le Forestier, como muitos outros escritores, confundia ocultismo e esoterismo e não pôde ver nos inúmeros rituais dissecados por ele o fio da Ariadne iniciática, que lhe teria evitado de se perder, como o fez, e de cair nos erros mais crassos, mas também,

---

[37] A. LANTOINE, "Les légendes du rituel maçonnique", em *Le Symbolisme*, nº 213, 1937, p. 14.

para o leitor avisado, os mais divertidos. No século XIX, um historiador maçom não destituído de valor escrevia: "Ramsay era escocês, pretendia que suas elucubrações viessem da Escócia [...] e os distinguia [os graus] da Maçonaria inglesa, dando-lhes o título de *escoceses*. Esta é a origem mais racional [!!!?] do Escocismo na Maçonaria".[38] E ainda, não sem intenção: "O Supremo Conselho pratica nas lojas que estão submetidas à sua obediência um rito cuja origem é atribuída à Escócia, o que lhe fez dar o nome de *Maçonaria escocesa*, nome inteiramente relativo e que não implica nenhuma divergência de princípios entre os maçons escoceses e os demais".[39] Veremos mais adiante qual é a verdadeira origem do Escocismo, mas podemos doravante dizer que Ramsay não foi, de modo algum, e tampouco nenhuma outra personalidade, o criador dos graus superiores, formando todos estes um todo muito coerente em sua linha geral, como também em seus mais ínfimos detalhes (por exemplo, as descrições dos adornos característicos dos graus), com correspondências simbólicas de um com o outro e rechaçamos como falsa esta recente e frívola afirmação: "Não há exagero em dizer que vários dos principais graus superiores escoceses foram elaborados por um homem ou por um grupo de homens, provavelmente franceses, que conheciam bem a obra de Dante e tinham conhecimento, pelo menos parcialmente, de seu valor iniciático".[40] O grande er-

---

38 JOUAUST, *op. cit.*, p. 62.
39 *Id., ib.*, p. 8.
40 I∴ SIRIUS, "Les débuts de la Maçonnerie spéculative en France et les hauts grades Écossais" (parecer sobre o livro de R. S. LINDSAY, "Le Rite écossais pour l'Ecosse"), em *Le Symbolisme*, nº 358, outubro/dezembro de 1962, p. 53. Sempre a famosa teoria dos empréstimos. O I∴ Sirius comete nesse artigo uma grande quantidade de erros de interpretação, pois toma o conteúdo pelo continente e constitui uma ingenuidade sem nome querer fazer crer em "grupos" de leitores de *A Divina Comédia*, forjando graus escoceses com a ajuda de trechos escolhidos de Dante, quando este, na sua obra, não se faz senão o porta-voz de organizações iniciáticas tradicionais, as mesmas das quais saiu a Maçonaria escocesa, muito antes que Dante dela fizesse parte. Pode-se ler no mesmo artigo: "[Os graus superiores dos primeiros graus] são de uma aflitiva puerilidade ou

ro da maior parte dessas pessoas, que têm procurado abordar o estudo do Escocismo, tem sido o de o querer fazer com meios de ordem profana. É assim que com o subeloquente subtítulo de "a inextricável confusão escocesa", Gaston-Martin escreve: "Se a Maçonaria azul continua simples apesar da cisão em duas obediências [no século XVIII], do momento em que se aborda o Escocismo, é uma confusão na qual o historiador deve confessar sua impotência",[41] pois não se trata de modo algum de estudar os graus superiores com os métodos históricos habituais, forçosamente limitados, mas por meio do emprego do raciocínio analógico em função dos ritos e dos símbolos, o que é evidentemente muito mais profundo e foge do domínio "profano" da história, sendo esta apenas um instrumento, muitas vezes precioso, de pesquisa de toda ordem. No limiar desse estudo sobre o Escocismo, vale lembrar esta frase de alto interesse de René Guénon: "a ideia é também uma realidade e mesmo de um grau superior; essa *encarnação da ideia* numa forma não é outra coisa senão o próprio simbolismo",[42] que foi nosso fio de Ariadne.

A menção de *escocês* aparece pela primeira vez no mundo profano em 1742 sob a pena do padre Pérau: "Não ignoro", escreve o autor, "que corre um vago rumor entre os franco-maçons com referência a uma certa ordem que eles chamam de *escocesa*, superior, naquilo que se pretende aos franco-maçons ordinários e que tem seus segredos à parte. Não tenho nenhuma palavra conclusiva sobre a realidade dessa ordem, e prefiro admitir que ignoro seus mistérios a falar mal deles. O que posso assegurar com ousadia é que se têm algum segredo particular, são extremamente ciosos dele, pois o escondem dos próprios mestres da

---

parecem o produto de uma imaginação delirante e malsã" (p. 49), enquanto os graus de "vingança salomônica" (do 4º ao 12º grau) resultam em algo muito mais profundo que a imaginação humana seria capaz de "inventar", mesmo que se equiparasse à imaginação malevolente do autor desse artigo.
41 GASTON-MARTIN, *Manuel d'histoire de la Franc-Maçonnerie française*, Paris, P.U.F., 1929, p. 94.
42 R. GUÉNON, *Aperçus sur l'ésoterisme chrétien*, p. 158.

Maçonaria".⁴³ Gould, lamentavelmente, sem oferecer referências, nos informa que havia em 1733 uma Loja de mestres escoceses em Londres.⁴⁴ Isso é o que se chama de "botar lenha na fogueira" daqueles que, e são muito numerosos, querem de qualquer maneira dar uma origem [...] escocesa ao Escocismo [...] Jouaust trouxe muita confusão ao estudo do Escocismo,⁴⁵ misturando ordem, rito e obediências e, na sua opinião, se fez muito caso dessa montanha de *Hérédom,* "situada entre o oeste e o norte da Escócia, no fim da carreira do sol, onde se reuniu a primeira Loja da Maçonaria, nessa parte terrestre que deu nome à Maçonaria escocesa",⁴⁶ sem se dar conta de que a palavra hebraica *harodim*

---

43 Padre PÉRAU, (Atribuído ao), *Le secret des Francs-Maçons*, 1742, 1ª ed., prefácio necessário, p. 10, nota 1. A. Lantoine faz uma citação truncada desse texto (*La Franc-Maçonnerie chez elle*, p. 196), extraído de "L'Ordre des Francs-Maçons trahi et leur secret révélé" (atribuído ao padre PÉRAU, 1745). Nosso texto é, portanto, anterior em três anos ao apresentado por A. Lantoine. Por outro lado, parece que nosso historiador (?) truncou voluntariamente o texto para reduzir o prestígio do Rito Escocês.

44 *Scotts ou Scotch Mason's Lodge*; cf. GOULD, *Ars Quator Coronatorum*, t. XVI, p. 44.

45 "Irrompeu uma cisão na Grande Loja de Londres. Parte dos maçons a ela submetidos separou-se e fundou uma outra Grande Loja, que se intitulou *Rito Antigo Aceito*, e passou, pelo contrário, a tratar seus irmãos, que permaneceram fiéis à antiga Grande Loja, de maçons *modernos*, sob a alegação de que teriam alterado os rituais e não praticavam mais a *arte* da Maçonaria sem possuir a ciência; de que não conheciam todos os mistérios da Maçonaria, principalmente a arca real, *que é a verdadeira essência desses mistérios*. Para provar sua superioridade, os *maçons antigos e aceitos* não acharam nada melhor do que alterar o rito dos três graus, acrescentando-lhes quatro outros graus que são: o *mestre de marca*, o *mestre passado*, o *excelentíssimo maçom* e a *arca real*. Como a cisão teve lugar em 1739, já tendo tentado o cavaleiro Ramsay introduzir na Inglaterra uma reforma baseada numa série de novos graus dos quais o mais alto seria a arca real, que havia inventado na França em 1728, foi provavelmente no seu sistema que se inspiraram os inovadores." (JOUAUST, *op. cit.*, pp. 45-46.) Infelizmente não existe, é claro, qualquer sombra de prova de tudo que é dito sobre Ramsay!

46 "Catéchisme du maître écossais", em *Recueil précieux de la Maçonnerie Adonhiramite*, 1787, p. 90.

designa simplesmente os contramestres que dirigiam as obras quando da construção do templo de Salomão. Gustave Bord observa, não sem amargor: "Com os misteriosos e obscuros símbolos introduzidos nos rituais de acordo com as necessidades da causa, o grão-mestre maçom assassinado pode ser indiferentemente Hiram, Jacques Molay ou Carlos I. O Templo que se quer construir pode ser o de Salomão, como a restauração dos Stuart".[47] Convém ressaltar que os autores antimaçons e mesmo maçons enganam-se redondamente. Não se trata de modo algum de construir o templo de Salomão, pois esse já existiu, mas de o reconstruir. O mesmo se diga do plano da Maçonaria especulativa, uma vez que se parte do homem assemelhado à pedra bruta para dela ser feita uma pedra perfeita, quer dizer, um homem verdadeiro que se integrará num edifício todo espiritual. René Guénon, ele mesmo, parece acreditar numa origem "escocesa" do Escocismo: "a primeira razão de ser do Escocismo", nos diz ele, "foi precisamente a de se opor às tendências protestantes e "orangistas" representadas por esta última desde a fundação da Grande Loja da Inglaterra".[48] O fato mais evidente é que o Escocismo, manifestação operante de um Rito Escocês Antigo e Aceito, apa-

---

47 G. BORD, *La Franc-Maçonnerie des origines à 1815*, Paris, 1908, t. I, p. 54.
48 R. GUÉNON, *Études Traditionnelles*, nº 206, fevereiro de 1937, p. 83. Já em fevereiro de 1926, na revista católica *Regnabit*, dirigida por R. P. Anizan e na qual o havia introduzido Louis Charbonneau-Lassay, escrevia R. Guénon: "No decurso do século XVIII, a Maçonaria escocesa foi um ensaio de retorno à tradição católica representada pela dinastia dos Stuart, em oposição à Maçonaria inglesa convertida ao Protestantismo e dedicada à casa de Orange". (Com referência aos sinais corporativos e ao seu sentido original.) Isso equivale a rebaixar o Escocismo a um plano inteiramente político, quer dizer, profano, o que parece muito estranho na pena do autor de *Ésotérisme de Dante*, que escreveu algumas das melhores páginas que se podem ler sobre a Maçonaria Escocesa. (Sobre as relações de Guénon com R. P. Anizan, de 1925 a 1927, podem-se consultar, com prudência, as páginas bastante pérfidas de Lucien Méroz, *René Guénon ou la sagesse initiatique*, Paris, Plon, 1962, pp. 241 ss., e ler o belíssimo estudo de Michel Valsan, que serve de prefácio a *Symboles fondamentaux de la science sacrée*, de René Guénon, Paris, 1962, pp. 11-18.

rece na França (uns dizem que em Bordeaux, outros em Lyon, sem apresentar qualquer prova do que afirmam), no início do século XVIII, embora não seja possível precisar a data.

Ao lado dos historiadores que não querem absolutamente nada com referência às origens do Escocismo e seus graus superiores, como Gaston-Martin,[49] para o que não oferece uma explicação válida, encontram-se autores que gostariam de vincular o Rito Escocês à Escócia distante. Entre estes, muitos falam de Kilvinning e de sua Abadia[50] como centro lendário da Franco-Maçonaria e de sua difusão primeiramente na Inglaterra, depois pelo continente. Daruty atribui ao cavaleiro Ramsay a introdução dos graus escoceses na França: "Os graus originários que importa reviver são, conforme Ramsay[51], o *mestre escocês*, o *noviço* e o *cavaleiro do templo*, aos quais foi acrescentado em 1736 o do *arco real*; os principais graus se subdividiam eles próprios em vários outros. O *Grande Capítulo*, enxertado na Loja Santo André, em Edimburgo, é a sede administrativa da ordem; confere esses graus na Escócia e, nesse sentido, constitui capítulos particulares. Esse rito, in-

---

[49] "Os graus escoceses não têm outra origem positiva que não a imaginação mais ou menos erudita de quem acredita neles. *Estes*, é uma constatação essencial, *são todos maçons regulares*. Não pretendem, portanto, modificar a ordem, mas completar o edifício com a superposição de um outro, sem se misturar com o primeiro e, portanto, sem o alterar..." (GASTON-MARTIN, *op. cit*. p. 37.)

[50] "A Abadia de Kilvinning está situada na aldeia de Cunningham, a cerca de 5 km ao norte da cidade real de Irving, perto do mar da Irlanda. Foi fundada em 1140 por Hugues Morville e dedicada a Saint-Winning. Devia abrigar um grupo de monges irlandeses da ordem de Tyrone. Um dos motivos invocados pelas outras lojas escocesas para negar a Kilvinning uma preponderância que consideravam usurpada é que não era possível que uma Loja 'se reunindo numa mansarda de um vilarejo' pudesse ter a precedência sobre as oficinas de cidades importantes como Glasgow, Edimburgo etc." (M. LEPAGE, "La Maçonnerie Ecossaise", em *Le Symbolisme*, nº 4/314, abril/maio de 1954, p. 241, nota 2.) Observa-se, pela última parte da frase acima citada, a que grau de degenerescência caíram certos Maçons no correr dos séculos, quando se comprazem nas disputas inteiramente profanas de antiguidade e precedência.

[51] Essa afirmação é desmentida por A. LANTOINE (*La Franc-Maçonnerie chez elle*, p. 115).

traduzido em Paris por Ramsay e ao qual se dá o nome de escocês, obteve ali imenso sucesso; é segundo ele que os maçons de Lyon compõem em 1743 o grau do *pequeno eleito*,[52] do qual surgem mais tarde os graus de *eleito dos nove* ou de Pérignan,[53] de *mestre ilustre*, de *cavaleiro da aurora ou da esperança*[54] de *grande inspetor, grande eleito ou de cavaleiro de Kadosch* [...] de *comandante do Templo*".[55] Lantoine, sem nos apresentar uma sombra de prova, é de parecer que o *Conselho dos Imperadores do Oriente e do Ocidente* tinha sido "a organização inicial do Rito Escocês tal como o aceitarão [...] os graus superiores quando eles próprios, como a maçonaria azul, realizarem sua unidade".[56] Isso complica ainda mais o problema, pois seria necessário admitir a existência de uma espécie de obediência composta exclusivamente dos graus superiores.

Entre as hipóteses mais sedutoras, com referência às origens escocesas do Rito Escocês, uma das mais curiosas é a que trata da Ordem do Cardo e da arruda. As próprias origens dessa ordem de cavalaria são igualmente controversas. Lantoine nos diz que "Robert Bruce tinha instituído na Escócia a Ordem do Cardo em favor dos templários",[57] enquanto J. Tourniac pretende que foi "fun-

---

52 O grau de "pequeno eleito" não é mais praticado nem mesmo comunicado ao Rito Escocês Antigo e Aceito. Fazia parte dos graus de vingança salomônicos.
53 Esse grau, que é sempre o 9º dos graus superiores escoceses, é muito interessante. Pérignan é um pastor que trabalhava num bosque perto da caverna onde se refugiou Abiram. R. Le Forestier o confunde com o grau de mestre eleito e não entende seu simbolismo, principalmente o da caverna, que é muito importante do ponto de vista iniciático (cf. R. LE FORESTIER, *op. cit.*, pp. 239-240). Voltaremos mais tarde em uma outra obra a falar sobre esse simbolismo, cuja origem parece persa.
54 Esse grau, que não é mais praticado, tem algumas relações com o de cavaleiro do arco-íris, 67º grau do rito de Misraïm, embora seu simbolismo profundo seja um pouco diferente deste.
55 J. E. DARUTY, *Recherches sur le rite ecossais Ancien accepté*, Paris, 1879, p. 172.
56 A. LANTOINE, *La Franc-Maçonnerie chez elle*, p. 200.
57 *Id., ib.*, p. 409. Lantoine reproduz aqui, sem referências, uma opinião de Edouard Ribeaucourt.

dada por James V, rei da Escócia, em 1534".[58] O cardo e a arruda têm um sentido simbólico e profundo e se J. Tourniac pôde ver que existia nessas plantas um "complementarismo da lança ou da ponta e do ciclo ou escudo",[59] não soube ligar a primeira às armas simbólicas e, em particular, à lança do centurião Longino.[60] Sua opinião a respeito das cores dessas plantas, verde e vermelho, "que são as do Escocismo antigo e aceito ou retificado",[61] é destituída de todo fundamento. Pelo contrário, parece-nos bastante sugestivo observar que a arruda já figurava entre as ervas de são João, próprias "para aliviar os pobres enfermos".[62] Fosse o que fosse, a Ordem do cardo, segundo nossos autores, teria calcado suas cerimônias sobre as cerimônias da Ordem do Templo,[63] o que nos parece curioso, uma vez que a Ordem do Templo é muito posterior à do cardo. Mais extraordinária ainda é a afirmação de Lantoine, segundo a qual "James II tinha sido acompanhado na França por vários cavaleiros da Ordem do cardo (chamada também de Ordem de Santo André, porque suas cerimônias tinham lugar na igreja desse nome em Edimburgo)[64] [...] que fora extinta com a

---

58 J. TOURNIAC, "De la Maçonnerie au Christianisme", em *Le Symbolisme*, nº 357, julho/setembro de 1963, p. 298, nota 6. É verdade que J. Tourniac nos diz também que "o cardo é uma ordem militar constituída em 1363 por Luís II, chamado de o 'Bom Duque de Bourbon'".
59 *Id., ib.*
60 Cf. "Le Symbolisme des Fleurs", programa radiofônico de maio de 1963: "La Grande Loge de France vous parle".
61 J. TOURNIAC, *op. cit.*, p. 298, nota 6.
62 Cf. D. FOUQUET, *Recueil de remèdes faciles et domestiques*, Dijon, Rassayre, 1678, t. II, p. 213.
63 J. E. DARUTY, *op. cit.*, p. 10.
64 Sempre segundo E. de Ribeaucourt, A. Lantoine escreve: "É com os destroços dessa sociedade ["a Ordem do cardo"] que foi criada mais tarde a ordem secreta stuardista de *mestre escocês de santo André*, a qual, em seguida, foi enxertada nas lojas maçônicas" (A. LANTOINE, *La Franc-Maçonnerie chez elle*, p. 409). Os rituais antigos e modernos do grau (29º do Rito Escocês Antigo e Aceito) de "grande escocês de santo André da Escócia" designam esse grau sob várias outras denominações, como a de *patriarca das cruzadas* ou ainda de *cavaleiro do Sol, grão-mestre da luz*, o que explica as teorias um tanto arriscadas de J.

morte de Maria Stuart e restaurada por James II depois da união da Escócia e da Inglaterra".⁶⁵ Assim sendo, o Escocismo, nascido da ordem escocesa do cardo, ele próprio ligado à Maçonaria (por que mistério?), ter-se-ia tornado o instrumento da vingança dos Stuarts exilados na França, após a Revolução Inglesa de 1688. Está aí uma das teorias mais fundamentadas dos adversários do Rito Escocês, principalmente G. Bord, e se compreende por que os historiadores antimaçônicos não têm tido, na maioria das vezes, senão louvores para com A. Lantoine. Essa teoria nos proporcionou também a explicação (?) mais extravagante de G. Persigout sobre os 26º e 29º graus do Escocismo.⁶⁶ Que teria ainda acontecido se ele tivesse conhecido a palavra *Remember* e sua significação? Enfim, Lantoine, depois de Robert Burns, quer a todo custo estabelecer uma união entre os membros da Ordem do Cardo e os rosa-
-cruzes e acrescenta friamente: "É nesta última ordem [a Rosa-Cruz], a nosso ver, que Charles-Édouard teria sido recebido, tendo sido nela grão-mestre. Isto (*sic*) não era da Franco-Maçonaria. Na Escócia, esses rosa-cruzes talvez tenham ficado independentes das lojas, influenciados não por elas, mas pela Ordem do Cardo, o que teria permitido a Charles-Édouard negar toda participação nos trabalhos maçônicos".⁶⁷ Todas essas divagações escritas num francês aproximativo para dar ao Escocismo um Charles-Édouard como grão-mestre ou, no mínimo, como protetor! Isto é muito ridículo na pena desse historiador (?) que, como já tivemos ocasião de observar, parecia desprezar os graus supe-

---

Tourniac no artigo acima citado, quanto às correspondências entre a Ordem do Cardo, o 29º grau e "as ideias implícitas nas operações alquimísticas do *solve et coagula*". Antes nos parece que o 29º grau é um grau de passagem da lei antiga para a lei nova, juntando assim uma certa tradição judaica com as tradições cavaleirescas. Poder-se-ia talvez ver no ritual do 29º grau, a propósito dos números que ali são apresentados, alguma influência da gematria.
65 A. LANTOINE, *La Franc-Maçonnerie chez elle*, p. 103.
66 G. PERSIGOUT, Les "Enfants de la Veuve", em *Les Annales Maçonniques universelles*, vol. IV, nº 2, março/abril de 1933, p. 77.
67 A. LANTOINE, *La Franc-Maçonnerie chez elle*, p. 109.

riores e seus títulos pomposos. Parece-nos muito mais significativo, antes de encerrar essa discussão crítica, mencionar que o tio de Ramsay foi escudeiro da Ordem do Cardo e o cardo figura nas armas da cidade de Nancy e nos brasões da casa lorena de Bouillon, da qual Ramsay foi preceptor e historiador. Vale lembrar, a propósito, que no século XVIII uma certa Maçonaria se denominou, após a chegada de Ramsay, de "Maçonaria de Bouillon", quer dizer, um rito praticado inicialmente pelos príncipes lorenos que pertenciam a essa nobilíssima casa.

Na mesma ordem de ideias, foi aventada uma outra hipótese, muito interessante, num excelente artigo anônimo em *Cahiers de la Grande Loge de France* intitulado "A origem do escocês". O autor, depois de haver rejeitado a opinião inteiramente ridícula, segundo a qual a palavra *escocês* viria de acácia, as origens templárias da Maçonaria escocesa e as fontes estuardistas, inclina-se sobre o curioso problema posto pela religião culdense. Esta tinha como área geográfica a Escócia, a Irlanda, a Inglaterra céltica e a península armoricana. Os culdenses e seus bispos célticos tinham um culto um tanto diferente do culto romano. As diferenças "situavam-se em seis pontos: a data da festa da Páscoa, a tonsura, a consagração episcopal, o batismo, o uso da língua gaélica e o casamento dos padres".[68] O autor desse artigo muito documentado mostra que os culdenses que praticavam um Rito Escocês tinham pedreiros que construíam as igrejas de madeira. Tiveram, em seguida, de se adaptar à nova moda que queria que os edifícios fossem construídos de pedra e criaram então um estilo *original*: o *estilo* ogival ou gótico. Essa tese merece atenção, pois é mais do que evidente que as construções foram feitas inicialmente, em toda parte, de madeira e que no plano iniciático e simbólico, no qual colocamos este livro, existe uma espécie de solidificação que se opera quando a madeira cede o lugar à pedra como material de construção. Convém também lembrar que a Maçonaria operativa

---

68 "L'Origine d'écossais, em *Cahiers de la Grande Loge de France*, nº 10, junho de 1949, p. 23.

conhece sua maior glória no momento da construção das catedrais e igrejas góticas e que sua ação parece desaparecer quando o estilo ogival, que é imitação da floresta, se apaga diante do estilo "sentimental" e não tradicional da Renascença. Vale lembrar também o entusiasmo de Anderson no prefácio de seu livro, na luta contra o estilo gótico e a exaltação dos arquitetos, como Inigo Jones, que impuseram na Inglaterra o estilo neo-helênico. Poder-se-ia talvez ver nisso a impertinência de um dos fundadores da Maçonaria especulativa com relação à Maçonaria tradicional, resto de um Rito Escocês vivendo ainda na Inglaterra em 1723. René Guénon observou a propósito da igreja culdense ou céltica: "É possível que a igreja 'céltica' ou 'culdense' mereça [uma certa atenção] [...] e não há nada de inverossímil no fato de ter tido atrás dela alguma coisa de outra ordem, não mais religiosa, mas iniciática".[69] Tourniac escreve a propósito dos dois graus de Hérédom (H.R.D.M.) e de Rosy Cross (R.S.Y.C.S.), segundo Mackey: "O primeiro pode ser brevemente descrito como uma forma cristã do 3º grau, purificado das escórias do paganismo, como também do judaísmo pelos *culdenses* que introduziram o cristianismo na Escócia nos primeiros séculos da Igreja. Um de seus protetores teria sido Alexandre III da Escócia ou seu filho David I, sob o qual teria sido construída, por Hug Nerville, a abadia de Kilvinning, para uma companhia de monges da ordem "tironesa", originária de Kelso. O segundo grau é uma ordem de cavalaria civil (?), supostamente fundada por Robert Bruce depois da batalha de Bannockburn, que compreendia na origem 63 cavaleiros, mas recebe atualmente "Maçons ilustres de todo país".[70] Com relação a essas diferentes hipóteses e opiniões tendentes a demonstrar que o "Rito Escocês" é bem escocês, encontram-se, especialmente em nossos dias, opiniões diametralmente opostas como a do I∴ Sirius, que escreve: "25 desses graus [graus 'escoceses'] foram emprestados a um tipo francês de Maçonaria dos graus supe-

---

[69] R. GUÉNON, *Aperçus sur l'ésoterisme chrétien*, p. 86.
[70] J. TOURNIAC, *op. cit.*, pp. 294-295, nota 2.

riores surgido no meado do século XVIII, sobre o que todo o mundo está hoje mais ou menos de acordo",[71] o que não explica de modo algum a que "tipo francês" de Maçonaria se refere.

Apresentamos aqui aos nossos leitores uma hipótese pessoal sobre a origem da palavra *escocês*, a qual, embora rejeite a origem geográfica escocesa, não ligaria menos a Maçonaria dita escocesa à antiquíssima Maçonaria florestal. Conhecemos, com efeito, no Haute-Marche[72] um castelo chamado de Écosse. A tradição local diz que outrora ali se refugiou um partidário de Maria Stuart. De igual modo, querem os franco-maçons ver nos proscritos estuardistas do século XVII os introdutores do Escocismo na França. Esse castelo de Écosse data no máximo do fim do século XVII, mas a origem da palavra "Écosse" é outra. Esse nome é uma corruptela "de um topônimo de aparente caráter florestal, que se encontra sob as formas de *Cossé, La Cosse, Les Cosses* etc.".[73]

Sabemos igualmente que perto dessa dita localidade foi fundada a abadia de Prébenoît, pertencente à Ordem Cistercense. "A região era coberta de florestas e entre estas se encontrava a floresta de Cosset, de cujas diversas riquezas os monges se tornaram proprietários."[74] Trata-se, portanto, de um lugar de desbravamentos operados por lenhadores sob a direção de religiosos. Além disso, encontra-se muito perto um lugar chamado *La Loge*, que ressalta sua natureza. Conhecemos ainda outros ditos lugares chamados *Les Écossais* (Os Escoceses) ou mesmo *Bois de Écossais* (Bosque dos Escoceses).[75] Pode-se imaginar, e não sem fundamento, que esses lenhadores, como todas as demais pes-

---

71 I∴ SIRIUS, *op. cit.*, p. 38.
72 Departamento do Creuse, comuna de Bétète, cantão de Chatelus-Malvaleix.
73 Mémoires de la société des sciences naturelles et archéologiques de la Creuse, t. XXV, 3º fascículo, 1934, p. 543 e ss. (Biblioteca da Sorbonne: Hja, 135-8º.)
74 GABRIEL-MARTIN, "La Haute Marche au XIIe siècle. Les Moines cisterciens et l'agriculture", en *Mémoires de la société des sciences de la Creuse*, t. VIII, p. 47 e ss. Sobre Cosset-Écosse, as riquezas da floresta da Abadia, o domínio criado por esta, ver p. 62, texto e nota 3, p. 83, texto e nota 3, p. 95, texto e nota 1.
75 Cantão de Cressanges (Allier) e cantão de Léré (Cher).

soas que exerçam um ofício manual, tivessem ritos iniciáticos. Assim, o *Escocismo* seria inicialmente um rito florestal que, em função do que dissemos anteriormente, a propósito dos culdenses, adaptou-se às técnicas ao mesmo tempo profissionais e espirituais da Maçonaria em pedras. Os lenhadores teriam sido o prolongamento do Escocismo florestal primitivo, conservando seus representantes no correr dos séculos o ofício de lenhadores.[76] Desapareceram mais tarde no carbonarismo, degenerescência total de um movimento tradicional reduzido à contingência profana, política, mas cujos rituais conservavam, apesar de tudo, alguns vestígios de um depósito iniciático real.[77] É possível também (e exemplos muito atuais de semelhantes agregações o comprovam) que elementos outros que não do ofício e pertencentes a classes sociais muito diferentes se misturaram com essas organizações iniciáticas. Não nos diz a tradição que Francisco I foi iniciado na floresta de Fontainebleau, no rito dos lenhadores? Assim, no curso dos séculos, cavaleiros, proscritos ou não, fizeram parte da Maçonaria e lhe trouxeram a contribuição dos elementos particulares a seus conhecimentos iniciáticos. Um grau superior escocês conserva ainda, ao mesmo tempo, a lembrança da iniciação florestal (o que confirma nossa opinião) e elementos cavaleirescos.[78] Uma das divisões características desse grau, o segundo, se chama *o conselho da mesa redonda,* cujo adorno é um machado de ouro coroado e o sinal da ordem, um movimento "de elevar um machado com as duas mãos e golpear, como se se tratasse de derrubar uma árvore pelo pé". J. Tourniac escreve a

---

76 Nos rituais dos lenhadores que possuímos, vemos que é exigido dos iniciados que se "despojem da casca", do mesmo modo que junto aos maçons "se debasta a pedra bruta".
77 "Le Ciel est son Père, la Terre est sa Mère", (ritual dos carbonários); cf. esse assunto, ver R. GUÉNON, *Aperçus sur l'initiation,* cap. XII, e *La Grande Triade,* p. 82, nota 1.
78 22º grau escocês: cavaleiro Machado Real ou príncipe do Líbano. Observar-se-á que a tradição quer que tenha sido nas florestas do Líbano o corte e o preparo da madeira necessária para a construção do templo de Salomão.

propósito: "Nada prova [...] que elementos autênticos do ofício não tenham sido incorporados, no correr dos séculos, aos graus superiores praticados atualmente. Mais ainda, esses graus superiores, se compreendem elementos estranhos à construção propriamente dita, dependem, como toda a Maçonaria, da *arte real* e, por esse título, puderam receber a herança de certos aspectos da cavalaria ou lhe servir de refúgio".[79] Estamos aqui de pleno acordo com esse autor e mostraremos, mais adiante, exemplos precisos da veracidade de suas afirmações.

A nosso ver, dois fatos são certos. O Escocismo é uma forma de Maçonaria regular, a forma mais antiga, sem dúvida, pois suas origens estão no ofício de pessoas que trabalham com a madeira antes de talhar a pedra. O Escocismo, no correr dos séculos, incorporou elementos iniciáticos de diferentes origens, que constituíram o sistema dos graus superiores. Estes últimos apareceram num determinado dia do século XVIII, porque essa semiexteriorização tinha-se tornado necessária. É possível que isso correspondesse a uma necessidade histórica — que nada tem a ver com a lenda estuardista nem com as elucubrações, ao gosto de Ragon, das influências jesuíticas — e nos alinhamos, quanto a essas causas, à opinião abalizada de Jean Reyor, quando escreve: "[...] acontece, nesses períodos conturbados, que por razões que podem ser diferentes, se produzam exteriorizações de doutrinas normalmente esotéricas, sejam exteriorizações autorizadas da violação do segredo por indiscrições acidentais ou por violências, seja, enfim, por divulgações efetuadas por uma corrente esotérica degenerada ou desviada, a qual, tendo perdido a noção de seu verdadeiro papel, propõe-se a intervir diretamente no mundo exterior, quer para propagar uma *nova dispensação* do cristianismo, na expressão de M. Hutin, quer por outro motivo político ou religioso".[80]

79 J. TOURNIAC, *op. cit.*, p. 293.
80 J. REYOR, "Le Rosicrucianisme et quelques-unes de ses énigmes", em *Le Symbolisme*, nº 360, abril/junho de 1963, p. 232.

O SISTEMA DOS GRAUS SUPERIORES ESCOCESES

Estudaremos aqui o sistema dos 33 graus do Escocismo, tal como se pratica ainda hoje, reservando o estudo do 33º a um capítulo posterior, que convém ser tratado juntamente com a criação do Supremo Conselho do Rito Escocês Antigo e Aceito. Antes de mais nada, eis o quadro dos 33 graus escoceses[81]:

Lojas azuis ou oficinas simbólicas
1º grau   Aprendiz
2º grau   Companheiro
3º grau   Mestre

Oficinas de perfeição
4º grau   Mestre secreto
5º grau   Mestre perfeito
6º grau   Secretário íntimo
7º grau   Preboste e juiz
8º grau   Intendente das construções
9º grau   Mestre eleito dos nove
10º grau Ilustre eleito dos quinze
11º grau Sublime cavaleiro eleito
12º grau Grão-mestre arquiteto
13º grau Cavaleiro do arco real
14º grau Grande eleito da abóbada sagrada ou sublime maçom

Capítulos
15º grau Cavaleiro do oriente ou da espada
16º grau Príncipe de Jerusalém

---

[81] No Rito Escocês Antigo e Aceito (Grande Loja da França), quando então os três primeiros graus (aprendiz, companheiro e mestre) são regidos pela Grande Loja, os graus do 4º ao 33º, inclusive, são dirigidos pelo Supremo Conselho. Esses dois organismos são independentes um do outro, mas funcionam em estreita colaboração. A Maçonaria dos três primeiros graus se chama Maçonaria azul; a do 4º ao 18º, Maçonaria vermelha (normalmente deveria haver uma subdivisão verde do 4º ao 14º); do 19º ao 30º, Maçonaria negra; e, enfim, Maçonaria branca, do 31º ao 33º grau.

17º grau   Cavaleiro do Oriente e do Ocidente
18º grau   Soberano príncipe rosa-cruz

Aeropagitas
19º grau   Grande pontífice ou sublime escocês dito da Jerusalém celeste
20º grau   Venerável grão-mestre de todas as Lojas regulares ou mestre ad vitam
21º grau   Noaquita ou cavaleiro prussiano
22º grau   Cavaleiro do machado real ou príncipe do Líbano
23º grau   Chefe do tabernáculo
24º grau   Príncipe do tabernáculo
25º grau   Cavaleiro da serpente de bronze
26º grau   Escocês trinitário ou príncipe da misericórdia
27º grau   Grão-comandante do Templo ou soberano-comandante do Templo de Jerusalém
28º grau   Cavaleiro do Sol
29º grau   Grande escocês de santo André da Escócia
30º grau   Grande cavaleiro eleito Kadosch ou cavaleiro da águia branca e negra

Tribunais
31º grau   Grande inspetor, inquisidor-comandante

Consistórios
32º grau   Sublime príncipe do segredo real

Supremo Conselho [82]
33º grau   Soberano grande inspetor geral [83]

---

[82] "A reunião de todos os 33 graus forma o conselho supremo, que não deve ser confundido com o poder dirigente e administrativo, que é o Supremo Conselho, cujos membros são recrutados por eles mesmos: escolhem seus colegas entre os 33, em caso de vacâncias resultantes de morte, demissão ou prevaricação, e por uma votação que deve ser unânime." (A. LANTOINE, *Hiram couronné d'épines*, t. II, p. 370.)

[83] "Os graus sublinhados são objeto de uma cerimônia especial de iniciação; os demais graus são transmitidos *por comunicação*." (J. BOUCHER, *op. cit.*, p. 189.)

O sistema dos graus superiores escoceses divide-se em duas séries bastante diferentes. A dos graus 4º ao 14º, inclusive, que são graus de vingança salomônicos em correlação com a pesquisa da palavra perdida,[84] vinculam-se ao ciclo do Antigo Testamento e, portanto, à cabala hebraica. Seu interesse refere-se especialmente a *Shekinah*[85] e uma série de pesquisas deve ser realizada nesse sentido, o que faremos em uma outra obra.[86] Esses graus, entretanto, estão ligados a tradições persas ou egípcias, como no nono (eleito dos nove), no qual se veem um tigre e um leão guardando uma caverna. Esses animais "são, na condição de *destruidores*, emblemas do *Seth* egípcio, irmão e assassino de Osíris".[87] Vê-se daí que o candidato, matando esses animais selvagens e empapando as mãos em seu sangue, começa a vingar Hiram. Os outros graus se relacionam com as tradições cavaleirescas e herméticas e são muito mais interessantes do ponto de vista iniciático.

---

84 "Os primeiros graus de Vingança, *Perfeito Maçom Eleito, Eleito dos Nove*, não dizem de modo algum respeito à vingança da Ordem do Templo abolida, mas eram simplesmente *salomônicos*. O grito de *Nekam* (*Nikam*) apelava para a vingança de Hiram e não para a de Jacques de Molay." (J. REYOR, "L'Ordre du Temple et l'ésotérisme chrétien", em *Études Traditionnelles*, nº 355, setembro/outubro de 1959, p. 196, nota 4.)
85 "A residência do Shekinah só se estabilizou no dia em que o Templo foi construído, para o qual David havia preparado ouro, prata e tudo o que fosse necessário para Salomão concluir a obra. O tabernáculo da santidade de Jeová, a residência do Shekinah, é o santo dos santos, que é o centro do Templo, que é ele mesmo o centro de Sion [Jerusalém], como a Santa Sion é o centro da terra de Israel, como a Terra de Israel é o centro do mundo." (P. VUIL-LIAUD, *La Kabbale juive*, Paris, 1923, t. I, p. 509.)
86 J. PALOU, *Histoire et symbolisme des hauts-grades de l'écossisme*, que deverá ser publicado em breve.
87 R. GUÉNON, "Seth", em *Symboles fondamentaux de la science sacrée*, p. 157.

OS GRAUS CAVALEIRESCOS

Já no último século, um historiador francês de mais talento do que se lhe atribui habitualmente, Henri Martin, havia percebido intuitivamente que existia uma relação entre a Franco-Maçonaria e a cavalaria.[88] E J. Tourniac estava inspirado ao escrever: "Existe, de um lado, uma cavalaria nobiliária e, de outro, ordens autênticas de cavalaria de pura inspiração cristã e que nada têm a ver com a Maçonaria. Como também cavaleiros de raízes maçônicas [??]. Às vezes, as fronteiras entre esses dois últimos tipos de cavalaria desapareceram no decurso dos séculos, em seguida a intercâmbios recíprocos".[89] Parece que a primeira ordem conhecida de cavalaria foi fundada por Charles Martel: é aquela da *Genette*, "cujos ornamentos eram simples como a legenda, que consistia nestas palavras: *Exaltat humiles* (exalta os humildes)".[90] Faz sentido lembrar aqui que a maior parte das *Old Charges* associa o nome de Charles Martel à tradição maçônica operativa, fazendo mesmo desse príncipe um dos protetores dos maçons. A última ordem de cavalaria foi a do crescente, fundada pelo rei René em 1448.[91]

A cavalaria na Idade Média é em princípio acessível a todos, tendo todo cavaleiro o direito de fazer cavaleiros. Até mulheres podem armar homens e "na França vemos mais de um jovem no-

---

88 "O que é muito curioso, e disso não se pode duvidar, é que a Franco-Maçonaria moderna, instrumento tão eficaz durante algum tempo da Filosofia do século XVIII, não remonta passo a passo à Massenia do Santo Graal. Os divulgadores de Voltaire, herdeiros em linha direta dos ascetas da Idade Média, eis o que se pode chamar de uma das mais singulares transformações que oferece a história." (H. MARTIN, *Histoire de France*, citado por L. LACHAT, *op. cit.*, p. 166.) Esta justa opinião de H. Martin demonstra até que ponto de degenerescência chegaram certos maçons ao transformar as Lojas, centros de realização espiritual, em salas de conferências sociais e políticas.
89 J. TOURNIAC, *op. cit.*, p. 294, nota 2.
90 ANQUETIL, *Histoire de France depuis les Gaulois jusqu'à la mort de Louis XVI*, Paris, 1837, t. I, p. 402.
91 L. GAUTIER, *La Chevalerie*, ed. preparada e adaptada por J. LEVRON, Paris, Arthaud, 1959, p. 54.

bre se considerar feliz por toda a vida por ter sido armado por uma dama".[92] Se é incontestável que as ordens de cavalaria possuíam uma iniciação própria (sem que, todavia, se possa saber qual era exatamente o processo iniciático), não é talvez inteiramente certo dizer como J. Reyor que as iniciações cavaleirescas e herméticas "não se efetuavam por meio de um ritual que utilizasse o simbolismo e os instrumentos do ofício de maçom",[93] mas estaria mais próximo da verdade afirmar que os franco-maçons e as ordens de cavalaria se encontravam às vezes num simbolismo comum. Não nos é possível, nos limites deste estudo, desenvolver todos os pontos precisos e comuns entre a cavalaria e a Maçonaria, e para o momento nos contentaremos com alguns exemplos. É muito importante saber que a palavra *vale*, que serve na Maçonaria escocesa para designar o lugar onde se reúne um "capítulo", era o emblema dos cruzados de Anjou,[94] como *Montjoie** para os franceses, e *Santo Sepulcro* para todos os cruzados em geral.[95] Parece-nos ainda mais significativo saber que um dos três centros principais de conservação do Santo Graal era justamente Anjou, cuja importância na história da Ordem do Templo não é ignorada.[96] Apraz-nos também mostrar as relações existentes entre a tradição cavaleiresca, que comporta "sempre a presença de um princípio representado como feminino (*Madonna*), assim como a

---

[92] *Id., ib.*, p. 127. Vários exemplos desse fato nas canções de feitos citadas, p. 133.
[93] J. REYOR, "Y a-t-il une initiation maçonnique?", em *Études Traditionnelles*, nº 342, setembro de 1957, p. 261,
[94] L. GAUTIER, *op. cit.*, p. 304.
* Palavra de origem alemã (*mundgawi*), que significa um montão de pedras para indicar caminho ou comemoração de um evento. (N. do T.)
[95] A "Vallé profonde" (o "vale profundo"), definida pela "tranquilidade da Loja", sendo esta devida à "conservação de nossos marcos desde a origem" ("Catéchisme du Maître Écossais", em *Précieux recueil de la Maçonnerie adonhiramite*, 1787, p. 90), é uma imagem puramente moral.
[96] R. MUTEL, "L'Islam et le Graal, vérité, ambigüités, erreurs", em *Études Traditionnelles*, nº 335, setembro/outubro de 1959, p. 220 e p. 213, nota 2.

intervenção de um elemento afetivo (*Amore*),[97] e certos graus superiores escoceses. Por exemplo, o princípio feminino é representado essencialmente pelo 18º grau que é *Amor*; pelo 17º grau (cavaleiro do Oriente e do Ocidente), no qual as iniciais B.D.S.P.H.G.F.[98] fazem parte das questões de ordem; no 21º grau (noaquita ou cavaleiro prussiano), cujo emblema é uma lua de prata e na qual a Loja só se reúne na lua cheia;[99] no 26º (príncipe de misericórdia, cujo paládio é a verdade; no 28º (cavaleiro do Sol) em que os querubins Tsafiel e Hamaliel governam respectivamente a Lua e Vênus; no 29º (grande escocês de santo André) colocado sob o duplo signo da terra e da água; no 30º (Kadosch), em que a verdade na forma de alegoria é bordada a ouro,[100] e o 31º, no qual as palavras sagradas representam a justiça e a equidade.

Quando se conhecem as estreitas relações entre a Maçonaria

97 R. GUÉNON, *Aperçus sur l'ésotérisme chrétien*, p. 48.
98 Beleza, divindade, sabedoria, poder, honra, glória e força. Esse emblema é "formado de sete iniciais, que são as de um setenário de atributos divinos, cuja enumeração é derivada de um trecho do Apocalipse" (R. GUÉNON, *Aperçus sur l'ésotérisme chrétien*, p. 63, nota 1).
99 "A sala é disposta de modo a receber a luz da lua por uma única janela; é a única luz que deve iluminar" (J. M. RAGON, *Tuileur général de la franc-Maçonnerie*, p. 144). Queremos ainda ressaltar que esse grau escocês cavaleiresco (o 21º) está em estreita relação com a ideia de *Império*, sendo a lua o seu símbolo (cf. padre AUBER, *Histoire et théorie du symbolisme religieux*, t. II, p. 620), isto é, com a ideia do "Sacro Império", o que leva o conjunto iniciático dos graus superiores às ideias de autoridade espiritual e de poder temporal na Idade Média.
100 Na terceira divisão (Areopagita), o primeiro supervisor traz sobre o peito uma imagem alegórica da verdade bordada a ouro. No mesmo grau os dois montantes da escada misteriosa dos Kadosch se chamam Oheb Eloha e Oheb Kerobo, o que representa dois sentimentos afetivos para com a divindade e os homens. Mais adiante voltaremos a abordar o simbolismo da escada, mas podemos afirmar desde agora, para não voltarmos a falar do assunto, que na linguagem secreta dos *Fiéis de Amor* uma comparação deve ser feita entre o *terzo cielo* (3º céu), que é o céu de Vênus, o *terzo loco* (3ª divisão da Maçonaria) e o *terzo grado*, que "indicam o terceiro grau da hierarquia na qual era recebido o *saluto* (ou a saudação); esse rito, ao que parece, ocorria no dia de Todos os Santos, da mesma maneira que as iniciações por ocasião da Páscoa, onde se situa a ação da *Divina Comédia*" (R. GUÉNON, *Aperçus sur l'ésotérisme chrétien*, p. 44, nota 2).

e são João, não se surpreende saber que é a esse santo que "as ordens de cavalaria sempre vincularam principalmente suas concepções doutrinárias".[101] Como também que o sentimento afetivo, peculiar a esse santo, cujo Evangelho pode ser traduzido por *Deus é Amor* (ver, a propósito, o simbolismo do 18º grau: Rosa-Cruz), expressava-se no grito de guerra dos cavaleiros do Templo: "Viva Deus santo amor".[102]

Parece-nos igualmente muito interessante mostrar aos nossos leitores o que ninguém jamais fez antes de nós, o elo que une, em certos casos, o simbolismo construtivo à cavalaria, o que se encontra no 15º grau do Escocismo (cavaleiro do Oriente ou da espada). R. S. Lindsay informa-nos que existiam, antes de 1717, na Inglaterra, graus superiores associados à Maçonaria azul, como em nossos dias. Esses graus, diz ele, "eram cristãos [e] envolviam uma cerimônia conhecida pelo nome de *Passagem da Ponte* [...] eram [esses graus superiores] do tipo *ghilde* no qual o candidato é recebido como companheiro ou mestre num círculo interior de companheiros ou mestres, sem atingir na Maçonaria nenhum outro grau mais elevado do que o que detinha no início".[103, 104]

Ora, o simbolismo da ponte (sem falar da ordem dos irmãos pontífices que se associaram fatalmente aos franco-maçons e trabalharam às vezes no Sul da França, sob as ordens dos cavaleiros do Templo) é muito conhecido[105] e é sabido que a ponte é comparada ao raio da luz. Está aí o duplo sentido da palavra inglesa *beam*,

---

101 R. GUÉNON, *L'ésotérisme de Dante*, pp. 69-70, nota 2.
102 Cf. R. GUÉNON, "Le cœur rayonnant et le cœur enflammé", em *Symboles fondamentaux de la science sacrée*, p. 411, nº 1.
103 O tradutor Jean Corneloup deu-se conta de que essa frase era muito obscura em sua última parte e precisou com muita propriedade que "para compreendê-la é preciso distinguir a Maçonaria, como seita, do círculo interior. O autor quer dizer que o recebimento do maçom como companheiro ou mestre nesse círculo interior não lhe conferia nenhuma outra prerrogativa na seita, na qual conservava seu grau anterior". (R. S. LINDSAY, *op. cit.*, p. 28, nota a.)
104 R. S. LINDSAY, *op. cit.*, p. 28.
105 Cf. R. GUÉNON, "Le symbolisme du pont", em *Études Traditionnelles*, nº 257, janeiro/fevereiro de 1947, pp. 38-41.

que designa ao mesmo tempo uma viga e um raio luminoso,[106] o que nos leva mais uma vez às mesmas fontes do Escocismo, que foi originalmente um rito iniciático florestal. Por outro lado, o 15º grau escocês (cavaleiro do Oriente ou da espada ou ainda da águia)[107] compreende como adornos uma manta de seda, "cor de água" que é "no meio atravessada por uma faixa de ouro representando uma ponte, sobre a qual estão escritas três letras: L.P.D.",[108, 109] e um cordão, que um antigo armador de telhado nos descreve: "No meio [do cordão] uma ponte com as três letras L.P.D. sobre o arco".[110] Encontramo-nos portanto diante de uma ponte *arqueada* correspondendo à escada em espiral "identificação dos graus de iniciação em tantos estados diferentes do ser; nesse sentido pode--se citar como exemplo no simbolismo maçônico a escada girató-

---

106 *Id., ib.*, p. 29, nota 1. Cf. do mesmo autor: "Maçons et Charpentiers", em *Études Traditionnelles*, dezembro de 1946.
107 J. Tourniac observa com propriedade que "[...] a palavra *cavaleiro* na linguagem maçônica não corresponde de modo algum a uma distinção nobiliária, mas diz respeito a algo da ordem de *princípios* e de *eletivo*, que, em última análise, é o fundamento da nobreza. O mesmo se diga com referência à palavra *príncipe*". (J. TOURNIAC, *op. cit.*, p. 294).
108 J. M. RAGON (*Tuileur général de la Franc-Maçonnerie*, p. 133) traduz essas três letras por *liberdade de passar* ou *liberdade de pensamento*. Esta última afirmação é destituída de todo fundamento e mostra que Ragon, como muitos outros autores mais recentes, concebia a Maçonaria pelo prisma moral, o que só serve para distanciá-los da compreensão mais elementar do sentido iniciático da ordem. Na realidade, e mesmo literalmente, o candidato, nesse grau, que recebe o nome de Zorobabel, vem do ocidente da Assíria, para cá do rio Staburzanai. O presidente da assembleia representa o rei Ciro da Pérsia (não esqueçamos que Ramsay escreveu um "romance" intitulado *Les voyages du Grand Cyrus*). No lugar de maços, serve-se do punho da espada, o que ressalta fortemente a natureza cavalheiresca desse grau e a palavra de passe indica a travessia de um rio, o que liga o simbolismo construtivo da ponte ao da Cavalaria, protetora das passagens, e R. Guénon tem razão ao escrever que "está longe de se ter dito tudo sobre a organização da *cavalaria errante*, cuja própria ideia se liga à das *viagens iniciáticas*". (R. GUÉNON, *Aperçus sur l'ésotérisme chrétien*, p. 76.)
109 *Précieux recueil de la Maçonnerie Adonhiramite*, 1787, p. 95.
110 Armador de telhado, portador dos 33 graus do Escocismo do Rito Escocês Antigo e Aceito, Paris, 1828, pp. 60-61.

ria (*Winding Stairs*) de quinze degraus, repartidos em 3 + 5 + 7, que conduz à *sala do meio*".[111] Além de todo o simbolismo de passagem desse grau que deve ser também relacionado com o grau do arco-íris,[112] torna-se necessário, para concluir uma matéria que nos tem envolvido com pareceres excessivamente longos, mostrar que a manta de seda, cor de água, trazida pelos titulares desse grau, deve ser posta em correlação com o simbolismo da própria serpente com o arco-íris.[113] Reencontraremos o simbolismo da serpente em um dos mais belos graus cristológicos do Escocismo, o 25º (cavaleiro da serpente de bronze).

Todos esses graus cavaleirescos são marcados pelo sinete do Santo Graal e nenhuma pesquisa sobre os graus superiores escoceses terá sucesso se não se referir à busca do Graal, desse *Santo Vaso* que Chrétien de Troyes e os poetas da Idade Média celebraram e que a Tradição considera como a representação de um dos centros espirituais do mundo. O país do Graal ou é a Inglaterra, que então é comparada à Extrema Tula, como o disse Anderson em seu prefácio,[114] ou Anjou, como vimos anteriormente, ou ao país do Sol. Em todo caso, esse país é dissimulado cuidadosamente à vista dos profanos. Além disso, os profanos não o poderiam ver, pois seus olhos estão fechados, não tendo a iniciação lhes aberto as pálpebras. Os heróis do Graal, esses guardiães da Terra

---

111 R. GUÉNON, "Le Pont et l'Arc-en-ciel", em *Symboles fondamentaux de la science sacrée*, p. 387, nota 1.
112 *Id., ib.*, pp. 383-387.
113 A serpente celeste (o arco-íris) se parece muito com a "serpente verde", de que Goethe falou num célebre conto e com a "Serpentina" de *Vase d'Or*, de E. T. A. HOFFMANN, tendo esta última figuração aspecto bastante maléfico, o que traduz bem o duplo caráter da serpente que pode simbolizar o demônio e o Cristo, especialmente sob a forma da serpente de bronze "mantenedora [e] salvadora de uma vida condenada à morte". (L. CHARBONNEAU-LASSAY, "Les Graffites symboliques de l'ancien monastère de Loudun", em *L'Ésotérisme de quelques symboles géométriques chrétiens*, Paris, Les Éditions Traditionnelles, 1960, p. 25.)
114 J. ÉVOLA, "La légende du Graal et le mystère de l'Empire", em *Études Traditionnelles*, nº 239-240, novembro/dezembro de 1939, pp. 385-397.

Santa por excelência, são "os cavaleiros das duas espadas" (como os samurais, esses cavaleiros errantes), que representam o duplo poder, temporal e espiritual. J. Évola nos mostra "um texto clássico [que] fala do país hiperboreal como da terra de onde vieram as dinastias, que, tais como as de Heráclides, encarnaram ao mesmo tempo a dignidade real e a sacerdotal".[115] Convêm lembrar, em função desses dados, o papel que desempenha a espada na Maçonaria escocesa e isso desde a iniciação. Além do simbolismo da espada,[116] vale ainda sublinhar o que aos olhos das organizações tradicionais representava a noção do sacro império e seu reino que não é naturalmente de ordem política, mas social, transcendida pelo conhecimento espiritual ao qual, pouco a pouco, conduzem os degraus dos graus superiores escoceses.[117]

CAVALEIRO E HERMETISMO (I):
O 18º GRAU (SOBERANO PRÍNCIPE ROSA-CRUZ)

Um volume não seria suficiente para estudar esse grau, ao qual certos dignatários da Maçonaria atual parecem se apegar muito, sem dúvida porque possui um aspecto sensível e um tanto sentimental, o que, porém, nada tem a ver nem com a compreensão tradicional desse grau que continua sendo muito interessante, nem com a concepção *não humana* da iniciação hermética, que deve ser considerada exclusivamente sob o aspecto de uma realização espi-

---

115 *Id., ib.*, p. 394.
116 Cf. R. GUÉNON, "Les Armes symboliques", em *Symboles fondamentaux de la science sacrée*, pp. 192-196.
117 "Certos supremos conselhos escoceses, principalmente o da Bélgica, eliminaram, todavia, de suas constituições e de seus rituais a expressão *Sacro Império*, onde quer que se encontrasse; vemos nisso o indicador de uma singular incompreensão do simbolismo até em seus elementos mais fundamentais, e isso mostra o grau de degenerescência a que chegaram, mesmo nos mais altos graus, certos setores da Maçonaria contemporânea." (R. GUÉNON, *L'Ésotérisme de Dante*, Paris, 1925, p. 59, nota 1.)

ritual toda interior e de ordem transcendente. No capítulo 2 deste livro, discorremos um pouco sobre esse problema rosa-cruz, que é ao mesmo tempo de ordem histórica,[118] iniciática[119] e alquimista, o que atestaria uma origem relativamente recente.

[118] Todo mundo sabe que o selo de Martinho Lutero era adornado com uma cruz tocada ao centro por uma rosa (cf. L. CHARBONNEAU-LASSAY, "La Rose emblématique de Martin Luther", em *Regnabit*, maio de 1924 e janeiro de 1925, *passim*). Parece igualmente claro que o movimento rosacruciano (e não rosa-cruz), que floresce em 1614, não passou de "um episódio da história da Reforma [...]" (J. REYOR, "Compte rendu du livre de Paul Arnold: Histoire des Rose-Croix et les origines de la Franc-Maçonnerie", Paris, Mercure de France, 1955, em *Études Traditionnelles*, nº 342, setembro de 1957, pp. 281-282).

[119] "É evidente que o valor iniciático desses prolongamentos do rosa--crucianismo do século XVII [trata-se da Maçonaria], e na suposição de que tenha havido uma real associação desde essa época, é condicionado pelo que podemos saber da própria natureza desse movimento." (J. REYOR, "Le Rosicrucianisme et quelques-unes de ses énigmes", em *Le Symbolisme*, nº 360, abril/maio de 1963, p. 237.) Não é preciso dizer que as afirmações em sentido oposto, de Jouaust, carecem igualmente de provas (*Histoire du Grand Orient de France*, 1865, p. 54): "Quanto ao que diz respeito aos jesuítas, o grau do antigo R + C, essencialmente católico e sacerdotal, nos parece ter sido a brecha pela qual procuraram invadir a Maçonaria superior, embora nada mais fizessem do que se aproveitar de uma invenção [???] anterior". Tampouco tem respaldo de provas a afirmação de J. TOURNIAC (*op. cit.*, p. 295), segundo a qual o R + C de Kilvinning teria sido praticado nas lojas de Kilvinning e de Mary's Chapel d'Édimbourg, com um ritual muito antigo (cf. R. GUÉNON, *L'Ésotérisme de Dante*, p. 24, nota 2). Quando J. REYOR quer ligar o movimento rosacruciano à ordem dos cavaleiros teutônicos (cf. "Le Rosicrucianisme et quelques-unes de ses énigmes", em *Le Symbolisme*, nº360, abril/maio de 1963, p. 230), vemos associar-se na cavalaria medieval a roseira ao juramento de amor cortês (cf. o manuscrito dos Minnesingers da Biblioteca de Heidelberg, reproduzido em *La Chevalerie*, de L. GAUTIER, ed. de J. Levron, p. 171). No mesmo manuscrito (p. 41) há um cavaleiro protegendo um enfermo e o ajudando a caminhar, o que é uma das obrigações do rosa-cruz. "Ele é obrigado (o rosa-cruz) à caridade para com os pobres [...] como também a visitar os presos" (citado por G. BORD, *op. cit.*, p. 513; *Instructions générales*, capítulo I, art. II).

CAVALARIA E HERMETISMO (II):
O 21º GRAU (CAVALEIRO PRUSSIANO OU NOAQUITA)

Muito menos estudado do que o 18º grau escocês,[120] o 21º grau é infinitamente mais rico de substância simbólica e contém elementos iniciáticos de alto valor. Sobre ele não podemos dizer aqui mais do que algumas palavras. A Loja onde se reúnem os cavaleiros prussianos só pode funcionar durante a lua cheia, que representa um dos céus, exatamente o primeiro céu onde os iniciados devem se esforçar para chegar.[121] A história dos noaquitas ou cavaleiros prussianos, que se encontra no início dos rituais,

---

120 Esse grau atribui uma importância toda particular às virtudes teologais. Podemos afirmar aqui que a representação escultural dessas virtudes assume no começo do século XVI acentuado aspecto alquimista [no 18º grau "o termo *solve* é, às vezes, representado por um sinal que mostra o céu, e o termo *coagula*, por um sinal que mostra a terra; com isso querem dizer que se assemelham às ações da corrente ascendente e da corrente descendente da força cósmica". (R. GUÉNON, *La grande triade*, p. 55). A figura da caridade levando um pelicano (com a sua piedade), no túmulo de Francisco II da Bretanha, por Michel Colombe, na catedral de Nantes, vem corroborar o que afirmamos. Mais interessante ainda é a estátua da *caridade* da torre da igreja de Saint--Maclou de Mantes (Seine-et-Oise), na fachada sudeste do edifício, que traz na mão direita uma estrela de seis pontas (o monograma radiante do Cristo) e, na mão esquerda, um coração (cf. R. VASSEUR, "Étude iconographique des statues de la Tour Saint-Maclou de Mantes, em *Le Mantois, Bulletin de la Société Les Amis du Mantois*, Hôtel de Ville de Mantes-la-Jolie, nouvelle série, nº 7, 1956, pp. 16-21). A natureza alquimista (o que não quer dizer hermética) do 18º grau foi bem demonstrada por Albert-Marie SCHMID ("La Cène Mystique des Rose-Croix", em *L'Iluminisme au XVIIIᵉ siècle*, Les Cahiers de la Tour Saint-Jacques, 1960, p. 34): "[...] o adepto desconhecido, que compôs o ritual da ceia mística, quis que os novos rosa-cruzes, como seus predecessores do século XVII, enriquecessem de ideias alquimistas a doutrina calvinista da Eucaristia".
121 No 19º grau (grande pontífice ou sublime escocês dito da Jerusalém celeste), o candidato declara que se encontra num lugar "que não tem necessidade nem do sol nem da lua para ser iluminado". Isso significa que está pelo menos virtualmente num estado indiferenciado.

começa assim: "Os descendentes de Noé,[122] apesar do arco-íris, que era o sinal da reconciliação que o Senhor tinha dado aos homens, pelo qual lhes assegurava que não se vingaria mais deles com um dilúvio universal, resolveram construir uma torre para se pôr ao abrigo da vingança divina".[123] Além do simbolismo do arco-íris que se liga à tradição noaquita de que já falamos antes, vemos surgir o tema da Torre de Babel. Mais sugestiva ainda é a continuação dessa descrição: "algum tempo depois, *Nemrod*, que foi o primeiro a estabelecer distinções entre os homens, que reabilitou mesmo seus direitos e o culto à divindade, ali fundou uma cidade, a qual, por isso, foi chamada Babilônia. Foi numa noite de lua cheia de março que o Senhor operou essa maravilha. É em memória desse acontecimento que os cavaleiros noaquitas realizam sua grande assembleia todos os anos na lua cheia de março. Suas assembleias de instrução se realizam todas as noites, nos dias de lua cheia e ao clarão do luar, não podendo haver na Loja outra luz que não seja a da lua".[124] Na realidade, o herói *Nemrod* encontra-se no centro de uma tradição inteiramente particular e o fato de o ritual insistir em seu nome é muito significativo. *Nimrod* ou *Nemrod* é o caçador (*namar* em hebraico e *nimr* em árabe) que pode ser comparado a um animal pintado como a pantera ou o tigre. R. Guénon mostrou que o tigre é (como o urso na tradição nórdica) o símbolo do cavaleiro. Sugeriu também que a fundação de Nínive e do

---

[122] Os alemães se pretendem tradicionalmente descendentes de um neto de Noé, o que legitima o título do grau *noaquita* ou *cavaleiro prussiano* (embora a palavra *prussiano* seja muito restritiva). "Os historiadores fazem vir os gauleses da Germânia, ela própria povoada por celtas, filhos de um neto de Noé, chamado *Gomer*, que do Oriente estendeu seu poderio até o norte." (ANTEQUIL, *Histoire de France*, Paris, 1837, t. I, p. 9.) As palavras sagradas do grau são os nomes dos filhos de Noé. Convém lembrar a importância que Anderson atribui, em seu livro, aos "três grandes artigos de Noé", para ver lá dentro algo de profundo que os historiadores da Maçonaria não puderam ver. Não convém tampouco esquecer que a tradição cristã quer que Noé seja o consolador do mundo.
[123] *Précieux recueil de la Maçonnerie Adonhiramite*, 1787, p. 147.
[124] *Id.*, pp. 147-148.

império assírio é o resultado de uma revolta de cavaleiros contra a casta sacerdotal caldeia e mostrou que o epíteto de *nemrodien* aplica-se "ao poder temporal que se afirma independentemente da autoridade espiritual".¹²⁵ À luz desses dados tradicionais, é fácil concluir sobre o que representa esse 21º grau, que oferece um certo aspecto da tradição cavaleiresca em guerra mais ou menos declarada contra o poder espiritual.¹²⁶ O ritual tem o cuidado de observar que "Nemrod foi o primeiro a estabelecer distinções entre os homens", indicando assim a origem das castas. Esse grau contém também alusões à disputa da espada e do anel, o que nos leva mais uma vez ao conceito do sacro império.

CAVALARIA E HERMETISMO (III): O 26º GRAU (PRÍNCIPE DE MISERICÓRDIA OU ESCOCÊS TRINITÁRIO)

Vamos passar agora ao estudo, infelizmente breve demais, de um dos graus superiores mais importantes por sua natureza cristológica e hermetista, de que os maçons têm pouca compreensão¹²⁷ e sobre o qual têm-se derramado a impertinência e a tolice de escrevinhadores antimaçônicos do outro século pelo fato de só verem a letra e não o espírito. Só podemos dizer algumas palavras sobre o grau que o precede, o de *cavaleiro da serpente de bronze*,

---

125 Cf. sobre *Nemrod*, R. GUÉNON, "Seth", em *Symboles fondamentaux de la science sacrée*, p. 157.

126 O adorno do grau é uma flecha de ponta para baixo atravessando um equilateral em ouro.

127 Uma extravagante opinião sobre esse grau, cujas origens se encontram na obra do grande comandante belga, Goblet d'Alviella, tem muitas vezes livre curso entre os maçons do Rito Escocês. O 26º grau seria budista, sob o pretexto de "que existe certa semelhança entre o título de *príncipe da misericórdia* e o de *senhor de compaixão*". (R. GUÉNON, *L'Ésotérisme de Dante*, p. 20, nota 1.)

muito importante no plano cristão tradicional.[128] Voltaremos ao assunto numa futura obra dedicada exclusivamente à *história e ao simbolismo dos graus superiores do Escocismo*.

Constitui, no mínimo, uma inexatidão dizer, como o I∴ Bouilly, que o grau de *cavaleiro da serpente de bronze* (25º grau) encerra "uma parte do primeiro grau dos *mistérios egípcios*, dos quais se origina a medicina e a grande arte de compor os medicamentos",[129] tendo assim de demonstrar que esse grau contém elementos de *espagíria* (química). Na realidade, trata-se de um simbolismo muito mais antigo, uma vez que é encontrado na Bíblia[130] e no Evangelho de São João, o que mais uma vez associa o santo patrono dos maçons operativos aos graus superiores cavaleirescos escoceses.[131] A serpente de bronze de Moisés, cujo simbolismo se encontra no 4º livro do *Pentateuco* (*Os Números*), representa, na iconografia cristã, o Cristo na cruz, que é "com relação às almas o que a serpente de bronze foi, com relação física, para os hebreus: o curador, o restaurador, o mante-

---

128 Cf. L. CHARBONNEAU-LASSAY, *L'Ésotérisme de quelques symboles géométriques chrétiens*, Paris, Les Éditions Traditionnelles, 1960, pp. 24-26.
129 I∴ BOUILLY, *Explication des douze écussons qui répresentent les symboles des douze grades philosophiques du rite ecossais ancien et accepté*, Val[Vallée] de Paris 5838 [1838], 25º grau.
130 Durante o êxodo, "o povo dos hebreus era posto à prova por picadas de serpentes ardentes e muitos morreram. O povo veio a Moisés e lhe disse: 'Roga ao Senhor para que afaste de nós as serpentes'. E Moisés orou pelo povo. E o Senhor lhe disse: 'Faze em bronze a imagem de uma serpente e a expõe como um sinal: quem quer que seja ferido a olhará e viverá'. E Moisés fez uma serpente de bronze e a expôs como sinal, e quando aqueles que eram feridos a olhavam, curavam-se." (*Livro dos Números*, XXI, 6-9.)
131 "Como Moisés elevou a serpente no deserto, do mesmo modo é necessário que o filho do Homem seja elevado, a fim de que todo que n'Ele crer não pereça, mas tenha a vida eterna." (São João, III, 14-15.) Disse ainda Jesus: "Quando for elevado da terra, atrairei tudo a mim" (São João, XII, 32). E falando dos hebreus e de seus livros sagrados: "As Escrituras dão testemunho de mim, e não quereis vir a mim, para ter a vida" (*Ibid*., V, 39-40). Isso nos faz lembrar o que disse Salomão (cujo nome com a construção de seu Templo está indissoluvelmente associado à Maçonaria): "Aquele que olhava a serpente de bronze não era curado pelo objeto que via, mas por Vós, o salvador dos homens" (*Livro da Sabedoria*, XVI, 7).

nedor, o salvador da vida".[132] É ocioso sublinhar o aspecto benéfico da serpente que, no simbolismo do alto Egito (não se trata, como vemos, de "mistérios egípcios", mas de algo muito mais profundo e que na ocorrência não é senão um aspecto figurativo característico de um símbolo universal), figurava *Kneph* e produzia o ovo do mundo "por sua boca [símbolo do verbo]".[133] Para os druidas, o ovo do mundo era "o ovo da serpente" representado pelo ouriço fóssil[134] e demonstramos alhures que este último, símbolo da imortalidade, era na Alta Idade Média muitas vezes colocado nas tumbas. O ouriço com suas cinco brânquias (há aqui uma estreita concordância com a estrela flamejante, símbolo pitagórico convertido num dos símbolos mais importantes da Maçonaria operativa,[135] depois da Maçonaria especulativa no segundo grau) é o homem que alcançou a reintegração total.[136] Se examinarmos o adorno do 25º grau, perceberemos que sua figura dá o nome de Sheth "reduzido a seus elementos essenciais S. T. no alfabeto latino (que é apenas uma forma do alfabeto fenício) [e que] dá a figura da serpente de bronze".[137] Observar-se-á, ainda, para concluir estas breves considerações sobre o grau tão importante do ponto de vista tradicional, que as iniciais S. T., símbolos da serpente de bronze, estão em relação com uma árvore ou com um bastão que traz enroscado em torno de si uma serpente, e isso

---

132 L. CHARBONNEAU-LASSAY, *L'Ésotérisme de quelques symboles géométriques chrétiens*, p. 26. O mesmo autor observa que "o púlpito da igreja de Saint-Pierre-du-Marché, em Loudun, traz esculpido sobre seu encosto uma grande cruz, em torno da qual se enrosca a serpente, emblema do Cristo crucificado". (p. 26, nota 1.)
133 R. GUÉNON, "Seth", em *Symboles fondamentaux de la science sacrée*, p. 158, nota 3.
134 *Id., ib.*
135 Podemos ver uma magnífica estrela flamejante gravada (e dourada) à esquerda e acima, por cima do altar-mor da catedral de Embrun (Altos Alpes).
136 J. PALOU, "Sur un gisant du Palais Jacques Cuer à Bourges", em *Le Symbolisme*, nº 355, janeiro/março de 1962, p. 179.
137 R. GUÉNON, "Sheth", em *Symboles fondamentaux de la science sacrée*, p. 159, nota 3.

poderia conduzir a considerações sobre o simbolismo axial vertical. R. Guénon sublinhou com razão que o eixo vertical configura as letras S. T.[138], "do qual outra forma se encontra na serpente e na flecha que figuram sobre o selo de Cagliostro".[139, 140] A letra S, que é repetida três vezes em outro grau superior escocês, é um símbolo da multiplicidade, enquanto a letra I é o símbolo da unidade principal. É, portanto, inteiramente normal que se encontrem associadas e "é evidente que sua respectiva correspondência com a serpente e o eixo axial concorda perfeitamente com essa significação".[141]

O cavaleiro da serpente de bronze é um iniciado superior, servidor da unidade una e defensor do Cristo. Opõe-se à pluralidade para tentar integrar-se ao verbo. Ao contrário do rosa-cruz ligado ao símbolo floral, o cavaleiro da serpente de bronze está

---

138 A tradução dessas duas letras por "superiores desconhecidos" ou mais ainda por "sociedade Jesus", como foi feita por certos Maçons, no século XIX, é fruto da mais alta fantasia.
139 São coincidências desse gênero que levaram à comparação (pelo Ir∴ Bouilly, entre outros) do 25º grau com os "mistérios egípcios", dos quais Cagliostro foi um dos introdutores na França, no final do século XVIII. Conforme representação do selo de Cagliostro em M. HAVEN, *Rituel de la Maçonnerie égyptienne*, *Les Maîtres de l'Occultisme*, t. XV, Nice, 1948.
140 R. GUÉNON, *Études Traditionnelles*, nº 234, junho de 1939, p. 234.
141 *Id., ib.* Sobre o quinto pilar externo do lado sul da catedral de Embrun, encontram-se gravados na pedra a letra I, um sol e um 4 em arábico (sobre esse símbolo, ver R. GUÉNON, "Le quatre de chiffre", em *Symboles fondamentaux de la science sacrée*, pp. 396-399). O algarismo 4 é um símbolo da redenção: "Forma um triângulo, símbolo da trindade; pode-se, em seguida, atribuir ao algarismo 4 a ideia da formação do novo mundo representado pelos 4 elementos, as 4 estações, os 4 pontos cardeais e, moralmente, pela origem da religião cristã, cuja base, segundo Jesus Cristo, é assentada sobre os 4 evangelistas e representa a vida". (L. GRUEL, *Recherches sur les origines des marques anciennes qui se rencontrent dans l'art et dans l'industrie du XVᵉ au XIXᵉ siècle, par rapport au chiffre quatre*, Paris, 1926, p. 105.) Recomendamos a leitura de interessantes observações sobre o mesmo assunto em A. BOUTON e M. LEPAGE, *Histoire de la Franc-Maçonnerie dans la Mayenne*, p. 12. É, portanto, inteiramente característico que o algarismo 4 esteja associado, na parede sul de uma igreja, ao sol e ao I (Iod) principal.

associado ao mesmo tempo aos simbolismos animal e mineral, e ao do metal, o que constitui um aspecto um tanto lamentável.[142] O grau de *príncipe da misericórdia* ou *escocês trinitário* tem sua origem "histórica" nas duas ordens de cavalaria: a *Ordem dos Trinitários*, fundada em 1198, e a dos *pais da misericórdia*, em 1218. A primeira, chamada também de *Ordem da Redenção dos Cativos*,[143] foi criada a pedido de são João da Mata e de são Félix de Valois. Uma lenda muito ingênua liga-se a essa criação[144] onde intervém o simbolismo das cores branco, vermelho (uma cruz) e azul, do mesmo modo que o simbolismo do *cervo*, que desempenha um grande papel no cristianismo (no qual o cervo é considerado um inimigo da serpente e se pode ver aqui uma aplicação inversa do simbolismo do 2º grau).[145] É em razão dessas três cores que a ordem da redenção foi posta sob o sinal da trindade.[146] A sede social dos *cavaleiros da misericórdia* (essa palavra deve ser compreendida no sentido de "mercê"; lembrem-se da expressão "combater sem mercê", isto é, sem concessões nem piedade e "ficar à mercê", que quer dizer ter confiança na compaixão de seu adversário) era na igreja de São Victor de Marselha, que possui uma cripta que contém uma virgem negra e um poço. Pode-se daí ligar-se a imagem da verdade, paládio do 26º grau, nascendo de um poço e a virgem negra de Marselha, tanto mais que no plano hermetístico a cor

---

142 "A mesma palavra em hebraico significa 'serpente' (*nahash*) e 'bronze' ou 'cobre'; encontramos no árabe uma outra aproximação não menos estranha: *nahas* 'calamidade' e *nahâs* 'cobre'" (R. GUÉNON, "Sheth", em *Symboles fondamentaux de la science sacrée*, p. 159, nota 3.) Observações desse gênero explicam por que J. B. Willermoz se opôs com tanta veemência ao emprego da palavra *Tubalkaïn*, pai dos metais, como palavra de passe.
143 R. GUÉNON comete uma ligeira inexatidão quando escreve a propósito: "É assim que existiu efetivamente uma *ordem dos Trinitários* ou *ordem da Misericórdia*, que tinha por objetivo, ao menos exteriormente, o resgate de prisioneiros de guerra". (*L'Ésotérisme de Dante*, p. 20, nota 2.)
144 Cf. padre AUBER, *Histoire et théorie du symbolisme religieux*, t. II, pp. 618-619.
145 *Id., ib.*, t. III, pp. 126, 290, 303, 363, 380, 448, 469, 493.
146 Cf. HÉLIOT, *Histoire des ordres monastiques*, in-4º, t. II, pp. 127 ss.

negra é a "matéria-prima", símbolo da indistinção. Tudo aqui está de acordo com a trindade: Cristo, Virgem e o Espírito Santo, e o Príncipe da Misericórdia é também escocês trinitário.[147] A Ordem dos Cavaleiros da Misericórdia, que se dedicava especialmente ao resgate de cristãos cativos dos bárbaros,[148] deixou traços ainda visíveis em nossos dias em monumentos. Assim, pode-se ver nos Altos Alpes, na direção do desfiladeiro de Bénévent, numa encruzilhada, "uma pedra gravada com Nossa Senhora da Misericórdia, servindo de base a uma cruz,[149] com a inscrição: "Em nome de Deus fazei a caridade de mandar rogar a Deus pelas pobres almas abandonadas, 1735".[150] Semelhante inscrição encontrava-se, outrora, no desfiladeiro de Bayard, num monumento idêntico, mas acrescentava: "E para resgatar os escravos, 1734".[151]

O 26º grau, sobre o qual poderíamos escrever um longo artigo, contém muita coisa além dos três ricos elementos alqui-

---

147 O ritual do 26º grau precisa, quanto à decoração do lugar, que se chama de *terceiro céu* (cf. nota 100), que ali se encontrará sobre uma mesa de pano verde, branco e vermelho (—"o branco representa, então, a fé; o verde, a esperança; o vermelho, a caridade ou o amor" (R. GUÉNON, *L'ésotérisme de Dante*, p. 19, nota 5) — uma estátua de mulher nua (a verdade). Uma chama sai de sua cabeça e traz na sua mão esquerda um espelho, o que mostra o caráter hermético e alquimista do grau.
148 Toda a história tão discutida de são Vicente de Paulo, prisioneiro dos bárbaros resgatado, e a narração tão curiosa que o santo fez desse episódio de sua vida poderiam ter um sentido muito mais profundo do que o que lhe é habitualmente atribuído pelos historiadores. Há quem diga que são Vicente de Paulo tinha sido *alquimista*. Se esses fatos *históricos* mais ou menos conturbados forem considerados sob um ângulo simbólico, assumirão então um caráter particular, o qual, a nosso ver, não foi jamais demonstrado e mereceria ser objeto de pesquisas muito curiosas, que no nosso parecer esclareceriam a história *oculta* do século XVII.
149 Convém observar que, em muitas igrejas antigas, a cruz do Salvador é sustentada por um cervo, símbolo da Ordem da Misericórdia.
150 *Bulletin de la société d'études des Hautes-Alpes*, 1893, p. 17, nota 2,
151 *Id., ib.*, 1914, p. 173.

mistas que os rituais recentes reduziram um pouco por falta de uma compreensão real do que é a alquimia, isto é, algo essencialmente "espiritual" e não algo que resulte na arte dos *soprado-res*. O simbolismo da cisterna ou do povo, no qual o candidato poderia cair[152] em seu voo para a abóbada celeste (não nos esqueçamos de que o candidato do 26º grau deve procurar alcançar o terceiro céu), está em relação com o que dissemos antes da cripta de são Victor. No decorrer das provas iniciáticas a que é submetido, o candidato deve subir os degraus de uma escada (prefiguração da escada dos Kadosch, no 30º grau) de três lanços, representando as três virtudes teologais. É preciso aproximar-se disso as mesmas virtudes que presidem ao simbolismo da Rosa-Cruz, cujo papel social é de proteger os fracos, como o Príncipe da Misericórdia deve praticar a caridade e ajudar a libertação dos cativos. Na terceira prova simbólica, fala-se das "águas superiores [que] não molham nunca", o que nos leva às palavras do Gênese e mostra até que ponto o Espírito Santo está associado a esse grau. Ressaltaremos, enfim, e sem mais insistir no assunto, que o presidente do grau (príncipe excelente) traz uma coroa de ouro e representa o amor (naturalmente num sentido transcendental e não "sentimental" como o concebem alguns autores modernos). Ele é, portanto, o "rei pacífico", o que constitui o próprio sentido do nome de Salomão[153] e que ressalta ainda mais uma vez as relações existentes entre o hermetismo, a cavalaria e a Maçonaria.[154]

---

152 Sobre os poços de igrejas consagradas à Virgem, ver J. P. BAYARD, *Le monde souterrain*, Paris, Flammarion, 1961, pp. 161 ss.
153 R. GUÉNON, *Aperçus sur l'ésotérisme chrétien*, p. 77.
154 Uma interpretação complementar da cor verde e de seu simbolismo no 26º grau pode ser feita quando se sabe que essa cor é a cor do jaspe, pedra que protege os *Eleitos*. Uma tradição medieval, atribuída a um certo Preste Jehan, quer que o rio Ydonis, "que vem do paraíso terrestre", esteja cheio de pedras preciosas e mais particularmente de jaspe (F. DENIS, *Le monde enchanté*, 1843, pp. 103 e 312).

UM GRAU DE PSEUDOVINGANÇA TEMPLÁRIA: O 30º GRAU (CAVALEIRO KADOSCH)

Entre o 26º grau e o 30º, o 28º grau (Cavaleiro do Sol) é um grau dedicado, como o do *Príncipe da Misericórdia*, ao Espírito Santo, mais particularmente aqui, num objetivo de unidade em face da pluralidade.[155] O tapete da Loja (que traz o título de soberano conselho) apresenta várias cabeças de anjinhos que são a figuração do *Spiritus* e de *Anima*, quer dizer, do Espírito Santo e da Virgem, em outras palavras, da pedra filosofal comparada ao Cristo.[156] A palavra sagrada do grau, que é uma das denominações hebraicas da divindade (e não da deidade como querem alguns) tem como corolário a palavra *abra*, que, segundo Ragon, significa *rei sem mácula*.[157] Trata-se de uma forma adulterada de um termo da Maçonaria operativa: *abrac* significa raio ou clarão,[158] em relação direta com o barulho dos maços (barulho de pedreira), anunciando a abertura da Loja, quer dizer, o aparecimento do Sol no oriente, "abrindo a pedreira do dia" e dando a luz "aos operários" para o trabalho coletivo de realização espiritual.

O 29º grau (*Grande Escocês de Santo André da Escócia*) está colocado sob o duplo patrocínio da Grécia e da Escócia, sendo Edimburgo muitas vezes classificada de Atenas do Norte. Houve quem pretendesse colocá-lo sob o signo da Ordem do *Velo de Ouro*,[159] fundada em Bruges, em 1429, pelo duque borgonhão Filipe, o Bom, sem a adução de provas decisivas. Além disso, a Ordem do *Velo de Ouro*, que data do início do século XV, depende

---

155 Nesse grau encontra-se figurado um sol transparente no meio de um triângulo inscrito num círculo "e no qual estão três S.S.S." (*Tuileur portatif*, p. 106).
156 A pedra cúbica em forma de ponta, que figura no quadro da Loja do segundo grau, simboliza igualmente a pedra filosofal (cf. R GUÉNON, *La grande triade*, pp. 99-100, nota 2).
157 J. M. RAGON, *Tuilleur général*, p. 160.
158 Em hebraico: *ha-baraq*, que tem como equivalente *vajra*, quer dizer o poder do maço (ver R. GUÉNON, *La grande triade*, p. 64, nota 2).
159 Cf. J. TOURNIAC, *op. cit.*, p. 298, nota 6.

muito mais da alegoria do que do símbolo, e alguns elementos tradicionais que ainda pode conter estão por demais degenerados com relação ao que querem representar. O sinal da ordem e o adorno do 29º grau, além da representação de um sinal cristológico, aparecem claramente como uma alegoria relativa a um fim de ciclo que a *Ordem do Velo de Ouro* simboliza, todavia com uma esperança de renascimento futuro que nos apraz ressaltar. O quadro do grau é igualmente muito sugestivo e nos parece pelo menos curioso que esse 29º grau seja ainda em nossos dias particularmente caro aos dignatários do Rito Escocês Retificado, embora não nos pareça ter relação iniciática particular com esse rito.[160]

Muito erroneamente se tem pretendido fazer do 30º grau (Kadosch) um grau de vingança templária. É preciso lembrar que o "acordo" dos rituais desse grau, operado nos séculos XIX e XX, contribuiu um pouco para essa concepção, seja para o primeiro caso numa direção agressiva, seja no segundo caso de uma maneira que atenue toda marca de sentimentalismo. Esses rituais têm sido objeto de observações literais muito divertidas,[161] agora

---

160 "O quadro do grau representa o perímetro da nova Jerusalém celeste descrita por são João Evangelista, segundo patrono da Ordem dos Maçons, e o cordeiro imolado e triunfante, desfraldando o estandarte de sua vitória no cume da nova Sião [...] o objetivo desse quadro é estabelecer aos olhos dos maçons desse grau as relações que unem a antiga lei, figurada pelo templo de Salomão, à nova lei do cristianismo, sob a qual vivemos, e a passagem de uma para a outra. Santo André é figurado nesse quadro porque, sendo discípulo de são João Batista, é profeta da antiga lei na nova. É por isso que os mestres escoceses adotaram-no como seu patrono particular [...] A cruz de santo André figura também a passagem Maç∴, do Antigo para o Novo Testamento confirmada pelo apóstolo santo André, que, inicialmente discípulo de João Batista, nascido para pregar sob a antiga lei para preparar os corações para a nova lei, abandonou seu primeiro mestre para seguir inteiramente a Jesus Cristo, e selou em seguida com o seu sangue seu amor e sua fé ao seu verdadeiro mestre" (manuscrito encontrado nos arquivos das bibliotecas de Lyon, nº 5922; ritual geral do grau escocês de Santo André, do regime retificado, estabelecido na convenção de Wilhemsbad, no ano 5782 [1782]).
161 "Quanto aos graus templários, teria sido certamente uma maneira bem estranha de atestar sentimentos católicos, em vez de pretender continuar ou

que sabemos que "a ideia de uma conexão Ordem do Templo--Maçonaria foi vulgarizada pelo acadêmico berlinense Nicolai em seu *Essai sur le secret des Templiers* (1782), que atribuía aos templários uma doutrina secreta gnóstica e maniqueísta (*sic*)".[162]

Não pretendemos expor aqui o que foi a Ordem do Templo, tanto no plano político quanto no plano iniciá- tico, embora a origem precisa dessa ordem exclua uma ideia de criação sobrenatural.[163] Uma lenda obstinada ligou-se à morte na fogueira do último grão-mestre da ordem, Jacques Molay. Havia ali um elemento de natureza romântica, de que os maçons dos séculos XVIII e XIX usaram e abusaram. Isso proporcionou nos rituais relativamente modernos cores dignas da ópera cômica ou do teatro de fantoches. Lantoine, confundindo símbolo com figuração teatral, escreveu sobre esse assunto com certa ironia à Joseph Prudhomme, que tão bem conhecemos: "Quando, no ritual de Kadosch, o neófito enfia o punhal nos manequins que figuram o rei e o soberano pontífice, seu gesto não significa a rebelião da elite contra as autoridades que pretendem canalizar sua necessidade de evasão e de exaltação. Os manequins têm um nome: são a imagem de Clemente VII e de Filipe, o Belo, destruidores da Ordem do Templo. Reduz-se o símbolo (*sic*) à mediocridade da anedota".[164]

---

reconstituir uma ordem abolida pela sé romana? De outro lado, como conceber que os Stuart, cujas esperanças de restauração repousavam no apoio do Papa e do rei da França, teriam de patrocinar uma Maç∴, que pretendia descender de uma ordem abolida por um Papa por instigação de um rei da França?" (Ir∴ Sirius: *op. cit.*, pp. 47-48.) Isso é perfeitamente razoável do ponto de vista político, quer dizer, *profano*, mas não corresponde de modo algum à real substância do 30º grau.
162 J. REYOR, "L'Ordre du Temple et l'Ésotérisme chrétien", em *Études Traditionnelles*, nº 355, setembro/outubro de 1959, p. 197.
163 Apraz-nos observar que R. Mutel corrobora de uma maneira indireta nosso modo de ver quando indica que a Ordem do Templo não teria comportado uma natureza esotérica quando de sua fundação. Essa natureza lhe teria vindo (mas por que meios?) a partir da direção de Robert de Craon, seu segundo grão--mestre, estando bem entendido que o esoterismo do Templo só era conhecido (e compreendido) por uma elite de cavaleiros (cf. J. REYOR, *op. cit.*, p. 206).
164 A. LANTOINE, "Les Légendes du Rituel Maçonnique", em *Le Symbolisme*,

O nome de "Kadosch" (em hebraico: santo) corresponde aos diferentes céus, que são as moradas dos santos e para os quais já se viu tender o candidato ao 26º grau, quando pela escada de três lanços das três virtudes teologais chegava-se ao terceiro céu.[165] O ritual do grau impõe a presença de uma escada dupla de sete lanços (de cada lado) cujos degraus do segundo lado trazem os nomes de "astronomia, música, geometria, aritmética, lógica, retórica, gramática",[166] quer dizer, as sete artes liberais da Idade Média, com suas correspondências astrológicas.[167] Essa escada pode, além disso, corresponder a um aspecto exotérico real, uma vez que no auge da cavalaria, quer dizer, nos séculos XI e XII, o chefe do exército dividia seus cavaleiros "em determinado número de *batalhas* ou de *escadas*".[168] O aspecto tradicional dessa escada (primeiro lado) foi devidamente posto em seu lugar por R. Guénon: "a escada dos *Kadosch*", escreve ele, "[coloca] a esfera de Saturno [...] imediatamente acima da de Júpiter, chegando-se ao pé dessa escada pela justiça (*tsedakah*) e ao seu topo pela fé (*emounah*)", e observa que "esse símbolo da escada parece ser de origem

---

nº 213, 1937, pp. 16-17. Esse artigo do pseudo-historiador da Franco-Maçonaria é de uma tolice particularmente agressiva. Ali se lê esta contraverdade integral: "A Franco-Maçonaria é uma religião" (p. 18), o que prova que A. Lantoine jamais chegou a ser um "iniciado", mesmo virtual.

165 O termo *Kadosch* tende a reunir denominações análogas: puros, perfeitos, cátaros, Ikhvan-es-Safa (irmãos da pureza). Ver, a propósito, R. GUÉNON, *Aperçus sur l'ésotérisme chrétien*, p. 52.

166 O comentário de Ragon (*Tuilleur général*, p. 169) sobre esses lanços é de todo imbecil. Com efeito, escreve: "Os dois degraus dessa escada representavam *Filipe, o Belo* e *Clemente V*. Os lanços lembravam as *condições* impostas pelo rei da França ao arcebispo de Bordeaux para chegar ao ápice do episcopado: *o Papado*". Foi com exegeses dessa espécie que a Maçonaria caiu no século XIX e no começo do século XX, nesse estado de inquietante degenerescência intelectual e tradicional que lhe tem valido ataques não só de representantes qualificados da Igreja Católica, como de seus inimigos mais ignaros e mais abjetos.

167 Cf. R. GUÉNON, *L'ésotérisme de Dante*, p. 13, e também o I∴ VUILLIAUME, *Manuel maçonnique*, Paris, 1830, 2ª ed., pp. 213-214 e pr. 16.

168 L. GAUTIER, *La Chevalerie, op. cit.*, p. 302.

caldeia[169] e ter sido trazido para o Ocidente com os mistérios de Mitra: havia então sete degraus, formado cada um de um metal diferente, seguindo a correspondência dos metais com os planetas; por outro lado, é sabido que no simbolismo bíblico encontra-se igualmente a escada de Jacó, a qual, unindo a terra ao céu, representa significação idêntica".[170] Vê-se desde então que o 30º grau, que durante um certo tempo foi o último grau *aparente* do Escocismo, possui elementos iniciáticos que remontam a muito além da fundação da Ordem do Templo, admitindo-se, todavia, que os cavaleiros do Templo tenham podido desempenhar o papel, diante dos maçons operativos, de mensageiros de um certo número de dados tradicionais muito antigos, deles conhecidos quando de sua estada no Oriente.

Para nós, embora não nos seja possível no momento desenvolver nosso ponto de vista, *Kadosch* representa o cavaleiro defensor do Graal,[171] guardiães da cidade santa, que pode estar na Bretanha, na Broceliânda, em Anjou, na Cidade do Sol ou nas brumas de Tule, ou ainda de uma maneira singularmente "histórica", em Jerusalém, quando os templários ocuparam, por volta de 1135-1140, um edifício levantado "sobre o que foi, na antiguidade, o átrio do templo de Israel"[172] tanto na unidade, que permitem reencontrar os ritos e símbolos, todas as tradições são uma só em termos de princípios.

---

169 Ver anteriormente o que dissemos a respeito do 21º grau do Escocismo.
170 R. GUÉNON, *L'ésotérisme de Dante*, pp. 23-24.
171 W. VON EISENBACH: Titurel: "Pode-se ver, junto aos cavaleiros do Templo, mais de um coração desolado, aqueles que Titurel havia mais de uma vez tirado das mais duras provações quando seu braço defendia cavaleirescamente o Graal com a ajuda dos seus". (Traduzido por J. FOURQUET em Nº *des Cahiers du Sud*, consagrado à *Luz do Graal*.)
172 R. MUTEL, *Études Traditionnelles*, nº 365, setembro/outubro de 1959, p. 221, nota 3.

O REGIME DO SACRO IMPÉRIO

É costume designar, de uma maneira inteiramente falsa, os graus 31, 32 e 33 como graus administrativos, o que dispensa, sem dúvida, seus titulares de buscar uma explicação tradicional. Diremos no próximo capítulo o que achamos do grau 33[173] e último grau do Escocismo e o que representa efetivamente. Se o 31º grau está em relação com certos aspectos do tribunal de Saint-Vehme (e de modo algum num sentido profano), o 32º grau (*sublime príncipe do segredo real*) parece ter uma grande importância iniciática.[174] No quadro desse grau, pode-se assinalar "a presença [...] de um leão de ouro segurando na boca uma chave de ouro e trazendo uma coleira do mesmo metal, sobre a qual está gravado o número 115. Considerando que esse número não é um número simbólico de emprego corrente, parece-me muito difícil não pensar aqui no '510 e 5' que, 'mandado por Deus, matará a rapace e o gigante que fornica com ela' (Purgatório, XXXIII, 43-44) e no papel desse número na estrutura matemática da Divina Comédia. Observar-se-á que esse grau, antes de se tornar o penúltimo grau do Rito Escocês Antigo e Aceito, foi o último (25º) do rito de perfeição".[175] Enfim, a palavra *salix* (salgueiro), que é uma das palavras inscritas num dos estandartes do 32º grau, não deixa, como observa R. Guénon, de evocar a *cidade dos salgueiros* que, numa

---

173 No simbolismo desse grau, o número 11 desempenha importante papel. Com efeito, está associado à data da supressão da Ordem do Templo, contada segundo a era maçônica. A bateria é de 11 golpes (5 + 3 + 1 +2). Ora, 11 × 3 = 33. Esse número é muito importante no simbolismo maçônico. (cf. R. GUÉNON, *L'ésotérisme de Dante*, p. 56, notas 1 e 2).
174 Cf. RAGON, *op. cit.*, pp. 175-177, a descrição do campo dos príncipes, dos quais cada pavilhão, tanto nas letras como nas cores simbólicas, corresponde às diferentes iniciações de toda a Ordem Maçônica Escocesa, do 1º ao 33º grau.
175 I∴ SIRIUS, *op. cit.*, p. 53. Esse artigo refere-se a um estudo de J. REYOR: "Quelques considérations sur l' ésotérisme chrétien", em *Études Traditionnelles*, de janeiro/fevereiro de 1954, cujas fontes se encontram em R. GUÉNON, *L'ésotérisme de Dante*, pp. 51-59.

outra tradição, é representada por um alqueire cheio de arroz "no qual são fincados diversos estandartes simbólicos".[176] Ora, não ignoramos que na China o alqueire tem por equivalente a ursa maior. Esse símbolo astral faz parte do simbolismo próprio da Loja dos três primeiros graus e não surpreende saber que uma das tendas do campo dos príncipes do segredo real, de cor azul, é exatamente a dos aprendizes, companheiros e mestres. À palavra *salix* (salgueiro) corresponde em outra parte do ritual do 32º grau uma outra palavra, que significa *conjunto*.[177]

Nós nos limitamos aqui a algumas reflexões e abordaremos o assunto, como já dissemos nesta obra, em outro trabalho, a história e o simbolismo dos graus superiores do Escocismo. Acreditamos, entretanto, ter demonstrado, no que concerne aos graus 31 e 32, que não são "administrativos", a não ser para os maçons que se tornaram *funcionários* da Maçonaria e, portanto, perderam todo o sentido tradicional do que representam efetivamente esses graus.

---

176 R. GUÉNON, *La grande triade*, p. 204 e nota 1.
177 As letras dessa palavra formam as iniciais dos nomes dos Porta-Estandartes, no número de cinco (que é o número particular ao Companheiro, quer dizer, um elemento de ação). A palavra *salix,* juntada a duas outras, forma um conjunto de letras que indicam as tendas do campo dos príncipes. Tudo isso está em relação com o simbolismo dos *vínculos*, que tem grande importância na Maçonaria azul (cf. o simbolismo da *cadeia de união*) e que ressalta assim o caráter completo e único de todos os graus do Escocismo.

5. O Rito Escocês Retificado

A administração maçônica na França do século XVIII desenvolveu-se a duras provas. Não nos cabe aqui nos ocuparmos dos diferentes grão-mestres que dirigiram ou acreditaram dirigir a Maçonaria francesa. Suas querelas, suas questões, seus tráficos com seus irmãos, sobre os quais se têm detido longamente os historiadores maçons, não têm senão um interesse anedótico muito relativo. Parece-nos suficiente dizer que a Grande Loja inglesa da França, a que já nos referimos, declarou-se independente em 1755 e tomou o título de Grande Loja da França. Sórdidas discussões explodiram no seio dessa Grande Loja, em geral sobre atribuições administrativas, e em 1773 foi convocada a Assembleia da *Grande Loja Nacional da França*. Esta resultou na revisão dos Regulamentos, então em uso, e no dia 26 de junho de 1773, sob a presidência do duque de Luxemburgo,[1] foram adotados os estatutos da Ordem Real da Maçonaria da França. "É esta ordem", escreve M. Lepage, "que é conhecida a partir dessa data, sob o nome de Grande Oriente da França. É evidente que os *minoritários* recusaram-se a ceder e, a exemplo do que se passava na Inglaterra na mesma época, duas obediências rivais vivem uma junto da outra em perpétua disputa."[2]

Tudo isso não tem senão um pouco de interesse. Todavia,

---

[1] Sobre o duque de Montmorency-Luxemburgo, ver o livro parcial de Paul Filleul, *Le duc de Montmorency-Luxembourg*, Paris, 1939, e mais particularmente as páginas 44-45.
[2] M. LEPAGE, *L'Ordre et les obédiences*, 2ª ed., Derain, 1956, p. 62.

tanto nas lojas francesas como nas estrangeiras havia franco-maçons que buscavam "algo de bem mais profundo e mais verdadeiramente *esotérico,* que o conhecimento do ocultismo atual não é de modo algum suficiente para penetrar".[3]

A ESTRITA OBSERVÂNCIA

A primeira Loja alemã fora fundada em Hamburgo em 1737 sob o título distintivo de *Absalon* e inscrita em 1740 nos registros de controle da Grande Loja da Inglaterra. Em seguida, as Lojas proliferaram na Alemanha e foram fundadas oficinas superiores. O rito mais interessante então praticado no país era o da *Estrita Observância* ou *regime* da Estrita Observância. Parece que foi fundado pelo barão de Hund, "que pretendia ter sido iniciado em Paris pelo príncipe Charles-Edouard Stuart e ter recebido de *superiores desconhecidos* a missão de reformar a Franco-Maçonaria alemã".[4] O barão de Hund "declarou que ia reconstituir a Ordem do Templo suprimida em 1314 pelo papa Clemente V, sob a instigação do rei da França, Filipe, o Belo. Não dizia que vinha reconstituir com todas as peças, *ex nihilo,* tirar do nada, a Ordem do Templo, mas despertá-la, pois estava apenas adormecida".[5] A *Estrita Observância* era uma mistura bastante estranha de simbolismo maçônico, de práticas alquimistas e de tradições rosacrucianas. Houve quem pretendesse que tivesse um toque de catolicismo, mas seria difícil compreender como Hund teria podido misturar práticas exotéricas com um ensinamento esotérico. Esse rito chegou num momento a unificar a Maçonaria alemã e Hund recebeu o título de *mestre do exército*. A Estrita Observância tinha por protetor o duque Ferdinando de Brunswick. Em 1772, o rito se uniu com o rito Klericat fundado

---

3 R. GUÉNON, "À propos des supérieurs inconnus et de l'astral", em *Études Traditionnelles,* nº 302, setembro de 1952, p. 249.
4 *Bulletin mensuel des ateliers supérieurs,* nº 6, junho de 1938, p. 111.
5 *L'Acacia,* nº 12, dezembro de 1903, p. 935.

pelo professor de teologia, Staark.⁶ A Estrita Observância expandiu-se na França, principalmente graças a uma correspondência mantida entre J.-B. Willermoz de Lyon e o barão Lansberg, mestre da Loja *A candura* no oriente de Estrasburgo.⁷ O venerável de *A candura* pôs Willermoz em contato com o Barão de Hund e, no dia 25 de julho de 1774, o barão Weiller, representando Hund, "instalou a Loja *A beneficência* em Lyon, e inaugurou o primeiro capítulo da 'Ordem da Estrita Observância' na província de Auvergne. Willermoz foi nomeado chanceler da nova província".⁸ Em consequência de dificuldades internas, Willermoz assumiu um papel muito importante na convocação da convenção de 1778, chamada dos gauleses, "que teve de fato por resultado a libertação da seção francesa da 'Estrita Observância' do controle alemão para estar mais de acordo com as ideias e crenças da Ordem dos Coens⁹ de Pasqually, que Willermoz havia

---

6 Cf. L. GUINET, *Zacharias Werner et l'ésotérisme maçonnique*, La Haye, 1962, pp. 130-158.
7 Sobre J.-B. WILLERMOZ, recomenda-se a consulta ao importante livro de Madame Alice JOLY, *Un mystique lyonnais et les secrets de la Franc-Maçonnerie (1730-1824)*, Macon, 1938, embora contenha alguns graves erros técnicos (cf. apreciação de R. GUÉNON, em *Études Traditionnelles*, nº 234, junho de 1939, pp. 231-232). Em suma, curioso personagem é esse Willermoz, comerciante realizado e homem generoso, completamente obsedado por "poderes" mais ou menos mágicos. Parece ter querido buscar na Maçonaria e em outras partes "segredos" de uma ordem inteiramente inferior, o que o fez cair em dado momento, ora sob a influência de sonâmbulos, ora sob a do aventureiro Mesmer, que "parece ter sido 'suscitado' expressamente para desviar as organizações maçônicas que, apesar de tudo que lhes faltava em termos de conhecimento efetivo, trabalhavam ainda seriamente e se esforçavam para reatar o fio da verdadeira tradição, em lugar disso a maior parte de sua atividade foi então absorvida por experiências antes pueris e que não tinham nada de iniciático" (R. GUÉNON, *op. cit.*, p. 232).
8 Rev. Keith DEAR, "Jean-Baptiste Willermoz", em *Le Symbolisme*, nº 6/340, julho/agosto de 1958, p. 371.
9 Sobre Martinès de Pasqually, ver A. JOLY, *op. cit.*, pp. 31-41. "A Doutrina de Pasqually compreendia uma aritmética e uma geometria mística que permitiam ao Coen guiar-se por meio de cálculos no mundo das aparências. As formas materiais do mundo não deveriam ter para ele senão um aspecto enganador, descrevendo a ciência secreta de seu mestre a realidade toda material. Uma cosmologia muito precisa chegava mesmo a desenhar o quadro do universo imaginário onde se havia passado o drama da queda dos espíritos puros e a do homem,

assimilado".[10] A convenção das Gálias "renegou a filiação temporal dos templários e suprimiu os dois graus sacerdotais de professo e grande professo. Os graus superiores foram reduzidos aos de escudeiro noviço e de cavaleiro benfeitor da cidade santa, que se reuniram numa ordem superior e distinta [...]".[11] Assim nasceu o Rito Escocês Retificado "assim chamado por ter sido várias vezes depurado em diversas convenções, daí seu nome de retificado [...]".[12]

O RITO ESCOCÊS RETIFICADO

Joseph de Maistre, que possuía o grau de grande professo,[13] escreveu uma célebre carta ao duque de Brunswick sob o título de

---

e onde se situava agora a obra de reintegração. Dividia-se em quatro zonas principais: a imensidade divina, a imensidade supracelestial, a imensidade celeste e a imensidade terrestre; o Sol, os astros, os planetas e especialmente a Terra eram repartidos em diferentes círculos mais ou menos longe da imensidade divina, de acordo com a virtude ou malignidade dos espíritos que ali habitassem." (A. JOLY, *op. cit.*, p. 39.) Sobre Martinès de Pasqually, ver também PAPUS, *Martinès de Pasqually*, 1885; M. MATTER, *Saint-Martin*, 1862, pp. 3-38; A. FRANCK, *La philosophie mystique en France à la fin du XVIIIe siècle*, Paris, 1866, pp. 10-25; G. BORD, *La Franc-Maçonnerie des origines à 1815*, Paris, 1908, t. I, p. 244 ss.; A. VIATTE, "Martinès de Pasqually", em *Revue Histoire de l'Église de France*, 1922; R. LE FORESTIER, *La Franc-Maçonnerie occultiste et l'ordre des élus Coens*, Paris, 1928; Jean BRIGAUD, *Notice historique sur le martinisme*, 2ª ed., Lyon, 1934; G. VAN RIJNBERK, *Un thaumaturge au XVIIIe siècle, Martinès de Pasqually*, Paris, 1935.
10 Rev. Keith DEAR, *op. cit.*, p. 371.
11 *Les Cahiers de la Grande Loge de France*, 11, setembro de 1949, pp. 20-21.
12 *Id.*, p. 20.
13 Sobre Joseph de Maistre, ver: E. DERMENGHEM, *Joseph de Maistre, mystique*, Paris, 1923; G. GOYAU, *La pensées religieuse de J. de Maistre*, Paris, 1921; F. VERMALE, *Notes sur Joseph de Maistre inconnu*, Paris, 1921. Ver igualmente: J. de MAISTRE: *La Franc-Maçonnerie. Mémoire inédit au duc de Brunswick* (1782), publicado com uma introdução de E. DERMENGHEM, Paris, 1925, e Joseph de MAISTRE: *Les soirées de Saint-Pétersbourg*, publicado com um prefácio de Louis Arnould-Grémilly pelas Éditions de La Colombe, 1961. Ver ainda: "Joseph de Maistre, Maçon en Russie", em *Bulletin mensuel des ateliers supérieurs*, nº 10, dezembro de 1934, pp. 145-151.

Mémoire au duc de Brunswick (1782), na qual tentava destruir a lenda templária e a possível filiação da Maçonaria à Ordem do Templo. Enfim, em 1782, em Wilhelmsbad, reuniu-se uma convenção final na qual se operou a mudança completa dos três primeiros graus da Maçonaria azul. Estes permaneceram tais como são a partir dessa data. Os graus existentes entre as Lojas dos três primeiros graus (aprendiz, companheiro e mestre) e a ordem interna (mestre escocês e cavaleiro de santo André) foram reunidos num só grau, o de mestre escocês, que corresponde ao 18º grau do Rito Escocês Antigo e Aceito.[14] Na ordem interna existem dois graus: "o escudeiro noviço e o cavaleiro benfeitor da cidade santa [correspondendo respectivamente ao 30º e ao 33º graus do Rito Escocês Antigo e Aceito]".[15] Os membros do Rito Escocês Retificado, portadores do título de cavaleiro, recebem um nome maçônico latinizado. Assim, J.-B. Wilhelmsbad, grande chanceler da II província e, em seguida, grão-mestre das províncias de Aubergne (Lyon) e de Ocitânia (Bordeaux), se denominava *Eques ab Eremo* (cavaleiro do deserto).[16] O duque de Brunswick, grão-mestre geral da ordem, era *Eques a Victoria* (cavaleiro da vitória), J. de Maistre, *Eques a floribus* (cavaleiro das flores) etc. A Convenção de Wilhelmsbad "não se reuniu no auge da prosperidade da or-

---

14 Isto parece ter sido escrito pelo autor unicamente por preocupação com correspondências "graduais", de ordem administrativa, no seio de um Supremo Conselho ou de um grande priorato, como o da Helvécia. Na realidade, no plano iniciático, o único que nos interessa aqui, o Mestre Escocês de santo André, trabalhando em nome da antiga lei e à luz da "shekinah", não poderia de modo algum corresponder ao 18º grau escocês que, como se sabe, é um grau cristológico e, por conseguinte, estritamente ligado à nova lei. Nesse grau, o *centro* não é mais a *shekinah*, mas o *coração* de Jesus. Pode-se, além disso, afirmar que os dois graus, o do Rito Escocês Antigo e Aceito e o do Rito Escocês Retificado, são complementares, representando um e outro o Antigo e o Novo Testamento, Jeová e o Cristo, o Pai e o Filho, sendo o Espírito Santo a luz que banha e irradia o todo.
15 *L'Acacia*, nº 106, fevereiro de 1934, p. 319.
16 Suas armas traziam "um ermitão com uma lança sobre o ombro, num campo azul". Sua divisa: *Vox in Deserto* e sua inscrição: *Verba ligant*.

dem; foi um ato de desespero", escreve o Rev. Keith Dear,[17] e E. Dermenghem observa a propósito: "A convenção foi, além disso, o campo de batalha dos racionalistas [Bode etc.] e do partido dos místicos [martinistas lionenses, pietistas silesianos de Haugwitz]. Mas os vencidos provocaram uma cisão secreta e se aliaram aos iluminados bávaros de Weishaupt,[18] que eram eles próprios irreligiosos e revolucionários".[19]

Não há dúvida de que o Rito Escocês Retificado conheceu na França um grande sucesso até a revolução. Na Alemanha, a convenção de Wilhelmsbad desfechou um golpe mortal no regime da Estrita Observância, do qual um de seus chefes, Zinnendorf, introduziu então naquele país o rito sueco[20] e fundou a *Grasse Landesloge*, que só recebia maçons cristãos.

Napoleão I fez parte do Rito Escocês Retificado na obediência do Grande Oriente da França. Um alto dignatário atual desse rito escreve: "A 5ª Província da Ordem foi, todavia, reorganizada na Suíça, numa obediência que fez mal, a meu ver, em fazer das Lojas de santo André um grau especial e que incorporou a ordem interna em seu sistema. Apesar dessa interpretação da história, não é menos certo que o grande priorato da Helvécia é sobretudo a única potência escocesa retificada reconhecida".[21]

Em 1910, o Rito Escocês Retificado foi despertado no seio do Grande Oriente, mas o caráter cristão do rito chocou os membros ateus do Grande Oriente e se produziu uma cisão, que resultou na criação da Grande Loja nacional independente. Não é menos certo que algumas Lojas que operavam no rito retificado permaneceram e permanecem ainda no seio da obediência do Grande

---

17 Rev. Keith DEAR: "Le Convent de Wilhelmsbad et son échec", em *Le Symbolisme*, nº 342, novembro/dezembro de 1958, p. 115.
18 O movimento dos iluminados da Baviera não vai além da individualidade de Weishaupt e não tem nenhuma origem iniciática tradicional. Ver sobre esse assunto R. GUÉNON, *Aperçus sur l'Initiation*, pp. 83-85.
19 E. DERMENGHEM, *op. cit.*, pp. 24-25.
20 Cf. J. M. RAGON, *Tuileur général de la Franc-Maçonarie*, pp. 183-185.
21 *Les Cahiers de la Grande Loge de France*, 11, setembro de 1949, p. 21.

Oriente da França. Outras oficinas, pelo contrário, se puseram e ainda se encontram sob a direção da Grande Loja da França. Como bem se exprime o maçom escocês retificado acima citado: "É preciso distinguir na Maçonaria o rito, que é uma maneira de operar, e a obediência, que é uma fórmula administrativa. O Rito Escocês Retificado é cristão no sentido que lhe atribuiu são Justino no início do século II".[22]

Nos nossos dias o Rito Escocês Retificado é, de certa forma, não só uma Maçonaria cristã, como o era a Maçonaria operativa, mas apoiada, como de resto o Rito Escocês Antigo e Aceito, do qual procede nos graus simbólicos, resulta nos grandes mistérios por meio de seus graus cavaleirescos todos envoltos de espiritualidade medieval.

---

22 Art. cit., p. 22.

6. A Franco-Maçonaria e a Revolução Francesa (1789-1804)

A REVOLUÇÃO

A Revolução Francesa foi de tal forma uma subversão das estruturas políticas, sociais e econômicas, que parece uma tolice, hoje, quando esse grande movimento é estudado sem paixão, querê-lo enquadrado e dirigido pela Franco-Maçonaria, por mais importante que fosse o lugar por ela ocupado na sociedade europeia do fim do século XVIII. Houve um tempo em que partidários e adversários da Ordem se afrontaram sobre esse assunto ainda inflamado. Uns e outros não tinham senão uma visão limitada do problema e só consideravam a Maçonaria, às vezes com razão, num plano externo da vida propriamente dita das lojas. Seu erro foi o de ter confundido dois planos: o dos maçons (que são, apesar de tudo, homens que vivem no mundo) e o da vida iniciática da Ordem. Esse erro é também característico dos historiadores antimaçônicos, como também de certos maçons seduzidos pelo social e, portanto, pela política (muitas vezes no sentido mais baixo do termo), enquanto a ordem representa algo muito diferente da vida cotidiana da cidade. É certo que as Lojas do século XVIII, apesar da pobreza dos textos de registros que nos restam, parecem, ao contrário do que havia preconizado Ramsey em seu famoso *Discurso,* ter-se afundado num materialismo bastante vulgar. A busca iniciática, que é a primordial busca espiritual da Maçonaria, passara ao segundo plano. Seria ainda necessário estabelecer um *distinguo,* que alguns considerarão sutil, entre a Maçonaria escocesa e cavaleiresca dedicada a uma busca esotérica e de orientação espiritual (que alguns, bastante ignorantes dessas questões, consideram ocultista ou mística, o que é exatamente o inverso da verdadeira busca maçônica, isto é, a realização espiritual por meio de um ofício, mesmo encarado "especulativamente": o de construtor) e a Maçonaria dita do Grande Oriente da França, envolvida com o seu grão-mestre Filipe de Orléans na vida política do fim do Antigo Regime.

Seria apenas aproximar-se da verdade dizer: "A revolução encontra a Franco-Maçonaria, portanto, em plena prosperidade. Mas que prosperidade teria podido resistir à sua terrível subversão? [de quê?] Na derrocada de todos os privilégios, uma sociedade limitada em seu recrutamento[1] contrariava por demais o princípio da igualdade para satisfazer a espíritos apaixonados e desconfiados".[2] Estamos diante do que podemos chamar de palavrório e sentimentalismo sem qualquer sombra de provas.

Alguns se obstinam em querer demonstrar que a Revolução foi obra da Franco-Maçonaria, entre eles, só para citar os principais e menos grotescos, o padre Lefranc[3] ou o padre Barruel,[4] que

---

[1] A sociedade do Antigo Regime não é de modo algum fechada, uma vez que um padre plebeu pode chegar a bispo (por exemplo, Bossuet) e que a nobreza não constitui também uma casta fechada, tendo o rei a faculdade, da qual os reis franceses nunca abriram mão, de fazer nobre a quem lhe aprouvesse.

[2] A. COEN e M. D. DE GRAMONT, *La Franc-Maçonnerie écossaise*, Nice, s. d. (1934), p. 24.

[3] Padre LEFRANC, O véu levantado para os curiosos ou o segredo da revolução revelado com a ajuda da Franco-Maçonaria, Paris, 1791; Conjurações contra a religião católica e os soberanos, cujo projeto concebido na França deverá ser executado em todo o universo, Paris, 1792. Cf. a propósito desse assunto a tese um tanto complexa de J. BLUM, *J. A. Starck et la querelle du crypto-catholicisme en Allemagne*, Paris, 1912; o assunto é retomado de uma maneira pouco satisfatória por Louis GUINET, numa tese recente sobre *Zacharias Werner et l'Esotérisme Maçonnique*, Paris et La Haye, 1962, pp. 11-61. Consulte-se também R. LE FORESTIER, *Les Illuminés de Bavière et la Franc-Maçonnerie allemande*, Paris, 1914.

[4] Padre BARRUEL, *Mémoires pour servir à l'histoire de Jacobinisme*, Hamburgo, P. Fauche, 1798-1799. Tradução inglesa (mesmos anos); Abridgement (1798);

fizeram uma mixórdia de imprecisões e lendas inconcebíveis, de preconceitos e opiniões facciosas, confusões (involuntárias ou não) e falsidades (inconscientes ou não). A versão de Barruel "era aceita ao mesmo tempo pelos adversários da ordem e pelos próprios maçons, cujas tendências liberais eram lisonjeadas".[5]

Jamais houve um complô maçônico contra o trono e o altar e os cálculos minuciosos, e inteiramente inúteis, referentes a detalhes de Augustin Cochin,[6] que enumerava 31 maçons dos 53 deputados enviados "à corte" em janeiro/fevereiro de 1789, como também os quatro maçons deputados do terceiro estado (sobre

---

traduções italianas, alemãs, espanholas e russas (1805); cf. sobre o assunto: B. FAY, *L'esprit révolutionnaire en France et aux Etats-Unis*, Paris, 1924, e V. STAUFFER, *New England and the Bavarian Illuminati*, s. d.

Barruel nasceu em Villeneuve-de-Bery (Ardèche), em 1741. Jesuíta, colaborou em *Année Litteraire* de Fréron e em *Journal ecclésiastique*. Esmoler da princesa de Conti, não foi, como o afirma F. BALDENSPERGER (*Le mouvement des idées dans l'émigration française, 1789-1815*, Paris, Plon, 1924, t. II, p. 20), representante do clero na assembleia nacional (cf. *Moniteur*, reimpressão, Paris, 1847, quadro, t. I, p. 76, coluna 1). Emigrado em setembro de 1792, Barruel publica uma história do clero durante a Revolução Francesa (2ª ed., Londres, 1794). Encontramos nos arquivos nacionais um documento inédito a respeito (F7. 6532, prancheta 2). Em janeiro de 1811, o padre Barruel, que mora na rua Jacob, n° 14, é declarado, segundo uma carta original de Savaru, duque de Rovigo, ao imperador, ter sido um dos primeiros entre os padres franceses "a aderir à concordata", o que prova ao mesmo tempo que Barruel estava na França em 1802 e que esse inimigo encarniçado do Jacobinismo achava satisfatória a concordata entre Roma e o cônsul ex-jacobino. O livro de Barruel sobre a "História do Jacobinismo" etc., se foi criticado por J. de Maistre e Mallet du Pan, foi louvado por Burke (cf. *Le Paris* de Peltier de 30-XI-1798) que declara que essa obra fará "época na história dos homens". Barruel morreu em 1820, em Paris.

Barruel confunde em seu livro, e com frequência, iluminados e franco-maçons (cf. refutação bastante sólida de N. C. DES ÉTANGS, *Œuvres Maçonniques*, Paris, Berlandier, 1848, pp. 275-318 e mais particularmente pp. 295-296).

5 P. NAUDON, *La Franc-Maçonnerie*, Paris, P.U.F., Collection Que Sais-Je?, nº 1064, p. 55.

6 A. COCHIN, *Les Sociétés de pensée et la Révolution en Bretagne, 1788-1789*, Paris, Plon, 1925, t. II, pp. 32-35 (quadro).

seis deputados) à La Charité em Nivernais e ainda os dois maçons redatores do caderno de queixas do terceiro estado, de Montreuil-sur-Mer, que com outras oito pessoas participam dessa redação, não provam muita coisa.[7] Tampouco se pode dar muita importância a esse interrogatório de um "profano" na Loja de Privas, em 1788, à véspera da grande revolução:

D. — Que achais das questões que perturbam o reino?
R. — É uma calamidade que toda a Franco-Maçonaria deveria em geral procurar remediar.[8]
D. — Se o rei, vosso mestre, vos ordenasse pegar em armas contra vossa província, ou mesmo contra qualquer uma da França, que faríeis?
R. — Pediria minha demissão.
D. — Que achais de M. de Brienne, de M. de Lamoignon e, por conseguinte, daquele e daquelas que os autorizam?
R. — Que esses senhores fossem enforcados. E que aqueles e aquelas que os autorizam, um aos filhos enjeitados, e o outro que procurasse um melhor conselho.[9]

---

[7] P. GAXOTTE, Prefácio (p. XI) ao livro de R. PRIOURET, *La Franc-Maçonnerie sous les Lys*, Paris, Grasset, 1953. Esse prefácio ao livro de Priouret é bastante severo, mas tanto o autor do livro quanto o autor do prefácio não dão mostra de um profundo conhecimento da ordem e das obediências maçônicas. Sobre o livro de R. Priouret, ver a crítica de Georges Lefebvre (*Annales Historiques de la Révolution française*, julho/setembro de 1955, nº140, pp. 291-293).

[8] Esse "profano" nos parece bastante audacioso em responder assim, ao ser submetido a um interrogatório "sob a venda" para ser admitido na Franco-Maçonaria. Ou ele conhece as opiniões dos membros da Loja ou as suas seguem na mesma direção; seu interrogatório tem então um valor menor na qualidade de "testemunho" pessoal. Ou então por suas perguntas, os II∴ não estariam fazendo o jogo duplo para conhecer a opinião do "profano", armando-lhe uma armadilha?

[9] Dr. FRANCUS, *Quelques notes historiques sur la Franc-Maçonnerie dans l'Ardèche*, pp. 63-64, citado por GASTON-MARTIN, *Manuel d'Histoire de la Franc-Maçonnerie française*, Paris, P.U.F., 1929, p. 134.

Não se pode tampouco fazer argumento desse curioso discurso pronunciado em 1790, na Loja *Aurora da Liberdade*, em Betume (Pas-de-Calais), por ocasião da recepção de um profano, onde se diz: "Encontrareis aqui a paz e a candura de vossos costumes; aqui desaparecem as classes; o nível maçônico torna todos os homens iguais;[10] assim reinou sempre entre nós essa amável igualdade que começa a nascer na nação francesa. É à Maçonaria, sem dúvida, que devemos esse milagre. Os augustos representantes da nação têm adotado também nossos costumes. Ah! quando vejo as funções de seus dignatários, o pedido da palavra, o chamado à ordem, a maneira de votar, a tribuna, as insígnias de nossos vereadores e, sobretudo, os direitos do homem confirmados, sou obrigado a dizer-me: 'Nossos representantes são franco-maçons'".[11]

No sentido contrário, e mesmo se Luís XVI fosse franco-maçom,[12] não podemos fazer disso um argumento, embora nesse ponto, como veremos, a obediência assuma uma posição marcada (apesar de que seria necessário conhecer o autor da carta e ver

---

10 Bom exemplo de um símbolo maçônico deturpado pelo I∴ orador e reduzido do plano iniciático a um plano social (profano) e vulgar.
11 E. LESUEUR, *Histoire de la Franc-Maçonnerie artésienne*, p. 272.
12 Luís XVI "tinha recebido a *luz* no oriente de Versalhes, como também seus dois irmãos, os futuros Luís XVIII e Carlos X. A Loja *Les Frères Unis,* depois da morte deste último em Goeritz, tornou-se a Loja *Les Frères unis inséparables.* Existe sempre sob a obediência do Grande Oriente" (André LEBEY, *Documents du Temps présent: la Franc-Maçonnerie*, nº 1, Paris, s. d., p. 9, coluna 2). A loja, da qual teriam feito parte Luís XVI, os condes de Provence e de Artois, é igualmente chamada *La Militaire des Trois Frères* no Oriente da Corte. Manuseamos na Biblioteca Municipal de Versalhes documentos dessa loja, que traziam na frente as silhuetas dos três príncipes, em medalhões. Ver a esse respeito: L. AMIABLE, "Les Bourbons franc-maçons", em *La Révolution française*, 1895, t. XXIX, pp. 526-533. Ali se encontra o texto de um discurso pronunciado no Grande Oriente, no dia 25 de novembro de 1824, por ocasião da morte de Luís XVIII: "O reconhecimento não nos permite mais esconder esse mistério. Uma loja foi criada em 1775 entre os guardas do corpo de Versalhes sob o título distintivo de *Trois Frères à l'Or∴ de la Cour* (Três irmãos da Ordem da Corte), e já se penetrou a alegoria graciosa que envolve esse glorioso patrocínio" (p. 527). Isso nos parece pouco convincente!

se sua opinião é exatamente a dos outros membros do Grande Oriente) no seguinte fato: trata-se de um discurso pronunciado na Loja *Les Amis-Unis*, em Laval (Mayenne), por um deputado da Loja *L'Union* da mesma cidade, então da São João de Verão, no dia 7 de julho de 1789. Esse irmão declara: "Possam os estados--gerais imitar os filhos da viúva [os franco-maçons], trabalhando em conjunto exclusivamente pela felicidade pública e que, à semelhança dos cavaleiros de são João de Jerusalém, seu patrono,[13] o medo e a esperança não os desviem de seus sentimentos generosos. Só então, em consideração às qualidades pessoais, os cargos civis não serão concedidos senão à virtude e seus títulos lhes serão conservados pelo reconhecimento patriótico". Esse discurso suscitou viva oposição e a Loja *L'Union* dirigiu-se à obediência que respondeu no dia 24 de julho de 1789, dizendo "que esse discurso não pode ser considerado como maçônico, pois trata de objetos estranhos à Maçonaria, o que é contrário aos regulamentos".[14] Trata-se de testemunhos isolados, fragmentários e não se poderá estabelecer uma posição segura da Franco-Maçonaria e sobretudo de seu papel nos acontecimentos de 1789, enquanto não tiver sido realizado um estudo metódico dos arquivos das Lojas e mesmo assim haverá graves lacunas por terem desaparecido muitos documentos desses arquivos.[15]

13 Alusão ao discurso de Ramsay.
14 A. BOUTON e M. LEPAGE, *Histoire de la Franc-Maçonerie dans la Mayenne* (1756-1951), Le Mans, 1951 (à venda junto aos autores: M. LEPAGE, 23, rue André-de-Lohéac, Laval, Mayenne; A. BOUTON, 12, rue du 33ᵉ Mobile, Le Mans, Sarthe). Sobre essa excelente obra, muito consultada, cf. a resenha crítica de G. LEFEBVRE, em *Annales historiques de la révolution française*, 1953, pp. 362 ss, e a de J. GODECHOT, em *La Revue historique*, 1959, pp. 110-111.
15 Durante a ocupação de 1940 a 1944, o inimigo dispersou uma boa parte desses documentos. "Em Chateaudun, os alemães amontoaram numa pedreira tudo que encontraram na Loja *Les Temps Futurs*: biblioteca, arquivos e mobiliário, fazendo de tudo isso uma grande fogueira em torno da qual dançavam." (H. F. MARCY, *Essai sur l'origine de la Franc-Maçonnerie française*, Paris, P.U.F., 1929, t. I, p. 11, nota 3.) Houve Lojas que queimaram igualmente seus arquivos para evitar que caíssem nas mãos dos nazistas. Outras se extraviaram.

Não temos condições de prolongar mais este estudo sobre o papel da Maçonaria em 1789. André Latreille, historiador católico de boa-fé, não hesita em escrever sobre esse assunto com bastantes nuanças: "[A Maçonaria] fez, um pouco em toda a Europa, mas sobretudo da França, o leito da propaganda filosófica e racionalista.[16] Não foi manejada por isso, mas chegou a um ponto em que, à semelhança de um espelho que reflete os raios de uma chama ardente, concentrando-os [...] Que alguns de seus dirigentes tinham habilmente visado assim a uma revanche contra a igreja que a condenava, é muito provável.[17] Mas daí supor que os objetivos antirreligiosos tenham sido o fim essencial da Maçonaria do século XVIII, que o conflito tenha sido suscitado por ela conscientemente, é um grande salto. A própria igreja não o superou [...] Um movimento dessa amplitude que estourou na França em 1789 para se propagar durante 25 anos seguidos, subvertendo do ponto de vista religioso o mundo inteiro, não pode ser explicado a não ser por causas profundas, mas de outra ordem. Seria absurdo apresentar a Maçonaria como o agente satânico de um desabamento inopinado, quase conseguindo criar de todas as peças um conflito, quando então desde muito tempo atuavam causas de descontentamento e de inquietação: a diminuição do zelo religioso, os privilégios exorbitantes de uma parte do clero, o surto de regalismo e de hostilidade contra Roma, a filosofia das luzes, em suma, uma crise de consciência que abalava os estados, mesmo os mais católicos, da Europa do Antigo Regime".[18] Mais importante nos parece a influência que teve a ordem sobre o simbolismo revolucionário que vamos estudar agora, antes de passar à história propriamente dita da Franco-Maçonaria de 1789 a 1804.

16 A. LATREILLE não estabelece, a nosso ver, com suficiente clareza, a distinção entre a Maçonaria Escocesa e o Grande Oriente.
17 Sempre a confusão entre a obediência e a ordem.
18 A. LATREILLE, *L'Église catholique et la Révolution*, Paris, 1947, t. I, pp. 58-59.

O SIMBOLISMO REVOLUCIONÁRIO

Diante da tentativa de destruição da religião de estado católica e do delírio antirreligioso da descristianização no outono de 1793, os revolucionários esclarecidos, cuja elite tinha sido iniciada nas Lojas, tentaram impor um simbolismo, cujas raízes mergulham no simbolismo maçônico e mais particularmente no da Maçonaria escocesa. É muito sugestivo sublinhar, desde o início, que esse simbolismo revolucionário toma força e vigor a partir de 1795, quer dizer, no momento em que a revolução tende a regredir. É a perseguição inquieta da palavra perdida que os homens buscam em vão.

O simbolismo maçônico só aparece pouco depois durante a Revolução, no Exército.[19] Desde o início da revolução, em 31 de dezembro de 1789, foi oferecido a Luís XVI um troféu astronômico. É composto de um globo, de uma escada graduada, de um quarto de círculo, de um espelho (o espelho foi introduzido no segundo grau simbólico da Maçonaria, em 1782, pela Estrita Observância) e de louros.[20] É difícil entender por que teria sido oferecido a Luís XVI um presente dessa espécie se ele não tivesse sido iniciado. Mais significativo ainda ao nosso ver é o uniforme dos alunos da Escola de Mans, desenhado pelo Ir∴ Louis David: "um talabarte de couro preto sobre o qual se liam em letras amarelas as palavras *liberdade, igualdade* e, além dessas duas palavras, uma placa em que era representada, debaixo de um nível, uma espada de dois cortes pousada horizontalmente, dominando uma enfiada de espigas e ceifando entre essas espigas uma que se elevava acima das outras". Os alunos são armados "com um sabre curto à romana, trazendo por ornamento um boné frígio em relevo e o nível

---

19 Com exceção dos selos da comissão militar revolucionária de Mans (nível) e do 3º batalhão de sapadores (compasso, esquadro, alavanca, maço). Ver sobre esse assunto, L. FALLON, *Les cachets militaires français de l'Ancien Régime à nos jours*, nº especial de "La Giberne", Paris, 1950, pp. 73 e 155.
20 HUNNIN, *Histoire numismatique de la Révolution française*, Paris, 1826, nº 42.

simbólico gravado em fundo côncavo".²¹ O mesmo David desenhou também os sabres dos representantes do povo e dos diretores: a bainha ornada com um nível e o boné, e o punho com um nível com raios e um pelicano que abre suas entranhas para nutrir seus filhotes, o que constitui o emblema do 18º grau do Escocismo, príncipe rosa-cruz,²² e esta canção escrita para a festa da federação de 14 de julho de 1790 (Ária: devem-se 60 mil francos...):

> A Loja da liberdade
> Educa-se com atividade
> Muitos tiranos ficam desolados
> Povo do mundo, as mesmas lições
> Vos tornarão irmãos e maçons
> É o que nos consola.²³

Enfim, um discurso pronunciado por Danton na convenção do dia 10 de abril de 1793: "Assim, um povo da antiguidade construía seus muros, trazendo numa mão a trolha e na outra a espada, para repelir seus inimigos".²⁴ Isso lembra o famoso discurso de Ramsay: "Enquanto manejavam a trolha e a argamassa com uma mão, traziam na outra a espada e o escudo", lembrança de Nehemias,²⁵ clara alusão ao 15º grau do Escocismo (cavaleiro do oriente ou da espada).

Passamos agora a abordar o estudo de um símbolo muito importante, o da abóbada de aço. Trata-se de um "cerimonial usado quando se rendem honras a um irmão visitante portador de graus

---

21 A. CHUQUET, *L'École de Mars*, Paris, 1899, p. 78.
22 Museu Carnavalet: sala da Bastilha, nº M. 492 e M. 464.
23 L. DAMADE, *Histoire chantée de la première République*, Paris, 1892, pp. 74-75.
24 Archives parlementaires, 1ʳᵉ série, LXI, p. 526 ou então *Moniteur*, reimpressão, t. XVI, p. 102, coluna 2.
25 Neemias (IV, 17, 18): "Cada um dos carregadores, que por si mesmos tomavam as cargas, com uma das mãos fazia a obra, e com a outra segurava a arma. Os edificadores traziam a sua espada à cinta, e assim edificavam".

superiores", ou quando "se permite a entrada no Templo com as *honras* aos oficiais do Grande Oriente, aos veneráveis e aos deputados de Lojas, e aos irmãos visitantes revestidos de altos graus".[26] Numa interessante brochura, M. Roger Lecotté vê na abóbada de aço um rito de transição. Sem se dar conta da importância de sua observação, associa esse rito ao rito da *haga*, "pois aqueles que fazem esta última [a abóbada] fazem obrigatoriamente a *haga*".[27] Mas ignora que existe uma estreita relação entre a *haga* (latim: *haga*, que em hebraico significa *a palavra misteriosa*) e não somente a Maçonaria, mas ainda os ritos dos bons companheiros lenhadores. Por outro lado, vimos anteriormente que a abóbada de aço e, portanto, a *haga*, que obrigatoriamente a acompanha, chamam-se *honras*. Não surpreende saber desde então que a palavra *Hon* vale 126 na cabala, número da palavra cavalo, o que estabelece estreita ligação de honra da abóbada de aço com ordens de cavalaria.[28] M. Lecotté observa além disso que os atuais cavaleiros de são Lázaro[29] ou do santo sepulcro "fazem [...] a abóbada de aço em certas ocasiões" (recepções do grão-mestre, missa anual, cf. "Le Figaro", 18-2-1952).[30] Parece-nos igualmente sugestivo aproximar o rito da abóbada de aço, equivalente ao da barreira, ao simbolismo do 4º grau da Maçonaria escocesa (mestre secreto). O primeiro documento por nós conhecido que possuímos sobre a abóbada de aço é o que assinala esse rito, em 1775, na Loja Zorobabel de Aurillac (Cantal). Em 1785, quando de um banquete do 18º grau, "o irmão Gerbier foi apresentado com as honras sob a abóbada de aço e ao

---

26 E. F. BAZOT, *Manuel du Franc-Maçon*, 2ª ed., Paris, 1812, pp. 148 e 134, e E. BOUCHER, *La symbolique maçonnique*, Paris, 1953, 3ª ed., p. 65.
27 R. LECOTTÉ, *Un rite de passage rénové et popularisé: la voûte*, Paris, P.U.F., 1958, p. 263 (extrato ampliado da revista *Arts et Traditions populaires*, abril/dezembro de 1957, pp. 261-283, e XIV pranchas).
28 Notas de Mons. DEVOUCOUX em *Histoire de l'Antique Cité d'Autun*, por E. THOMAS, Autun et Paris, 1846, pp. 191-192, nota 1.
29 Ramsay, promotor do Escocismo na França, era cavaleiro de são Lázaro.
30 R. LACOSTE, *op. cit.*, pp. 263-264 e 276, nº 234.

som da harmonia", [31] o que prova, em ambos os casos, que esse rito está em uso nos graus superiores cavaleirescos antes da revolução. A abóbada de aço foi feita no dia 17 de julho de 1789, no momento da recepção de Luís XVI no Hôtel de Ville de Paris.[32] Pode-se ler também numa obra de 1809: "Estávamos certos de agradar à Assembleia Nacional quando a fizemos passar sob a abóbada de aço, que é a maior honra que os franco-maçons rendem àqueles que respeitam, quando compareceu, incorporada, ao *Te-Deum* que foi cantado na catedral de Paris, no começo da Revolução. Essa cerimônia prova não só o número de franco-maçons que estão na guarda nacional, como o número daqueles que estão na assembleia".[33] Do mesmo modo, em Estrasburgo, no dia 13 de junho de 1790 (festa da Federação), uma abóbada de aço foi levantada no momento do batismo cívico.[34] A essa abóbada de aço se liga evidentemente o simbolismo da espada, que é o simbolismo do verbo ou da palavra, cujo poder é simultaneamente criador e destruidor,[35] o que demonstra mais uma vez a relação existente entre a abóbada composta de espadas e os ritos cavaleirescos, sejam da cavalaria propriamente dita, sejam da Maçonaria escocesa, servindo-se os cavaleiros da espada ao mesmo tempo para atacar e para proteger. Não é preciso dizer que se trata em tudo isso de dados tradicionais e que as concepções folclóricas de M. R. Lecotté, por mais interessantes que sejam, repousam "numa ideia radicalmente falsa, a ideia de que há *criações populares*, produtos espontâneos da massa do povo; e vemos de imediato a estreita relação entre essa maneira de ver e os preconceitos democráticos".[36]

---

31 Bibl. Nat., Mss. du fonds maçonnique: FMI, nº 58, citado por R. LECOTTÉ, *op. cit.*, p. 283.
32 Ver o quadro de J. P. Laurens (1891) no Hôtel de Ville de Paris.
33 *Cerimônias e costumes religiosos de todos os países do mundo*, Paris, 1809, t. X, p. 403.
34 A. MATHIEZ, *Les origines des cultes révolutionnaires*, Paris, 1904, pp. 43-44.
35 *Apocalypse* I, 16 e XIX, 15.
36 R. GUÉNON, "Le Saint-Graal", Voile d'Isis, fevereiro/março de 1934, reeditado em *Symboles fondamentaux de la science sacrée*, Paris, 1962, p. 50.

Não podemos aceitar as elucubrações de J. M. Ragon[37] sobre a insígnia tricolor criada em 15 de julho de 1789 pelo Ir∴ Lafayette, comandante da guarda nacional. Para Ragon essa insígnia azul, branca e vermelha corresponde aos graus da Maçonaria azul ou simbólica, aos graus dos capítulos (Maçonaria vermelha) e aos graus das oficinas filosóficas (Maçonaria branca). Só há uma dificuldade, é que a Maçonaria branca (31º, 32º e 33º graus) é muito posterior a 1789 e, de outro lado, Ragon omite a Maçonaria negra (19º ao 30º grau), que não se enquadra em sua demonstração.

Sobre um grande número de documentos revolucionários[38] vê-se o olho radiante associado ao triângulo. Trata-se de um símbolo comum ao cristianismo e à Maçonaria. Nas igrejas, "esse triângulo é colocado em geral por cima do altar, o qual é encimado pela cruz, reproduzindo curiosamente o conjunto dessa cruz e do triângulo o símbolo alquimista do enxofre".[39] Encontra-se muitas vezes no triângulo a primeira letra "iod" do tetragrama que "é, ele próprio, substituído por um olho geralmente designado como o olho que tudo vê".[40] O triângulo reto representa o príncipe e o olho pode ser comparado à palavra hebraica *luz* (luz). A propósito, R. Guénon observa que "na Maçonaria [o triângulo ou delta sagrado] é [...] colocado entre o Sol e a Lua. Daí resulta que o olho contido nesse triângulo não deveria ser representado sob a forma de um olho ordinário, direito ou esquerdo, pois são na realidade o sol e a lua que correspondem ao olho direito e ao olho esquerdo do homem universal, na medida em que este se identifica com o macrocosmo [nesse sentido e mais particularmente em conexão com o simbolismo maçônico, é bom observar que os olhos são

---

37 J. M. RAGON, *Cours philosophique et interprétatif des initiations anciennes et modernes*, Paris, 1841, p. 254.
38 Ver principalmente o selo do Comitê de supervisão de Lagny-le-Sec (Oise), adornado embaixo com um nível, em cima com um boné vermelho e no centro com um olho (Archives de l'Oise, L. 2).
39 R. GUÉNON, *Symboles fondamentaux de la science sacrée*, p. 430, nota 6.
40 *Id., ib.*, p. 430.

propriamente as *luzes* que iluminam o microcosmo]".[41] Ao altar, que se encontra em cada Loja e sobre o qual repousam o volume da lei sagrada, o compasso e o esquadro (que são as três grandes luzes da Maçonaria), convem relacionar a construção, desde 1789, em Franconville-la Garenne, do primeiro altar da pátria, atribuído ao maçom soldado de Vaux.[42] O altar da pátria tornou-se legal pelos decretos de 26 de junho e 6 de julho de 1792. Foi sobre esse altar que o cura de Moy[43] pedira que se reservasse um lugar para a arca da aliança, outro grande símbolo revolucionário em relação com a Maçonaria.[44] A arca judia (*thébah*) forma a palavra etrusca ou sabina de Teba, que significa o espaço do pico de uma montanha ou de uma colina,[45] o que tem evidente relação com o simbolismo do tríplice recinto druídico.[46] Vários testemunhos mostram o papel da arca durante a Revolução Francesa. Por exemplo, a petição do dia 17 de julho de 1791 no Campo de Mars é depositada numa arca de vidro na forma de túmulo e a constituição de 1793 encontrava-se numa arca posta diante da tribuna da convenção,[47] e em Sèvres, no dia 30 de germinal, ano II (10 de abril de 1794), na festa dos mártires da liberdade, a arca da constituição foi trans-

---

41 *Id., ib.*, pp. 430-431 e p. 431, nota 1. Cf. também Padre AUBER, *Histoire et symbolisme religieux*, Paris, 1871, t. II, p. 171.
42 A. MATHIEZ, *Les origines des cultes révolutionnaires*, Paris, 1904, p. 30.
43 DE MOY, *Accord de la Religion et des Cultes chez une Nation Libre*, Paris, s. d., pp. 102-103.
44 Cf. Gênese, VI, 13-14. "Então disse Deus a Noé: Faze uma arca de tábuas de cipreste; nela farás compartimentos [...] etc." Convém lembrar a importância que Anderson atribui aos Noaquitas e aos Artigos de Noé (cf. *Constitutions*, ed. M. Paillard, Apêndice, pp. 33-34 e também o 21º grau escocês: noaquita ou cavaleiro prussiano; cf.: *Recueil précieux de la Maçonnerie Adonhiramite* (1787), dedicado aos Maçons instruídos por um cavaleiro de todas as Ordens maçônicas [Guillemain de Saint-Victor], em Philadelphie, Paris, na Philarethe, Rua do Esquadro; em Aplomb, 1787, pp. 134-143).
45 G. DE GIVRY, *Lourdes, ville initiatique*, Paris, 2ª ed., 1959, p. 77.
46 Cf. a esse assunto: R. GUÉNON, *Symboles fondamentaux de la science sacreé*, pp. 99-105 e L. CHARBONNEAU-LASSAY, *L'ésotérisme de quelques symboles géométriques chrétiens*, Paris, Les Éditions Traditionnelles, 1960, pp. 9-20.
47 *Annales révolutionnaires*, 8ᵉ année, nº 3, *passim*.

portada por oito republicanos.⁴⁸ A arca na Franco-Maçonaria escocesa desempenha importante papel nos 4º e 5º graus, quando o aspirante a esses graus é interrogado sobre "a arca da aliança de maneira incorruptível ornada de lâminas de ouro"; encerrando o *Stekenna* ou coletânea de leis,⁴⁹ o que representa a exata equivalência do papel desempenhado pela arca nas cerimônias revolucionárias. Por outro lado, existe em nossos dias, nesse mesmo grau (mestre perfeito) uma mesa de frente para o Oriente coberta de preto e pespontada de gotas brancas.⁵⁰ Poderíamos desenvolver mais longamente as estreitas relações entre o simbolismo revolucionário e o da Maçonaria, mas isso iria muito além dos propósitos deste estudo e, além disso, teremos talvez a oportunidade de voltar a tratar deste assunto mais tarde em outra obra.

A FRANCO-MAÇONARIA DE 1789 A 1804

A. *A Franco-Maçonaria de 1789 a 1795*

A Franco-Maçonaria, como tal, parece não ter desempenhado um grande papel nos acontecimentos que se desenrolaram de 1789 a 1795, o que não exclui que maçons individuais tenham tido participação relevante. Se os irmãos parecem não frequentar mais as Lojas, "as únicas razões válidas [para serem aceitas] são o fim da fraternidade anterior e a inquietação causada pelas consequências imprevistas dos fatos. Muitos, como o disse um irmão de uma Loja militar em 1791, só eram maçons de nome e encon-

---

48 Ad. FRITSCH, *La Révolution française dans le canton de Sèvres, 1792-1802*, Paris, s. d., p. 90.
49 R. LE FORESTIER, *Les plus secrets mystères des hauts-grades de la Maçonnerie dévoilée*, Paris, 1915, p. 123.
50 Mémento des Grades de Perfection (do 4º ao 14º), Paris, Gloton, édit., 1927, p. 10.

traram na subversão todos os seus preconceitos de castas".[51] Temos a impressão de que as reuniões em Lojas foram muito raras durante os anos de 1789-1793. Em Nancy, a Loja São João de Jerusalém reuniu-se dezoito vezes em 1789,[52] doze vezes em 1790, dezessete vezes em 1791,[53] dezesseis vezes em 1793, mais algumas reuniões de segundo e terceiro graus e "os profanos admitidos à iniciação são quase sempre personalidades relativamente importantes.[54]

Só temos conhecimento da Loja *Les Amis Unis* (Mayenne), durante esse período, por seu livro-caixa, onde vemos, entre outras coisas, que em 1793 ali foi recebido, no grau de mestre, o cônego Villar de Santa Genoveva. Essa Loja entrou em recesso em maio de 1793 e seu Templo foi pilhado e incendiado pelas tropas do exército católico e real no fim daquele mesmo ano,[55] enquanto a de Nancy cerrou suas portas no dia 11 de agosto de 1793.[56] A ordem, entretanto, enfrenta problemas e cessa a entrada das taxas de cotização do Grande Oriente, "tendo em vista as próprias lojas não as receberem mais. Desaparecida a constituinte, a Franco-Maçonaria não passa de um quadro, cujos efetivos estão inutilizados, uma forma quase vazia de toda substância, fantasma de uma grande potência".[57] Para o cúmulo da

---

51 GASTON-MARTIN, *Manuel d'histoire de la Franc-Maçonnerie française*, Paris, P.U.F., 1929, p. 126.
52 No dia 25 de agosto, por proposição do Ir∴ Denizot, celebra um *vivat* "em regozijo pelas boas notícias recebidas ontem de Paris e em favor dos bravos franceses que as prepararam". O *vivat* é o "grito de alegria dos franco-maçons do Rito Escocês". (BAZOT, *Manuel du Franc-Maçon*, Paris, 1812, p. 148.)
53 No dia 11 de dezembro de 1791, a Loja recusa a remessa gratuita do jornal *Le Gardien de la Constitution*.
54 C. BERNARDIN, *Notes pour servir l'histoire à la Franc-Maçonnerie à Nancy jusquà a 1805*, Nancy, 1910, t. II, pp. 58-59.
55 A. BOUTON e M. LEPAGE, *Histoire de la Franc-Maçonnerie dans la Mayenne*, *op. cit.*, p. 93.
56 C. BERNARDIN, *op. cit.*, p. 77.
57 GASTON-MARTIN, *op. cit.*, p. 127.

infelicidade, o grão-mestre do Grande Oriente da França, Filipe de Orléans, chamado de Filipe-Igualdade, deputado de Paris à convenção (e futuro regicida), renegou a ordem numa carta, que lhe é atribuída, a Milcent, do *Journal de Paris*.[58] A carta do grão-mestre apareceu nesse jornal no dia 22 de fevereiro de 1793, onde escreve: "Eis aqui minha história maçônica: numa época em que ninguém certamente previa nossa revolução, eu me ligara à Franco-Maçonaria que oferecia uma espécie de imagem de igualdade, como me havia ligado aos parlamentos, por oferecerem uma espécie de imagem da liberdade. Depois, troquei o fantasma pela realidade. No último mês de dezembro, o secretário do Grande Oriente dirigiu-se à pessoa que exercia junto a mim as funções de secretário do grão-mestre para formular um pedido relativo aos trabalhos dessa sociedade; respondi-lhe, no dia 5 de janeiro: por desconhecer a maneira de como se compõe o Grande Oriente e por achar que não deve haver nenhum mistério nem qualquer reunião secreta numa república, mormente no começo de sua implantação, não quero mais me envolver em nada com o Grande Oriente nem com assembleias de franco-maçons".[59] O duque de Orléans fora eleito grão-mestre em 1771 (era então duque de Chartres) e só em 1776 presidiu pela primeira vez aos trabalhos dessa obediência. O senhor de Chaumont tornou-se secretário particular do duque para os assuntos maçônicos. O duque de Orléans revela, numa carta a madame de Genlis, sua amante, datada de 6 de agosto de 1772, o pouco caso que faz das Lojas, das quais todavia é o grão-mestre e demonstra por isso mesmo sua incompreensão total do que é a iniciação. Escreve: "É muito maçante aqui e, para compensar,

---

58 O original dessa carta encontra-se atualmente na Biblioteca do Instituto de França, Fonds d'Orléans, 1779-1793: dossiês 2048-2055, como também a carta que o duque de Orléans escreveu no "dia 21 de março de 1793 ao I∴ Oudet [e] na qual se esforça para justificar sua declaração". (A. BOUTON, *Les Francs-Maçons manceaux et la Révolution française*, p. 9 e nota 4.)
59 Citado por JOUAUST, *Histoire du Grand Orient de France*, pp. 248-249.

como os senhores de Fronsac e de Lauzun falaram de franco-
-maçons, madame de Couterbonne e madame de Laval tinham
imaginado serem admitidas e, quando cheguei, pediram-me para recebê-las. Meu pai devia ser da Loja; fiquei feliz de o encontrar ali, sob minha autoridade. Mas ele ponderou que isso não seria digno do príncipe de Conti, que essa atitude dispersaria a companhia, e que não era necessário fazê-lo e nada se fez ".[60] Em todo caso, depois da carta de repúdio, a degradação maçônica do grão-mestre foi pronunciada por uma assembleia do Grande Oriente, presidida por Roettiers de Montaleau, no dia 13 de maio de 1793; sua espada foi ali quebrada.[61] A partir desse momento, toda a vida maçônica parou na França até 1795. Talvez, clandestinamente, como de 1940 a 1944, sob a ocupação alemã, certas Lojas continuaram seus trabalhos, como em Tolosa, onde a Loja *Saint-Joseph des Artes* torna-se *La Française des Arts, La Sagesse, La Montagne* e onde na primavera do ano II (1794): "Na incerteza da existência atual do Grande Oriente, as Lojas do oriente de Tolosa se constituem em Lojas republicanas da França, sob a proteção das leis. Assumem o nome patronímico de Lojas da Montanha, em lugar de Loja São João".[62] Como o diz com muita propriedade Gaston-Martin, "esses fatos provam que não foi tomada nenhuma medida geral contra a Franco-Maçonaria como tal. Mas seria imprudente daí concluir que em toda a França as Lojas tiveram a mesma tranquilidade".[63] Todavia, um homem inteligente e ativo, Rœttiers de Montaleau, devia fazer renascer a ordem de suas cinzas em 1795-1796. Nenhum estudo completo lhe foi consagrado até hoje e apresentamos aos nossos leitores a primícia do parágrafo seguinte a seu respeito.

60 *Archives du Ministère des affaires étrangères*, França, 319.
61 GASTON-MARTIN, *op. cit.*, p. 128.
62 J. GROS, "Les Loges maçonniques de Toulouse", em *La Révolution française*, março/abril de 1901, pp. 254-270.
63 GASTON-MARTIN, *op. cit.*, p. 129.

Rœttiers de Montaleau[64]

Rœttiers de Montaleau, segundo La Chesnay-Desbois, descende de Nicolas Rœttiers que, em 1480, deixou o condado de Rethel para vir estabelecer-se em Flandres, onde se casou. Teve um filho, Filipe, que se tornou engenheiro e comissário de artilharia nos Países Baixos. Desposou a sobrinha do duque de Alba, união da qual nasceu Filipe, em Anvers, no dia 20 de setembro de 1595, tendo sido levado à fonte batismal pelo arquiduque Alberto e depois educado pelos jesuítas de Anvers. Esse Filipe Rœttiers, que vivia ainda em 1660, foi amigo do rei Stuart da Inglaterra, Carlos II; Filipe Rœttiers gerou Jean Rœttiers (nascido em Anvers no dia 4 de julho de 1631 e falecido em Londres em 1703) que teve um filho, Norbert (nascido em 1665). Esse Norbert Rœttiers refugiou-se em Saint-Germain-en-Laye com o rei James II Stuart. Nomeado por Luís XIV gravador geral das medalhas e moedas da França, membro da Academia Real de Pintura e Escultura, recebeu em 1719 seus títulos de "cidadania" (naturalização) e desposou a sobrinha do duque de Marlborough, Winifred Clarke. Dessa união nasceu, no dia 20 de agosto de 1707, seu filho Jacques, levado à fonte batismal pela duquesa de Perth e pelo rei James III Stuart, no exílio. Jacques Rœttiers, como seu pai, membro da Academia de Pintura e de Escultura, gravador geral das moedas da Grã-Bretanha (o que, tendo em vista sua padrinhagem, parece

---

64 Sobre Rœttiers de Montaleau, ver: Bib. Nat. Mss. Cabinet de Titres, pièces originales, nº 2525, Registros de Catolicidade da Igreja de São Sulpício de Paris, ano 1808 (fevereiro), Biblioteca Municipal de Versalhes: Dossiê de Louis Caille, advogado (elogios fúnebres). Advielle (Victor): Communication aux sociétés des Beaux-Arts des Départements, s. l., s. d.; Bésuchet: Pièces historiques de la F∴ M∴, 1829; E. FORRER, *Geographical Dictionary of Medallists*; J. MARIE, "Alex Louis Rœttiers de Montaleau", em *Les Documents maçonniques*, fevereiro de 1943, 2º ano, nº 5, pp. 150-152 (publicação pró-nazista e antimaçônica); NOCQ (Henri): *Le poinçon de Paris*, Paris, 1928; THORY, *Histoire de la Fondation du Grand Orient de France*, Paris, 1812.

bastante curioso; mas, na mesma época, Ramsay, preceptor em 1724 dos filhos do pretendente Stuart, recebe o título de doutor em Oxford, em 1730), ourives do rei em 1732, torna-se nobre no dia 30 de março de 1772. Torna-se assim Jacques Rœttiers da Torre de Montaleau (do nome de uma propriedade situada nos arredores de Paris). Ele havia desposado a filha de um ourives do rei, Nicolas Besnier, a senhorita Anne-Marie, que em Paris, no dia 23 de novembro de 1748, dá à luz ao futuro renovador da Franco--Maçonaria francesa: Alexandre-Louis Rœttiers de Montaleau.[65] Alexandre recebeu a aprendizagem com o seu pai, nas Galerias do Louvre,[66] depois sucedeu a Norbert Rœttiers como gravador geral das moedas. Para sua admissão, executou o retrato gravado de Luís XV, mas morrendo o rei, não completou sua obra-prima. Ourives do rei, em sucessão ao seu pai, em 1772, abandonou o cargo em 29 de novembro de 1775 e se tornou conselheiro auditor da Câmara de Contas, em substituição a Paul Grandjean de Fauchi, que se prontificou a se demitir do cargo para lhe ceder o lugar. Pouco depois era feito mestre na Câmara das Contas. No dia 30 de agosto de 1791, Louis-Alexandre Rœttiers sucedeu a Dupeyron de La Coste como diretor da moeda. Foi durante atacado em 2 de *frimário,* ano II, pelo *Journal du Soir* e acusado de traficar com o seu cargo.[67] Foi preso, interrogado e, posteriormente, posto em liberdade em 4 de *pluvioso*,[68] graças, ao que parece, à intervenção

---

65 "Foi batizado Alexandre-Louis, filho do senhor Jacques Rœttiers, ourives do rei, e da senhora Marie-Anne Besnier, sua esposa, representada pelo mestre Jean-François Guesnon, notário de Châtelet; a madrinha, a senhora Marie Cellot, esposa do dito senhor Nicolas Chrysostome Blanfumé, comerciante, burguês de Paris; o filho nasceu ontem — Assinado: Chapeau." Extraído do registro paroquial da igreja Saint-Germain l'Auxerrois, no dia 24 de novembro de 1748.
66 H. NOCQ, *op. cit., passim.*
67 A grande quantidade de peças maçônicas distribuídas nas lojas parisienses durante esse período se explicaria assim com Louis-Alexandre Rœttiers, dignatário do Grande Oriente, à frente da moeda.
68 Resolução do comitê de Salvação Pública (14 de *nivoso*), determinando o levantamento do embargo e a soltura do preso.

de sua esposa Adelaide Petit.⁶⁹ Rœttiers deixou a administração da moeda em 17 de *frutidor*, ano V, tendo sido substituído por Charles-Pierre de l'Épine. De seu casamento com Adelaide Petit teve dois filhos, dos quais um, Alexandre-Henri-Nicolas,⁷⁰ nasceu no dia 3 de outubro de 1778. Louis-Alexandre Rœttiers de Montaleau morreu no dia 30 de janeiro de 1808 e foi sepultado religiosamente em são Sulpício. As exéquias maçônicas foram solenemente celebradas na Loja *Anacreonte*.⁷¹

Se a vida profana de Alexandre-Louis foi laboriosa, sua vida maçônica foi ainda mais pesada e mais fecunda. Não se sabe a data de sua iniciação na ordem, mas é certo que foi recebido mestre maçom em 1775, deputado dessa oficina em 1779, perito na Câmara das Províncias em 1780 e presidente dessa mesma câmara em 1787. No mesmo ano, tornou-se presidente da câmara de administração do Grande Oriente da França, em substituição ao banqueiro Tassin.⁷² Rœttiers de Montaleau foi eleito venerável numa assembleia restrita reunida em Paris, no dia 7 de junho de 1796. Com esse título ele reabriu oficialmente o Grande

---

69 Segundo o L∴ CAILLE, Biblioteca Municipal de Versalhes (dossiê Caille).
70 Esse jovem tornar-se-á grão-mestre adjunto do Grande Oriente da França. Bésuchet (*op. cit., passim*) escreve a propósito: "Seu filho [Louis Alexandre] era ainda muito jovem e não tinha dado à ordem nenhuma garantia de corresponder à honra que lhe era destinada. Mas a magia do nome que trazia, uma espécie de santidade maçônica ligada a esse nome [...], levou o Gr∴ Or∴ a nomeá-lo mestre-adjunto de todas as Lojas da França". Ver sobre a instalação do filho de Rœttiers, *Annales maçonniques*, t. V, Paris 5808 (1808), pp. 245-246 (Pranchas dos II∴ CHALLAN, MAUGERET e DELAHAYE).
71 *Annales maçonniques*, t. V, Paris 5808 (1808), pp. 226-227, com as estâncias religiosas (letra do I∴ Grenier e música do I∴ Gaveaux; *op. cit.*, pp. 227-229).
72 Daniel Tassin, banqueiro, foi acusado de ter defendido o rei no dia 10 de agosto de 1792 e por esse fato foi condenado à morte pelo tribunal revolucionário de Paris, em 10 de *floreal*, ano II (3 de maio de 1794). Cf. *Archives nat.* W. 357, dossiê 750; *Bulletin*, nº 63-65 e H. WALLON, *Le Tribunal révolutionnaire*, Paris, 1881, t. III, pp. 371-376. A conspiração na qual Daniel Tassin estava implicado nos parece de inspiração maçônica e voltaremos a tratar do assunto num artigo especial no futuro.

Oriente, anunciando a retomada das atividades da obediência (24 de fevereiro de 1797).⁷³ Parece que existiam ainda algumas Lojas na França em 1795 que desenvolviam alguma atividade: dezoito ao todo, "a saber: três em Paris, sete em Ruão, duas em Perpignan, quatro no Havre, uma em La Rochelle e uma em Melun. Havia algumas outras que se reuniam de vez em quando, [...] mas só as que acabo de citar continuaram sua correspondência com o G∴ O∴".⁷⁴

Bacon de La Chevalerie observa que Rœttiers de Montaleau "salvou os arquivos do G∴ O∴, preservando-os de roubo e incêndio, orientou os membros dispersos, reuniu-os e dirigiu seus trabalhos (durante a revolução), o que lhe assegurou o reconhecimento de todos os franco-maçons que o elegeram "por unanimidade" grande venerável da Maçonaria francesa e que o teriam eleito grão-mestre, se a isso não se opusesse ele próprio. Era além disso, por vários títulos, merecedor da gratidão de seus irmãos".⁷⁵ Thory⁷⁶ diz a seu respeito: "Um homem, cujo nome será por muito tempo caro à ordem, pelo zelo com que defendeu os interesses do G∴ O∴. [...] Alexandre-Louis Rœttiers de Montaleau escapou por pouco de ser destruído, devido à sua conduta corajosa e prudente. Preso, dirigia ainda, no fundo do calabouço, as operações do Grande Oriente. Rœttiers chegou também a fazer dos arquivos depositários dos arquivos do capítulo escocês de Hérédom, constituídos no Oriente de Paris por Edimburgo, em

---

73 A. BOUTON e M. LEPAGE, *Histoire de la Franc-Maçonnerie dans la Mayenne*, Le Mans, 1951, p. 131.

74 I∴ BOUBÉE, *Souvenirs maçonniques*, Paris, 1866, p. 42. Os trabalhos históricos de Boubée estão sujeitos a reserva, após artigos sobre as relações entre o Supremo Conselho e o Grande Oriente aparecidos no jornal *Franc-Maçon*, com uma *Réfutation* muito pertinente do I∴ J. B. M. SAINT-PIERRE, 33º, Paris, aos escritórios do mundo maçônico, 1858, 16 p. O I∴ Boubée foi iniciado em Tolosa pelo venerável Verdier, na Loja *La Sagesse* em 1795 (cf. BOUBÉE, *op. cit.*, pp. 40-41).

75 Sobre Bacon de La Chevalerie (1731-1821), cf. G. BORD, *La Franc-Maçonnerie des origines à 1815*, Paris, 1908, t. I, pp. 328-337.

76 THORY, *Histoire de la fondation du Grand Orient de France*, Paris, 1812, p. 181.

1721. Fundou o capítulo geral no próprio seio do G∴ O∴ e chamou as RR∴ LL∴ *L'Amitié* e *Centre des Amis* para participar de sua fundação",[77] frase importante que tenderia a provar que o capítulo escocês de Hérédom não é tão mítico como alguns pretendem, embora sempre bem-intencionados. Do mesmo modo, Rœttiers deu aos maçons de graus superiores o direito de participar, sem dificuldade e para sempre, de todos os trabalhos do capítulo geral.[78] Enfim, a grande obra do grande venerável, infelizmente sem futuro, foi a realização da concordata maçônica de 22 de junho de 1799.[79] Finalmente, "em 1804, conseguiu uma reapro-

---

[77] J. MARIE, "Alexandre-Louis Rœttiers de Montaleau", em *Les documents maçonniques*, fevereiro de 1943, 2ᵉ année, nº 5, p. 151.
[78] Cf. R. S. LINDSAY, *Le Rite Ecossais pour l'Écosse*, Laval, 1957, pp. 44-45. "Foi decidido em 1787 que o controle dos *Graus Superiores* seria confiado a um capítulo metropolitano, incorporado ao G∴ O∴, e mais, que os próprios *Graus Superiores* seriam reduzidos a quatro, dos quais o último seria Rosa-Cruz (18º grau atual do Escocismo): assim foi constituído um sistema conhecido pela designação de *rito moderno* ou *rito francês*.". (LINDSAY, *op. cit.*, p. 45.)
[79] No dia 22 de junho de 1799, a ex-Grande Loja, dita Grande Oriente de Clermont, apresenta-se ao G∴ O∴, onde é recebida sob a abóbada de aço e batidas de maços por Rœttiers, que declara não ter "palavras para expressar a esses irmãos todos os sentimentos que sua vinda despertou em seu coração". O presidente do O∴ de Clermont, o I∴ Darmancourt, responde a esses cumprimentos e o G∴ O∴ publica nessa ocasião uma circular em que se declara: "Há mais de trinta anos existia no oriente de Paris dois grandes orientes, que criaram, ambos, várias Lojas com títulos distintivos e conduziam seus trabalhos. Esses dois grandes orientes pretendiam a supremacia; os maçons de um não eram admitidos no outro. A entrada no Templo, em vez de ser a da concórdia, torna-va-se o início da discórdia. Os irmãos invocavam em vão os princípios inatos da Maçonaria, de que todo maçom é maçom em toda parte. O profano recebido maçom numa Loja, que se dizia regular, ficava atônito, ao se apresentar ao pórtico do Templo de outra Loja, por ser considerado maçom irregular; não lhe era permitido participar dos trabalhos dessa oficina. Essa exclusão injusta reduzia seu zelo e o levava mesmo a abandonar nossa arte sublime. A discórdia, esta inimiga implacável, agitava suas serpentes, sacudia suas tochas sobre nossas cabeças. Gênios benfeitores dos dois grandes orientes armaram-se finalmente contra ela [...]" (pranchas, discursos e cânticos por ocasião da reunião dos dois GG∴ OO∴ da França e festa da ordem. Em Paris, imprensa de Desvaux, ano VII da república, pp. 1-2).

ximação duradoura entre as Lojas que professam o Rito Antigo e Aceito e o Gr∴ Or∴ da França (Concordata de 5 de dezembro de 1804) [...] Sou testemunha dos esforços desenvolvidos", escreve Bacon de La Chevalerie, "desse R∴ I∴ para conseguir envolver no círculo da união geral as Lojas de Marselha e de Ruão, que se qualificam de Lojas-mães, esforços dos quais se orgulhava, face ao bom êxito, tanto mais que essas Lojas conservam seus poderes constitutivos do oriente estranhos à mãe-pátria[80] e com os quais o Gr∴ Or∴ nem mesmo mantém relação [...]". Rœttiers de Montaleau, a quem os maçons não cessam de elogiar (e que hoje, infelizmente, parece esquecido pelos historiadores da ordem), teve direito, quando "passou para o oriente eterno", a funerais maçônicos grandiosos, mas comoventes,[81] especialmente na Loja *A Benfeitora* em Alexandria, na Itália.[82] Entrementes, haviam-se produzido vários acontecimentos consideráveis, aos quais devemos voltar agora, sem todavia nos alongarmos demasiadamente, pois muito se tem escrito a esse respeito, sobretudo os maçons, sem qualquer espírito de fraternidade, nem mesmo de compreensão inteligente, mas, pelo contrário, todos animados de mordacidade partidária, sem nenhuma relação nem com a história propriamente dita nem com a sabedoria verdadeiramente iniciática que deveria ser a índole de todo maçom digno desse nome. Queremos falar da patente ou diploma chamado Stephen Morin e do aparecimento do Supremo Conselho do Rito Escocês Antigo e Aceito.

B. A patente de Stephen Morin

A patente de Stephen Morin, patente de "grande inspetor em todas as partes do Novo Mundo" com poderes constituintes, é um documento que, na opinião de Gaston-Martin, coloca "alguns dos mais obscuros enigmas de uma história que está cheia deles. O

---

80 Isso seria talvez uma prova de que o Escocismo não nasceu na França.
81 *Annales maçonniques*, t. V, Paris, 5808 (1808), pp. 197-236.
82 *Ib.*, pp. 236-246.

original (da patente) nunca pôde ser apresentado; os maçons que a reivindicam citam-na segundo uma cópia inglesa autenticada, ela própria desaparecida. Teria existido? Não parece completamente inventada. O I∴ Morin existiu, constituiu Lojas na parte meridional da América do Norte; não parece ter inventado seus poderes".[83] Essa patente só foi emitida nos anos de 1798-1799 e discutida pelos maçons escoceses "para estabelecer a regularidade de suas constituições que diziam ter recebido de Étienne Morin, devidamente autorizado pelo conselho dos imperadores do Oriente e do Ocidente, que praticava o rito de perfeição". [84]

Quem era Stephen Morin? "Houve quem o considerasse judeu por causa de seu prenome na forma inglesa." E G. Bord, que acabamos de citar, declara ele próprio que "nem Stephen, nem Morin são nomes judeus".[85] Sugere G. Bord que Morin, tendo em vista a qualidade maçônica que lhe confere a famosa patente (respeitável mestre da perfeita harmonia), devia ser venerável de cátedra de uma Loja de Abbeville.[86] Na realidade, Stephen Morin (ou Étienne) nascera em Nova Iorque de pais franceses, vindos de La Rochelle para a América em 1693. Os Morin eram fiéis da igreja protestante francesa do Santo Espírito.[87] Em 1761, Morin encontra-se na França e não pode haver qualquer relação com o personagem chamado Étienne Morin de Saint-Cirque, "fabricante de vidro em Sèvres, depois distribuidor de *Nouvelles Ecclésiastiques,* recolhido à Bastilha por crime de imprensa e liberado por ordens contra-assinadas de Maurepas, datadas de 22 de julho de 1747 e 27 de julho de 1748".[88]

---

83 GASTON-MARTIN, *op. cit.*, p. 147.
84 G. BORD, *op. cit.*, p. 185.
85 *Id., ib.*, p. 187.
86 *Id., ib.*
87 C. F. WILLARD, *Revue l'Acacia*, nº 94 e 96, *passim.*
88 Os arquivos da Bastilha mostram que G. Bord confundiu totalmente, a respeito desse personagem que não é o nosso herói, vários assuntos envolvendo jesuítas, o oratório e os jansenistas (cf. F. RAVAISSON, *Archives de la Bastille*, Paris, 1883, t. XV, pp. 293-296: assunto Boudet, que é um homem e não a mulher de Étienne Morin, como quer G. Bord).

Stephen Morin é membro da Loja *La Trinité* de Paris,[89] cujo venerável é membro do soberano conselho dos imperadores do Oriente e do Ocidente, fundado em 1758.[90] Mais tarde, Stephen Morin pretenderá, numa carta[91] em Chaillon de Joinville, ter criado uma Loja escocesa em Bordeaux, em 1745: a Loja dos eleitos perfeitos ou antigos maçons chamados escoceses, fundadores da antiga mestria na França,[92] título distintivo que justificaria muitos comentários e que

---

89 Venerável dessa Loja: Pirlet, mestre-alfaiate e o famoso Lacorne é seu mestre-delegado.

90 Os membros desse soberano conselho são "soberanos príncipes maçons, substitutos gerais da arte real, grandes supervisores e oficiais da grande e soberana Loja de São João de Jerusalém". Trata-se evidentemente de uma instituição escocesa: rito de perfeição e 25 graus.

91 A propósito das cartas de Stephen Morin, R. S. LINDSAY, em *Le Rite Ecossais pour l'Écosse*, Laval, 1957, diz na página 51, nota 25: "O autor [Lindsay] obteve do soberano e grande comandante desse supremo Conselho [Supremo Conselho dos Estados Unidos, jurisdição norte, em Boston], a graciosa permissão para narrar os episódios constantes dessas cartas [de S. Morin]. Mas não tendo sido ainda essas cartas autenticadas pelo Supremo Conselho, fica claramente entendido que essa permissão não implica que o soberano grande comandante nem o Supremo Conselho garantem sua autenticidade, nem a exatidão dos episódios nelas relatados". O que R. S. Lindsay ignora é que essas cartas estiveram na posse da Grande Loja da Ucrânia e foram registradas sob os números N 911 M; N 912 M; N 913 M; N 914 M; N 915 M (sendo esta última apenas assinada por Stephen Morin, porém escrita por outra pessoa). Essas cartas foram publicadas com um aparato crítico científico de primeira ordem por N. Choumitzky no Boletim da G. L. N. I. e R., Saint-Claudius, nº 21, compte rendu 1927-1928, pp. 25-47, com a reprodução de um fac-símile da carta de Morin, datada de 21 de junho de 1763. Trata-se de saber se o Supremo Conselho americano (jurisdição norte) possui apenas cópias dessas cartas ou se estas, por meios que ignoramos, foram expedidas da Ucrânia para Boston, ou ainda, se os arquivos da Grande Loja da Ucrânia possuíam apenas cópias das cartas de Boston. Em todo caso, têm sido ignoradas por todos os historiadores da Maçonaria, inclusive Lindsay.

92 Essa Loja criou em 1749 a de Cap-Français, o que vai de encontro à seguinte opinião: "[Morin] vai obter, no dia 27 de agosto de 1761, em Paris, a pedido de seu amigo Lacorne, uma patente *escocesa* que faz dele o Ven∴ de uma L∴ pessoal, sob o título de *Loja de São João*, denominada a *Perfeita Harmonia*" (*Documents maçonniques*, suplemento ao nº 25 do G∴ O∴, da França, Paris, 1956). Para dizer a verdade, existiam em Bordeaux, no tempo de S. Morin, qua-

tenderia a demonstrar que o grau de mestre, pelo menos para a França, seria anterior ao que surge além da mancha, depois da fundação da Grande Loja de Londres, em todo caso corresponde à Maçonaria escocesa. S. Morin, em Bordeaux, sempre pertenceu à *La Française* e à *La Parfaite Harmonie*, originária da anterior. Revestido de poderes, de que voltaremos a falar, S. Morin, que se declara grande escocês, cavaleiro maçom, embarca em Bordeaux no início de 1762. Seu navio é capturado e ele é levado preso para a Inglaterra (passa dois meses preso em Londres), depois, coisa curiosa, visita a Escócia, passando três meses em Edimburgo. Na Inglaterra, tem "o consentimento para trabalhar muitas vezes com o respeitabilíssimo irmão conde de Ferrest [e não Furers, como escreve Lindsay], visconde de Tamworth, grão-mestre e protetor de todas as Lojas de denominação inglesa".[93] S. Morin lhe apresenta "patentes em Loja aberta", que ele aprova e lhe concede o título de "membro--nato de todas as Lojas da Inglaterra e da Jamaica", onde, diz sempre S. Morin, "recebi nessa qualidade todos os serviços de que precisei até minha partida para São Domingos".[94] Eis agora o texto da famosa patente de Stephen Morin[95]:

---

tro lojas: *L'Anglaise,* fundada em 1728 ou 1732, reconhecida pela Grande Loja da Inglaterra em 1766; *La Française,* constituída em 1740 pelo duque de Antin, "existente desde 1738" e sem descendência da *L'Anglaise*; *La Parfaite Harmonie,* "filha de *La Française*" em 1742, chamada também *L'Harmonie.* S. Morin era membro desta Loja, que desapareceu por volta de 1760 em fusão com a *La Française*; enfim, *L'Amitié,* chamada por algum tempo de *L'Amitié allemande,* filha de *La parfaite Harmonie,* em 18 de maio de 1746. (Cf. N. CHOUMITZKY, *op. cit.,* p. 37, nota 10.)
93 Arquivos da Grande Loja da Ucrânia N 911 M, publicados por N. CHOUMITZKY, *op. cit.,* p. 37. A nota 6 (mesma página) do editor é inexata por falta de informação: "Rebald não dá esse nome para o momento [Ferrest]. Seria extraordinário que Morin se enganasse". Ferrest era então o grão-mestre da Grande Loja da Inglaterra, mas a dos modernos (cf. R. S. LINDSAY, *op. cit.,* p. 51).
94 *Archives de la Grande Loge d'Ukraine,* nº N 911 M; em *art. cit.,* p. 37.
95 Texto publicado por A. LANTOINE em *La Franc-Maçonnerie chez elle,* pp. 202-204.

À glória do G∴ A∴ do Universo.
Ao Gr∴ O∴ da França e com o beneplácito de S. A. S. e M∴ Ill∴ I∴ o T. M. F. Louis de Bourbon, conde de Clermont, príncipe de sangue, grão-mestre e protetor de todas as Lojas regulares.

No Oriente, de um lugar muito iluminado onde reinam a paz, o silêncio e a concórdia, no ano da luz 5761 e segundo o estilo comum, no dia 27 de agosto de 1761.

LUX EX TENEBRIS
(*UNITAS, CONCORDIA FRATRUM*)

Nós, abaixo-assinados, substitutos gerais da arte real, grandes supervisores e oficiais da grande e soberana L∴ de São João de Jerusalém, estabelecida na O∴ de Paris, e nós, S. grão-mestres do grande conselho das L∴ regulares da França, sob a proteção da grande e soberana L∴ sob os números sagrados e misteriosos, *declaramos, certificamos e ordenamos* a todos os C. C. I∴ I∴ caros e príncipes espalhados nos dois hemisférios, que, reunidos por ordem do representante geral presidente do grande conselho, por moção a nós feita pelo R∴ I∴ La Corne, substituto de nosso M∴ Il∴ G∴ M∴, muito estimado príncipe maçom, foi lido em sessão que o nosso caro irmão Étienne Morin [Stephen Morin], grande eleito perfeito e antigo mestre sublime, príncipe maçom, cavaleiro e príncipe sublime de todas as Ordens da Maçonaria Sublime de Perfeição, membro da L∴ real da trindade etc., estando de partida para a América e desejando poder trabalhar regularmente em proveito e engrandecimento da arte real em toda a sua perfeição, roga que se dignem os soberanos grande conselho e grande L∴ lhe conceder cartas patentes para constituições.

Sobre o relatório que nos foi apresentado e conhecendo as eminentes qualidades do caríssimo irmão Étienne Morin (Stephen Morin), lhe concedemos sem hesitar essa satisfação para os serviços que sempre prestou à ordem e cujo zelo nos assegura a continuação.

Por esses motivos e por outras boas razões, ao aprovar e confirmar o caríssimo irmão Étienne Morin em seus projetos e ao lhe testemunhar nosso reconhecimento, nós, por um consenso geral, o constituímos e o instituímos por estas presentes constituições e instituições e concedemos pleno e total poder ao Ir∴ Étienne Morin (Stephen Morin), cuja assinatura vai às margens das presentes, para formar e estabelecer uma Loja para receber e multiplicar a ordem real dos maçons livres em todos os graus perfeitos e sublimes, para cuidar que os estatutos ou regulamentos da grande e soberana Loja, gerais e particulares, sejam mantidos e observados e para jamais ali admitir senão verdadeiros e legítimos irmãos da Maçonaria sublime: para regulamentar e governar todos os membros que comporão a dita Loja, que pode estabelecer nas quatro partes do mundo aonde chegará e poderá permanecer sob o título de Loja de São João e cognominada de *A Perfeita Harmonia*, concedemos-lhe o poder de escolher tais oficiais para ajudá-lo a governar sua Loja como julgar conveniente, aos quais ordenamos e mandamos que lhe obedeçam e o respeitem, ordenamos e mandamos a todos os mestres de L∴ regulares, qualquer que seja sua dignidade, disseminados por toda a face da terra e dos mares, nós lhes pedimos e mandamos em nome da ordem real e na presença de nosso ilustríssimo grão-mestre, de assim reconhecer como nós o reconhecemos nosso caríssimo irmão Stephen na qualidade de nosso grande inspetor em todas as partes do Novo Mundo, para reforçar a observância de nossas leis e como respeitável mestre da Loja *A Perfeita Harmonia*, e nós o constituímos nosso delegado na qualidade de nosso grande inspetor em todas as partes do Novo Mundo e por estas presentes constituímos nosso caríssimo irmão Stephen Morin nosso grande inspetor, o autorizamos e lhe damos o poder de estabelecer em todas as partes do mundo a perfeita e sublime Maçonaria etc.

Rogamos, por conseguinte, a todos os irmãos em geral que dispensem, ao nosso dito irmão Étienne Morin (Stephen Morin), a ajuda e todos os recursos que estiverem a seu alcance, pedindo--lhes que façam o mesmo com relação a todos os irmãos que serão membros de sua Loja, e aqueles a quem ele admitir e constituir, admitirá e constituirá em seguida nos sublimes graus da alta perfeição, que nós lhe concedemos com pleno e total poder de multiplicar e criar inspetores em todos os lugares onde não forem estabelecidos os sublimes graus, conhecedores que somos de seus grandes conhecimentos e capacidade.

Em testemunho disso, nós lhe entregamos estas presentes assinadas pelo substituto geral da ordem, grande comandante da águia branca e negra, soberano príncipe do segredo real (e chefe do eminente grau da arte real) e por nós, grandes inspetores, sublimes oficiais do grande conselho e da grande L∴ estabelecida nesta capital, que selamos com o grande selo de nosso ilustre grão-mestre S. A. S. e com o selo de nossa grande L∴ e do soberano grande conselho.

Grande Oriente de Paris, ano da luz 5761 ou, segundo a era vulgar, 27 de agosto de 1761.

Assinado:

> *Chaillon de Joinville*, substituto geral da Ordem, venerável mestre da primeira L∴ da França, chamada São Tomás, chefe dos graus eminentes, comandante e sublime príncipe do segredo real etc.
> *O Ir. príncipe de Rohan*, mestre da grande L∴ *L'Intelligence* (*A Inteligência*), soberano príncipe da Maçonaria etc.
> *La Corne*, substituto do grão-mestre, R. D. M. da L∴ de *La Trinité* (*A Trindade*), grande eleito perfeito, cavaleiro e príncipe maçom etc.
> *Maximilien de Saint-Siméon*, primeiro supervisor, grande eleito perfeito, grande cavaleiro e príncipe maçom etc.
> *Salvalette de Bucheley*, grande guardião dos selos, grande eleito perfeito, grande cavaleiro e príncipe maçom etc.
> *O conde de Choiseul* etc., venerável mestre da L∴ *Enfants de la Gloire* (*Filhos da Glória*), grande eleito perfeito, mestre cavaleiro e príncipe maçom etc.
> *Boucher de Lenoncourt* etc., venerável mestre da L∴ *La Vertu* (*A*

Virtude), grande eleito perfeito, cavaleiro príncipe maçom etc.
Brest de la Chausée, C. E. M. P. C., príncipe maçom, venerável mestre da Loja *L'Exactitude* (*A Exatidão*), grande eleito perfeito, mestre cavaleiro e príncipe maçom.
Por ordem da Grande Loja assim assinado:
Daubertin, grande eleito perfeito, mestre e cavaleiro príncipe-maçom, Venerável e R. V. M. da Loja de *Saint-Alphonse* (*Santo Afonso*), grande secretário da Grande Loja e do sublime conselho dos príncipes maçons da França etc.

Esse texto tem sido duramente discutido, especialmente pelo autor anônimo do suplemento ao boletim nº 25 do G.˙. O.˙. da França, já citado,[96] que se apoia particularmente em Albert Lantoine e nas suas variações quanto aos seus comentários sobre essa patente. O autor anônimo conclui seu artigo dizendo: "Num próximo artigo, graças a uma peça autêntica [o certificado de Osson de Verrières], espero poder demonstrar que os falsificadores trabalharam sobre uma peça que fora anulada, desde 17 de agosto de 1766, pela autoridade que a emitiu, no caso o soberano conselho dos imperadores".[97] Estamos agora diante da informação sobre a patente de Stephen Morin, certos de que parece infinitamente provável que jamais saberemos a verdade sobre esse texto. Afinal, isso tem pouca importância! Quantos estatutos, quantos falsos diplomas na nossa Idade Média não constituíram a origem de instituições que, com o tempo, se tornaram sólidas e fecundas! Não é menos verdade, quanto ao nosso próprio domínio, que os americanos aceitaram de muito boa vontade o rito de perfeição que lhes foi proposto e "achando esses 25 graus insuficientes para conter, num sistema ordenado, toda a ciência iniciática maçônica, elevaram-nos, em 1786, para 33",[98] o que é, no mínimo, inexato quanto à palavra "americano".

---

96 *Documents maçonniques*, 1956, pp. 5-7.
97 *Ib.*, p. 7 *in fine*.
98 P. NAUDON. *La Franc-Maçonnerie*, Paris, 1963, Collection Que sais-je?, nº 1064, p. 51.

O APARECIMENTO DO SUPREMO CONSELHO DO RITO ESCOCÊS ANTIGO E ACEITO

O conde de Grasse-Tilly, filho do almirante de Grasse, nascido em 1765, fora iniciado na Loja-mãe escocesa do Contrato Social. Em 1789 foi para São Domingos, explorar propriedades que lhe deixara seu pai e ali conheceu seu futuro sogro, Delahogue, maçom como ele. A guerra dos escravos obrigou os dois homens a se exilarem no continente americano, em Charleston, na Carolina do Sul (início de 1796). Segundo R. S. Lindsay, os dois já eram portadores do 32º grau da Maçonaria escocesa e se assinavam desde 1795 "como inspetores adjuntos do rito de perfeição",[99] o que tende a mostrar que os 25 graus iniciais tinham sido aumentados com mais sete novos. Pouco depois "Grasse-Tilly remetia uma patente do 33º grau a Delahogue e a vários outros refugiados franceses em Charleston",[100] cujas origens põem muitos problemas que não são especialmente de ordem histórica, mas iniciática. Os historiadores maçons contemporâneos rejeitam a paternidade desse grau atribuída outrora a Frederico II, rei da Prússia, o que não passa de uma lenda. Antes, nos parece que o ritual desse grau, calcado em um dos mais antigos rituais, tenha sido adulterado mais ou menos involuntariamente, como sói acontecer muitas vezes com esse gênero de coisas, por incompreensão dos conhecimentos tradicionais e também por falta de informação daquilo que se chama de *a história oculta*. O ritual do 33º faz efetivamente menção de Frederico II, rei da Prússia, principalmente em sua segunda palavra de passe.[101] Não se trata, de modo algum, e nesse ponto o amanuense enganou-se redondamente, do déspota prussiano, mas pelo contrário, do imperador Frederico de Souabe (Fredericus), cujas lendas ocidentais lhe atribuem a função de guardião do Santo Graal e dizem que dorme numa caverna, mor-

---

99 R. S. LINDSAY, *op. cit.*, p. 58.
100 *Id., ib.*
101 Cf. J. M. RAGON, *Tuiler général de la Franc-Maçonnerie*, Paris, s. d., p. 179.

to para o mundo profano, esperando que refloresça a Árvore Seca do Império. Não deixa de ser interessante cotejar esta última notação do ritual do 33º, que qualifica o "soberano grande inspetor geral" de "secretário-geral do santo império". Lembramos, a propósito, que o reino do Graal, "que deveria ter sido conduzido a um novo esplendor, é o próprio Sacro Império Romano. O herói do Graal que teria podido tornar-se "o dominador de todas as criaturas" e aquele "a quem seria confiado o poder supremo" é o imperador histórico "Fredericus", se tivesse sido o realizador do mistério do Graal, isto é, do mistério hiperboreal",[102] o que nos conduz ao mistério da extrema tule onde, como já vimos, Anderson punha as próprias origens da arte real.[103] Não é preciso dizer que a questão do Sacro Império está em relação com as disputas da espada e do anel e mais precisamente com as guerras dos gibelinos e dos guelfos. Os gibelinos estão estreitamente relacionados com o mistério do Graal e quando se sabe que uma palavra "Ghiblim"[104] constitui a palavra de um grau superior do Escocismo, vemos as relações que facilmente podem ser estabelecidas entre o sacro império e a Maçonaria escocesa, antes de tudo cavaleirescas. Diremos para concluir provisoriamente esse assunto, que o Sacro Império foi destruído em 1648 com a aplicação da política do cardeal de Richelieu e que é nessa época que a tradição faz partir da Europa os últimos rosa-cruzes.

Por outro lado, a aversão dos rituais modernos do 33º grau com relação aos cavaleiros de Malta é inteiramente inexplicável, quando se consideram os dados tradicionais e se observa, não sem surpresa, que os titulares do 33º grau do Escocismo tinham

---

102 J. EVOLA, "La Légende du Graal et le Mystère de l'Empire", em *Études Traditionnelles*, novembro/dezembro de 1939, nºˢ 239-240, p. 395.
103 Cf. p. 181.
104 As interpretações de Jules Boucher (*La Symbolique maçonnique, op. cit.*, pp. 350, 351, 354) não são destituídas de interesse e mereceriam um desenvolvimento complementar, que não temos tempo de fazer neste livro, o que será feito em nosso livro *Histoire et Symbolisme des Hauts Grades de l'Escocisme*. Cf. Padre PÉRAU, *Le secret des Francs-Maçons*, 1742, p. 127.

suas festas no início do século XIX, no dia 3 de outubro, quer dizer, no dia de aniversário "da doação dos bens dos templários aos cavaleiros de Malta".[105]

De Grasse-Tilly, tendo criado o Supremo Conselho de Charleston, em 31 de maio de 1801, do qual John Mitchell foi o primeiro grande comandante, voltou a Bordeaux após várias aventuras, em 4 de julho de 1804. O Supremo Conselho de Charleston lhe havia entregue uma patente, pela qual foi constituído um outro Supremo Conselho "de grandes inspetores gerais do 33º e último grau do Rito Escocês Antigo e Aceito" em Paris, em 22 de setembro de 1804, e "esses dois supremos conselhos foram os pais do Rito Escocês Antigo e Aceito",[106] sobre os quais voltaremos a falar no próximo capítulo.

---

105 *Almanach pitoresque de la Franc-Maçonnerie pour l'année 1848*, de F. T. B. CLAVEL, Paris 5848 (1848), p. 4 (Fêtes Maçonniques: Hauts Grades).
106 P. NAUDON, *op. cit.*, p, 51.

7. A Franco-Maçonaria sob o Império

O IMPÉRIO

O imperador Napoleão fez o possível para assegurar a unidade da França no quadro das instituições novas que lhe havia dado. Foi bem-sucedido nesse campo? A oposição da Igreja católica a seu regime parece constituir-se num desmentido da autoridade despótica do imperador. No que diz respeito à Franco-Maçonaria, Napoleão I em vão tentou unificá-la e submetê-la aos seus interesses. Sua polícia logo se deu conta de que as Lojas continham elementos e fermentos de oposição. Georges Bourgin cita, a propósito, um texto muito significativo promulgado em 1811: "*Nenhuma* associação de mais de vinte pessoas poderia formar-se sem o consentimento do governo e nas condições que aprouvessem à autoridade política impor",[1] com vista essencialmente à criação eventual de novas Lojas. Parece que, a partir de 1809 (e não de 1810, como quer a maior parte dos historiadores), elementos revolucionários passaram a se agregar às Lojas, principalmente às Lojas militares, ali se refugiando e agindo no interior das oficinas. Parece, também, que elementos realistas, igualmente adversários do Império, fizeram-se iniciar na Maçonaria para fazer dela o mecanismo de suas organizações clandestinas. Tudo isso nada tem a ver com a iniciação propria-

---

1 G. BOURGIN, "La Franc-Maçonnerie sous l'Empire", em *La Revolution française*, t. 49, p. 51.

mente dita e o simbolismo maçônico. Todavia, o estudo dos rituais daquela época, referentes aos três primeiros graus, marca um feliz retorno às tradições da Maçonaria operativa, ao contrário dos rituais do período pré-revolucionário, que tendiam para um moralismo afetado, tolo e sentimental. Enfim, o acontecimento maçônico de maior relevo no período do primeiro império foi a implantação, ao preço de algumas dificuldades, do Rito Escocês Antigo e Aceito, trazido de Charleston para a França pelo Conde de Grasse-Tilly e pelo notário Hacquet, este último um pouco antes do anterior (1803). Põe, logo de saída, uma questão liminar bastante complexa: o próprio Napoleão teria ou não sido franco-maçom?

NAPOLEÃO, FRANCO-MAÇOM

Sobre esse assunto as opiniões são as mais diversas e Gaston-Martin está certamente com a razão ao escrever que "os franco-maçons sempre tiveram o desejo de trazer para a Maçonaria as personalidades profanas e brilhantes do momento",[2] embora isso não contribua para a solução do problema. Jean Morvan, em sua excelente obra sobre *Le soldat impérial* [O soldado imperial], afirma, de uma maneira peremptória, que Napoleão iniciou-se na Maçonaria "ainda quando tenente de artilharia na Itália e fez parte da Loja egípcia de Hermes; em Paris, tornou-se cavaleiro escocês".[3] Jean Morvan baseia suas afirmações em algumas referências bastante vagas que pudemos conferir. Em *Les souvenirs des guerres d'Allemagne pendant la Révolution et l'Empire*[4] [As recordações das guerras da Alemanha durante a

---

2 GASTON-MARTIN, *Manuel d'histoire de la Franc-Maçonnerie française*, Paris, 1929, pp. 142-143.
3 J. MORVAN, *Le soldat impérial* (1800-1814), Paris, Plon, 1904, t. II, p. 496.
4 Barão COMEAU, *Souvenirs des Guerres d'Allemagne pendant la Révolution et l'Empire*, Paris, Plon, 1900, pp. 194-195. Essas reminiscências são bastante suspeitas, pois como o diz Georges Mauguin, em seu *Napoléon et la Superstition, anedoctes et curtosités*, Rodez, 1946, p. 193, Comeau era um oficial bávaro que havia servido "com os emigrados franceses".

Revolução e o Império], escreve o barão Comeau: "Bonaparte, tenente, era franco-maçom. Em Paris, fui informado, em 1814, *por fonte fidedigna*, que Bonaparte, quando tenente-coronel, foi iniciado na Loja do Grande Oriente em Marselha. Na Itália, foi agregado à Loja egípcia de Hermes. Em Paris, tornou-se cavaleiro escocês, mediante o sacrifício do sangue [o duque d'Enghien]".[5] Em 1809, depois da batalha de Wagram, Napoleão foi recebido por Metternich, Montgelas e outros, como iluminado de Weisshauph.[6] Em 1813, sucumbiu na guerra que lhe moveram os filadelfos. Em 1815, o Grande Oriente o rechaçou e com isso perdeu a cabeça.[7] Bésuchet pretende que Bonaparte tenha sido iniciado em Malta.[8] O padre Grégoire, ao contrário, declara que a iniciação teria tido lugar no dia 17 do plarial, ano XIII (6 de junho de

---

5 Há nessa afirmação uma divertida transposição. Os inimigos de Napoleão, que são os mesmos da ordem e, mais particularmente, dos graus superiores do Escocismo, querem demonstrar que Napoleão é o continuador dos vingadores do Templo e que o fuzilamento do duque d'Enghien é o último episódio dessa vingança que assegura ao imperador, a título de recompensa, sua entrada na Maçonaria escocesa. Está aí uma pura fantasia que atesta, como aliás na maioria daqueles que escreveram sobre os graus superiores do Escocismo, uma incompreensão total do que significam, no plano iniciático, os assim chamados graus de vingança. Má-fé, espírito (?) de difamação ou ainda romantismo descabelado, bem ao gosto do "romance" negro do fim do século XVIII, são as características desses amáveis e ridículos gozadores de mau gosto.

6 É o puro delírio.

7 Essa tese curiosa foi sustentada em parte, não querendo o autor reconhecer que Napoleão tenha sido maçom, daí seus conceitos, por C. DE FLAHAULT: *Les Francs-Maçons fossoyeurs du premier empire*, Paris, 1943, 160 p. A data do aparecimento desse pequeno livro demonstra bastante em que sentido foi escrito e qual o gênero de política estrangeira pretendeu sustentar. Ver também: CONSTANTIN-WEYER, *L'âme allemande*, pp. 69-95.

8 BÉSUCHET, *Intermédiaire des Chercheurs et des Curieux*, 1905, 1º semestre, p. 499. Ver igualmente em *France anti-maçonnique*, de 31 de julho de 1913; o artigo anônimo *L'Initiation maçonnique du* ∴ *Bonaparte*, atribuído por P. Chacornac a René Guénon (Cf. P. CHACORNAC, *La vie simple de René Guénon*, Paris, Les Études Traditionnelles, 1958, p. 52, nota 1) e HIRAM, "Napoléon franc-maçom", em *Revue Internationale des sociétés secrètes*, de 15 de fevereiro de 1937.

1805), embora não cite suas fontes.[9] Uma belíssima gravura mostrando Napoleão em visita à Loja do subúrbio de Saint-Marcel em Paris é reproduzida por Clavel[10] que relata que "o imperador tinha se tornado maçom em Malta, quando de sua estada no Egito"[11] e que Napoleão, Duroc e Lauriston fizeram uma visita a essa citada Loja de artífices com o objetivo de saber se os irmãos eram mesmo os conspiradores que lhe tinham sido denunciados,[12] anedota de todo absurda, uma vez que a polícia imperial dispunha de muitos agentes nas sociedades ditas secretas para manter Napoleão suficientemente bem informado de seus atos e atitudes. Um documento muito interessante sobre essa questão é apresentado por Charles Bernardin.[13] Com efeito, no dia 3 de dezembro de 1797, Bonaparte passa por Nancy, em sua volta do Congresso de Rastadt e M. Noël, citado por Charles Bernardin,[14] observa: "Isto nos faz lembrar de ter tido em mão a prancha [carta] em que constava que o general Bonaparte, passando por Nancy [...] foi visitar a Loja; e que, embora fosse apenas mestre, foi ali recebido com todas as honras possíveis. Introduzido sob a abóbada de aço, o venerável lhe ofereceu o maço", enquanto Charles Bernardin conclui que não pode pôr em dúvida esse texto, em virtude de um excelente historiador loreno, "o qual, sendo ele próprio franco-maçom e membro da Loja de São João de Jerusalém desde o dia 5 de março de 1810, pôde ter em mão a prancha a que se refere, e ouvir o relato dessa visita de viva voz por aqueles que a haviam presenciado".[15] Esse texto nos parece da maior importância. Apresenta-nos Napoleão portador do grau

---

9 Padre GRÉGOIRE, *Histoire des Sectes*, s.l.n.d., *passim*.
10 F. T. B. CLAVEL, *Histoire pittoresque de la Franc-Maçonnerie et des Sociétés secrètes anciennes et modernes*, Paris, Pagnerre, 1844, 3ª edição, p. 17.
11 *Id., ib.*, p. 242.
12 *Id., ib.*, pp. 244-245.
13 C. BERNARDIN, *Notes pour servir à l'Histoire de la Franc-Maçonnerie à Nancy jusqu'en 1805*, Nancy, 1910, t. II, pp. 82-83.
14 M. NÖEL, Collections Lorraines, Bibl. de Nancy, nº 4605, p. 617, citado por C. BERNARDIN, *op. cit.*, p. 82.
15 C. BERNARDIN, *op. cit.*, p. 83.

de mestre, mas deixa de nos informar sobre o que seria mais interessante saber, isto é, a data e a Loja em que teria sido recebido. Enfim, apresentamos um texto inédito e, por se tratar de um documento oficial do Grande Oriente, não nos resta qualquer dúvida de que Napoleão I era realmente maçom. Num discurso proferido pelo Ir∴ Valleteau de Chabrefy, na Loja de São Luís da Martinica, em 22 de janeiro de 1806, escreve esse dignatário da Franco-Maçonaria: "Enfim, a Maç∴, alvo de perseguições durante vários séculos, repousa sob os auspícios de um poderoso príncipe (Sua Majestade, o imperador Napoleão), que se declarou o protetor da Ordem Maç∴ na França, *depois de ter ele próprio participado de nossos trabalhos, conhecido a pureza de nossos princípios e a sabedoria de nossos mistérios*".[16]

Por outro lado, um pequeno volume conservado nos arquivos do Grande Oriente da França, e intitulado "Lav∴ Masson∴ dedicati alla nascita del Re di Roma dal G∴ O∴ d'Italia g∴ 13 m∴ 4 an∴ 5.811 — Milano Da' Tipi del G∴ O∴ d'Italia [Trabalhos maçônicos consagrados ao nascimento do rei de Roma no Grande Oriente da Itália, no dia 13 de 4º mês do ano 5811 (1811) — Milão, imprensa do Grande Oriente da Itália]", traz, como título, na página 3, uma

---

16 O grifo é nosso. Esse texto é de grande importância porque ressalta a qualidade maçônica de Napoleão I e nós sabemos perfeitamente que essa convocação não teria podido ser publicada nos anais Maç∴ dedicados a Cambacérès, Arquichanceler do Império, se estivesse errada. A lei exigia então que dois exemplares desses anais fossem depositados na Biblioteca Imperial. Mostramos também que em *Documents du Temps présent: La Franc-Maçonnerie*, 1ᵉʳᵉ Année, nº 1, André Lebey reproduziu (p. 17, 1ª coluna embaixo) um avental maçônico assinado pelo imperador em 1814. É difícil admitir que Napoleão assinasse um adorno maç∴, se ele próprio não tivesse sido maçom.

Uma tradição oral quer, com efeito, que o imperador tenha assistido a uma reunião da Loja de Sens, pouco antes da batalha de Montereau. Um avental lhe teria sido emprestado, no qual, para lembrança de sua recepção nessa Loja, teria assinado seu nome e rubricado. (Cf. *L'Acacia*, nº 13, novembro de 1924, p. 135.)

Annales Maç∴ dédiées à Son Altesse Sérénissime le Prince Cambacérès, archi-chanceler de l'Empire et G∴ M∴ de l'O∴ M∴ en France, par Caillot R∴ C∴, t. III, Paris, chez Caillot, 5807 (1807), p. 223.

datação em italiano que significa: "Prancha dos trabalhos maçônicos consagrados ao nascimento do rei de Roma, primogênito do poderoso irmão Napoleão, no Grande Oriente da Itália, no dia 13 do 3º mês do ano da verdadeira luz 5811 (1811)". Trata-se do relatório oficial de uma festa ordenada pelo Grande Oriente da Itália, à qual assistiu o Ir∴ Mosca, diretor geral da polícia; o opúsculo, conservado no Grande Oriente da França, traz o autógrafo do Ir∴ *Piantanida*, secretário-geral do Grande Oriente da Itália e "foi sem dúvida encaminhado em homenagem ao Grande Oriente da França, cujo grão-mestre na época era José Bonaparte e seus adjuntos, Cambacérès e Murat".[17]

Nesse mesmo volume, lê-se inicialmente (p. 8) uma descrição da Loja, na qual se podia ver, por cima do trono do venerável "... um medalhão tendo em volta uma coroa e, no meio, a inscrição: *Ao Augusto Loweton Napoléon*", o que não deixa qualquer dúvida sobre a qualidade maçônica do imperador, uma vez que, em termos de Maçonaria, um *Loweton* não é senão o filho de um franco-maçon. Mais adiante (p. 14), vemos o grande experto da mesma Loja render homenagem ao primogênito do "irmão mais poderoso e mais digno da Ordem Maçônica", quer dizer, Napoleão I.

Durante a mesma cerimônia, o Ir∴ Calefio, representando o grande comandante da Ordem, faz ao Ir∴ segundo vigilante a seguinte pergunta: "Quais causas e quais consequências tem para nós o feliz nascimento do primogênito de nosso augusto Ir∴ Napoleão?" (p. 15) e o Ven∴, o Ir∴ Experto e os Ir∴ Supervisores travam entre si a seguinte conversação (p. 24):

"P. — Ir∴ Experto, qual é o segundo item dos trabalhos previstos para hoje?
"R. — A mais sincera homenagem devida ao príncipe, cujo nascimento celebramos.
"P. — Ir∴ Primeiro Vigilante, qual é a homenagem que lhe devem prestar os maçons?

17 Cf. *L'Acacia*, nº 13, novembro de 1924, p. 139.

"R. — A máxima homenagem, Venerável Mestre, que convém à sua dignidade real e *maçônica*.
"P. — Ir∴ Segundo Vigilante, qual é a maior dignidade que os maçons devem nele reconhecer?
"R. — A de *Loweton*, a mais ilustre, da qual se vangloriam os faustos maçônicos.
"P. — Ir∴ Experto, que dever exige de nós esse caráter sagrado?
"R. — Obriga-nos a velar constantemente pela conservação e pela perfeição do *Ilustre Loweton*, consagrando-lhe nosso espírito, nosso coração e nosso braço".

Seguiu-se um banquete ritual [descrito nas pp. 56-57], no qual se pode ver a poltrona do venerável encimada por um baldaquino de cor azul celeste, ornado de ouro, "do qual pendiam três coroas consagradas: à piedade do príncipe Loweton". O venerável levantou o primeiro brinde "ao irmão mais poderoso do mundo maçônico, Napoleão, o Grande, à augusta imperatriz, sua digna esposa, e ao príncipe *Loweton*, seu excelente filho [...]". Vale observar que o rei de Roma nascera no dia 20 de março de 1811 e que essa festa maçônica teve lugar no dia 13 de maio do mesmo ano, de modo que aqueles que a dirigiram puderam prepará-la com toda a tranquilidade e, o mais importante, mandaram imprimir o texto valioso que acabamos de citar, o qual, se o imperador não fosse franco-maçon, certamente não teria podido aparecer, numa época em que a polícia imperial se mostrava, sobretudo na Itália, extremamente vigilante. Para nós está fora de qualquer dúvida a filiação de Napoleão I à Ordem Maçônica.

A FRANCO-MAÇONARIA SOB O IMPÉRIO

De qualquer maneira, Napoleão se interessou pela vida da Ordem. "Não tinha nenhuma razão para não tratar a Franco-Maçonaria como as outras forças espirituais ou morais do Estado. Ele foi assim, mais no interesse de sua obra do que no da ordem, um grande artífice da unidade e do desenvolvimento da Maçonaria francesa",[18] escreve Gaston-Martin. Observou-se, entretanto, que o imperador mandou retirar os símbolos maçônicos gravados nas moedas de prata de cinco francos.[19] Merece igualmente ser citada uma opinião de Napoleão sobre a Maçonaria, relatada por seu criado de quarto, pois confirma a opinião pouco lisonjeira do imperador sobre tudo que diz respeito à ordem espiritual: "O imperador referia-se às vezes [à Maçonaria] mas como puras criancices, boas para distrair os basbaques, e posso assegurar que dava gargalhadas quando lhe diziam que o arquichanceler [Cambacérès], na qualidade de chefe do Grande Oriente, não presidia a um banquete maçônico com menos gravidade do que a sua ao presidir ao Senado ou ao Conselho de Estado".[20] Parece que dizia, também, referindo-se aos maçons: "São crianças que se divertem, deixem-nos à vontade, mas vigiem".[21] Por outro lado, nos dias 3 de setembro e 20 de dezembro de 1803, e no dia 4 de dezembro de 1804, o imperador colocara no conselho diretor do Grande Oriente seu irmão Luís (grão-mestre); Masséna, como grande administrador;[22] o senador de Choiseul-Praslin como grande conservador; Murat e o chanceler da ordem da legião de honra, o sábio Lacépède, como grandes vigilantes; Jerônimo Lalande, diretor-geral do observatório, mem-

18 GASTON-MARTIN, op. cit., p. 142.
19 G. MAUGUIN, Napoléon et la superstition, Rodez, 1946, p. 195.
20 CONSTANT, Mémoires, t. II, p. 38.
21 Referido por G. MAUGUIN, op. cit., p. 195.
22 O Ir∴ André Masséna havia fundado uma Loja militar em Montdauphin (Altos Alpes) em 1787 (regimento real italiano): La Parfeite Amitié. Ele havia prestado o seguinte juramento como venerável dessa Loja: "Prometo, como verdadeiro maçon, ser constante e fielmente ligado ao Grande Oriente da França e me sujeitar a seus estatutos e regulamentos, e como testemunho disso assinei no oriente de Montdauphin no 27º dia do 9º mês do ano da V∴ L∴ (Verdadeira Luz) 5787 (1787)". (Cf. Pax, revista filosófica mensal, janeiro/fevereiro de 1963, nº 1 e 2, p. 7.) Cf. P. FRAYSSE, La Franc-Maçonnerie dans les régions provençales, Marselha, 1933, t. I, pp. 49-55.

bro do instituto, como grande orador;[23] o senador Jaucourt era o grande secretário; o almirante Magon, grande tesoureiro; Mac-Donald e Beurnonville, grandes expertos; Sébastiani, grande guardião dos selos; o senador de Luynes, grande arquiteto; Kellermann, guardião dos arquivos; Duranteau, membro do corpo legislativo e S. Girardin, tribuno, grandes mestres de cerimônias; Augereau, grande hospitaleiro; Lefèbvre, grande esmoler. Em 1805, José Bonaparte foi nomeado, por seu irmão, grão-mestre da Ordem (ele era franco-maçom) e Murat e Cambacérès, grãos-mestres adjuntos. Ao lado do grão-mestre José, Rœttiers de Montaleau assegurava "a continuidade do ideal maçônico".[24] Em 1805, a imperatriz Josefina, que fazia parte de uma Loja de adoção parisiense, presidiu, em Estrasburgo, à Loja imperial de adoção de *franco-cavaleiros,* cuja grã--mestra era a madame de Dietrich, esposa do prefeito da cidade, em cuja casa foi cantada a Marselhesa pela primeira vez, em 1792. Nessa reunião foi recebida madame de Félicité de Canisy e a cerimônia teve muito brilho.[25] As Lojas de adoção conheceram também uma vida intensa no primeiro império. Em 1807, madame de Vaudémont preside à Loja de *Sainte-Caroline,* em cuja assistência se destaca a presença, além de Cambacérès, do conde Renault de Saint--Jean d'Angely, Mesdames de Carignan, de Roucherolles, de Girardin, de Croix-Mard, de Narbonne, de Bondy etc.[26] A maior parte dos marechais e generais é de franco-maçons e o futuro príncipe de Moscou, o Bravo dos Bravos, foi iniciado em Nancy em 1801, na Loja São João de Jerusalém.[27] As lojas em seu conjunto

---

23 Lalande contribuiu para renascer em 1806 a Loja das Nove Irmãs, que ele havia fundado com seis outros maçons em 1776. Foi venerável dessa loja célebre em março de 1807 e morreu no dia 4 de abril do mesmo ano, na idade de 75 anos. Cf. L. AMIABLE, *Le Franc-Maçon Jérôme Lalande*, Paris, Charavay, 1889, in-8º de 56 p. com três retratos e mais particularmente pp. 36-37.
24 GASTON-MARTIN, *op. cit.*, p. 144.
25 G. O. VAT, *Étude sur les Loges d'Adoption*, Paris, Gloton, 1933, p. 29.
26 *Id., ib.*, p. 29.
27 20 de setembro de 1801: "O venerável anunciou que a convocação extraor-

cantam loas ao imperador dos franceses até 1809. A Loja militar *La Parfaite Union*, constituída, em 23 de março de 1801, na 98ª semibrigada, festeja, no dia 14 de junho desse mesmo ano, o aniversário da Vitória de Marengo e manda cunhar uma medalha trazendo o busto de Napoleão ladeado por duas palmas.[28] Há lojas que se denominam *Napoléonmagne*; outras, como a Loja *Escocesa de Jerusalém*, levantam brindes aos membros da família imperial:

> Bebamos ao grande Napoleão;
> Bebamos a Luísa-Maria;
> Que tenham breve um descendente
> Para a felicidade da pátria.
> Bebamos, portanto, meus irmãos, bebamos
> Por três vezes três como verdadeiros maçons.
> Acendamos uma chama[29] bem cintilante
> A dom José[30], nosso grão-mestre;
> A seu digno representante o mesmo zelo deve ser demonstrado
> Bebamos, portanto, meus irmãos, bebamos
> Por três vezes três como verdadeiros maçons[31]

---

dinária tinha por objetivo a recepção do prof.·. Ney, cujo requerimento tinha sido acolhido quando dos últimos trabalhos. Sem que nenhum Ir.·. se manifestasse em contrário, o prof.·. Michel Ney, general de divisão, nascido em Sarrilibre, departamento de La Moselle, em 10 de janeiro de 1769, foi introduzido e, após as provações de costume, foi recebido como maç.·. no grau de aprendiz e prestou seu juramento. Foi reconhecido membro desta oficina e os IIr.·. aplaudiram sua iniciação". (C. BERNARDIN, *Notes pour servir à l'Histoire de la Franc-Maçonneria à Nancy jusqu'en 1805*, Nancy, 1910, t. II, p. 149.) A família Ney doou aos arquivos nacionais em 1962 os documentos concernentes ao seu ilustre antepassado, cujo catálogo detalhado e muito instrutivo foi elaborado. Contém uma peça maçônica.
28 Catálogo da coleção de moedas e medalhas do príncipe d'Esseling, Paris, 1927.
29 Fogo: "última parte do exercício de mesa, quando dos brindes: exprime o perfeito devotamento". (E. F. BAZOT, *Manuel du Franc-Maçon*, 2ª ed., Paris, 1812, p. 131.)
30 José é nesse momento rei da Espanha.
31 Loja Escocesa de Jerusalém: festa da Ordem de São João do Verão, celebrada

Não há senão risos e canções nas lojas dessa época e o estudo dos rituais nos prova que se tende um pouco, em toda parte, a uma perfeição iniciática, que se procuraria em vão nas cerimônias do fim do século XVIII. O Ir∴ Bazot o ressalta quando escreve: "Como os franco-maçons adoram o Grande Arquiteto do universo, a ordem da Franco-Maçonaria é, portanto, *religiosa*.[32] E o ritual da recepção no grau de companheiro, que ele nos apresenta, demonstra uma louvável preocupação de renovar as tradições da Maçonaria operativa.[33] Do mesmo modo, *La Constance* de Laval (Mayenne), em 6 de junho de 1811, "adverte que as provações maçônicas até então empregadas são insuficientes para causar impressão nos candidatos, por isso concebe três provações suficientemente combinadas para evitar qualquer perigo, e será o cavaleiro recebedor Louis Gancel, dos direitos reunidos, o qual, quando de sua iniciação, no dia 13 de junho, haverá de ser admitido a partilhar dos trabalhos "depois de ter passado por todas as provações com constância e coragem".[34] A opinião de Jacques Godechot é também um pouco exagerada quando observa: "No consulado e no império [a Maçonaria] apresenta-se como uma espécie de religião deísta, que sucede de uma certa forma aos cultos revolucionários".[35] O eminente historiador se compraz, todavia, em ressaltar que em 1814 o Grande Oriente controla a atividade de 1223 oficinas agrupadas em 886 Lojas e 337 capítulos.[36]

---

no dia 9 de julho de 1810, imprimerie du F∴ Caillot, Quai des Augustins, nº 9, p. 73.
32 E. F. BAZOT, *op. cit.*, p. 97.
33 *Id. ib.*, pp. 183-192.
34 A. BOUTON e M. LAPAGE, *Histoire de la Franc-Maçonnerie dans la Mayenne*, p. 147.
35 J. GODECHOT, *Les Institutions de la France sous la Révolution et l'Empire*, Paris, P.U.F., 1951, p. 633.
36 *Id., ib.*, p. 634.

O RITO ESCOCÊS ANTIGO E ACEITO

Já falamos da concordata de 1804[37], que resultou (no período de 24 de outubro a 5 de dezembro) na união, sob o patrocínio do Grande Oriente da França, dos maçons que trabalhavam exclusivamente segundo os princípios do Rito Escocês Antigo e Aceito.[38] Nos termos desse acordo, o Grande Oriente controlava as oficinas que operavam do 1º ao 18º grau, e o Supremo Conselho da França dirigia os trabalhos do 19º ao 33º. Essa separação dos poderes respectivos de um e do outro organismo é bastante arbitrária e abusiva, quando se considera que os graus maçônicos do 1º ao 33º não formam senão uma sequência lógica na progressão do conhecimento iniciático e um estudo seguido do esoterismo maçônico. Produziram-se, então, histórias extremamente complicadas, nas quais se envolve o Ir∴ Pyron, grande orador. É absolutamente impossível, no estágio atual das pesquisas, saber quem é o verdadeiro responsável por essas querelas, cujo interesse é apenas secundário. É no mínimo curioso ver historiadores maçons como Gaston-Martin, Marcy e Lantoine se estenderem sobre esses problemas inextricáveis, que dependem da história obediencial e não do estudo da Maçonaria iniciática que deveria ser, entretanto, a única preocupação de pesquisa desses iniciados. Seja como for, após a exclusão de Pyron (em 5 de abril de 1805) do Grande Oriente, foi criado um grande diretório dos ritos (grande consistório dos ritos em 1814 e grande colégio dos ritos, de 1826 até o dia de hoje), no qual se encontravam maçons do Grande Oriente, dignatários do 33º grau e último do Escocismo, os quais, para alcançar esse grau, tiveram, fatalmente, na qualidade de portadores dos graus 18º ao 33º, de "prestar juramento de fidelidade ao Supremo Conselho da Grande Loja escocesa".[39] Havia, portanto, dois organismos dirigentes: o Supremo Conselho escocês e o Grande Diretório dos ritos. Era um

---

37 Veja a p. 184.
38 GASTON-MARTIN, op. cit., p. 149.
39 Id., ib., p. 150.

tanto excessivo para a direção de uma única obediência. O erro vinha essencialmente da coexistência de dois ritos diferentes: o rito francês e o Rito Escocês, e a união, realizada um tanto levianamente pelo Grande Oriente, temeroso de que a sorte de sua obediência corresse risco em face da perigosa concorrência do Rito Escocês. No dia 6 de setembro de 1805, 81 maçons se reuniram na residência do marechal Kellermann e denunciaram a concordata de 1804. Restabeleceram a Grande Loja geral escocesa, da qual Cambacérès tornou-se grande comandante em 1806, sucedendo ao conde de Grasse-Tilly.[40] A situação é, portanto, muito grave, pois Cambacérès é ao mesmo tempo grão-mestre adjunto do Grande Oriente. Segue-se uma resolução do Grande Oriente,[41] que em vez de solucionar o problema, complica-o mais ainda. Essa resolução permite

---

40 Cf. resumo muito claro, feito por P. NAUDON, *La Franc-Maçonnerie*, P.U.F., pp. 57-58.

41 "RESOLUÇÃO" — *artigo primeiro* — O grão-mestre retoma o exercício de todos os direitos que lhe cabem sobre todos os ritos; em consequência, só ele concederá as constituições e as letras capitulares de todos os graus.

As LL.·. e capítulos de sua área serão informados sobre essa decisão por meio de uma circular.

Artigo 2 — As LL.·. e capítulos que tiverem obtido constituições ou letras capitulares de qualquer outra autoridade, que não do Grande Oriente, estarão obrigadas a submetê-las ao seu visto (o qual será aposto sem despesa) no espaço de 81 dias, a contar da data de apresentação do presente; passado o prazo, as LL.·. e os capítulos que não se submeterem serão considerados irregulares.

Artigo 3 — Não existindo mais as causas que levaram à criação do grande diretório dos ritos, é e fica extinto o dito diretório; suas atribuições são delegadas à Grande Loja do conselho e de apelação.

Artigo 4 — A Grande Loja do conselho e de apelação apresentará no mais breve espaço de tempo um projeto de regulamento para execução do presente.

De cópia autêntica e de ordem
G. de Beaumont-Bonillon
Secretário-Geral

(Arquivos do G.·. O.·., peças relativas à concordata, Recueil Thévenot, biblioteca do presidente do Conselho da Ordem.)

Apud GASTON-MARTIN, *op.cit.*, p. 157.

e tem permitido ao Grande Oriente conferir àqueles que operam no seu seio os graus ditos escoceses, quando então os três primeiros graus praticados no Grande Oriente operam no rito francês, com exceção de algumas raras oficinas escocesas. Isso contraria todos os princípios iniciáticos, segundo os quais só deve existir um único ensinamento esotérico transmitido pelos ritos e pelos símbolos de um único rito. O Grande Oriente conseguiu, portanto, com esse ato de força, levantar uma torre de babel de ritos, o que é absolutamente contrário à iniciação maçônica, que é una.

A FRANCO-MAÇONARIA E AS SOCIEDADES SECRETAS DO IMPÉRIO

Constituíram-se durante o primeiro Império algumas sociedades secretas fora da Franco-Maçonaria, que, entretanto, lhe copiavam o modelo. Assim aconteceu, por exemplo, com a famosa congregação, provavelmente surgida da celebérrima Companhia do Santíssimo Sacramento que, sob Luís XIV, perseguiu Molière. Em sua tese, bastante documentada, mas intensamente facciosa, o R. P. G. de Bertier de Sauvigny, para explicar a adesão de seu antepassado à Franco-Maçonaria e mostrar como este último tirou partido da organização maçônica para sua própria organização, escreve sem provas: "O filho do intendente de Paris [F. de Bertier] vítima dos ardis do Grande Oriente [...]" e declara que para ele só havia "um meio de reparar o mal que haviam feito as sociedades secretas: combatê-las com as suas próprias armas".[42] Bertier indica, então, que seu antepassado e o irmão deste, Bénigne, foram admitidos na Loja *La Parfaite Estime* e, sem referências, cita uma carta extraordinariamente suspeita de Ferdinand, que declara: "Fomos ali admitidos [na Maçonaria] sem as provações preliminares, sem recepção e

---

42 G. de BERTIER DE SAUVIGNY, *Le comte Ferdinand de Bertier de Sauvigny (1782-1864) et l'énigme de la Congrégation*, Paris, Les Presses Continentales, 1948, p. 52.

sobretudo sem juramento, bem entendido, no último grau de todos, o de aprendiz. Foram-nos transmitidas as palavras de ordem, as palavras de passe e os sinais franco-maçons".[43] Para quem possui certa noção do que é a Franco-Maçonaria esse texto parece inverossímil. Uma carta de Bénigne de Bertier, conservada nos arquivos nacionais e citada muito abreviadamente por de Bertier,[44] mostra que os dois senhores foram, pelo menos durante certo tempo, maçons devidamente iniciados e perfeitamente regulares.[45] Ferdinand de Bertier soube organizar a congregação segundo o modelo maçônico. Não é preciso dizer que a congregação, sociedade católica e sobretudo política, não podia tomar da Ordem senão seu aspecto mais externo, quer dizer, destituído de todo interesse no plano espiritual e esotérico que nos interessa aqui.

Um dos aspectos mais interessantes a ressaltar é o da criação de Lojas por prisioneiros franceses, durante as guerras imperiais, até mesmo nas famosas barcaças inglesas.[46] Assim nos é dito com

---

43 *Id., ib.*
44 *Id., ib.*, p. 52, nota 13.
45 A carta é dirigida a "A Monsieur L. B., rue St. Guillaume, nº 15". Eis o seu teor: "Loja da perfeita estima e∴ sociedade olímpica. Or∴ de Paris, 21º dia do 1º mês do ano da V∴ L∴ 5807 e da era vulgar, 21 de maio de 1807.
C∴ Ir∴
O venerável Ir∴ Simon, em um dos comitês anteriores de administração, fez a leitura da prancha que lhe dirigistes, pela qual lhe comunicais vossa demissão, como a do vosso caro Ir∴ Ferdinand, da R∴ L∴. Foi feita também a leitura numa reunião da L∴ e todos os Ir∴ testemunharam o afeto que tinham por vós e o pesar que experimentavam em face da perda de tão bons Ir∴ A L∴ decidiu por unanimidade que eu fosse encarregado de exprimir em seu nome quanto lhe era sensível essa perda e quanto deseja que uma estada menos prolongada no campo vos permita voltar brevemente para vos reunir aos vossos Ir∴ O Ir∴ tesoureiro está encarregado de vos dar quitação de 90 lib. pelo restante da cotização do C∴ Ir∴ Ferdinand. Por ordem da R∴ L∴, Vosso devotado Ir∴ Richard (supervisor)".
(*Archives nationales*, F7, 6488.)
46 Cf. Henri MALO, *Les Corsaires*, Paris, Mercure de France, 1908, pp. 155-156.
A. Lantoine observa que possui "um diploma concedido, num navio, a um neófito tornado mestre por sete maçons, tendo assinado cada um com a indicação de sua Loja" e conclui: "Creio [...] que essas Lojas ajudaram na difusão do pensamento francês no exterior". (Carta inédita de Albert Lantoine, em 27 de julho de 1925; coleção do autor.)

referência à Ordem do Leão, segundo as *memórias* de um recruta de 1808, recolhidas e publicadas por Philippe Gille (Paris, Victor Havard, 3ª ed., 1892), nas quais o autor, que assina L. F. G., nos conta que, sendo prisioneiro de guerra no castelo de Portchester (com outros 7 mil franceses), tomou conhecimento de uma Loja criada nesse local de detenção.[47] Em seguida, relata que após sua iniciação na Maçonaria, em 24 de junho de 1812, tornou-se cavaleiro da Ordem do Leão, da qual era membro o general Malet, autor da conspiração de 1812. A Ordem do Leão, sobre a qual sabemos muito pouco, possuía um ritual e um catecismo[48], no qual se lia quando da recepção do neófito: "Não vistes nada de novo? — Uma caverna num antro profundo e tenebroso. — Vede se quereis fazer vossa terceira viagem, pois dela tereis a decisão de vossa vida e de vossa morte. — Sim. — Assim sendo, grande Prior, dai-lhe essa clava e o conduzi à caverna para ali dar combate ao monstro. (O G∴ Prior o conduz à caverna e lhe ordena que bata várias vezes num tamborete acolchoado. Enquanto ele bate, é preciso que um cavaleiro se jogue no chão, se agite e imite os urros de um leão moribundo. Depois disso, o G∴ Prior reconduz o recipiendário ao capítulo e o G∴ M∴ lhe pergunta: ele cumpriu seu dever? — Sim, Ill∴ G∴ M∴, ele cumpriu seu dever, derrubou e matou o leão. — Apunhalou também o traidor? — O traidor já estava morto. — Grande Prior, conduzi mais uma vez o irmão à caverna e o fazei ver o leão que ele matou e o traidor privado de luz [...] etc.".[49] Vê-se bem, nesses breves extratos do ritual de recepção, tratar-se de uma desastrada paródia e, ressalta-se, sem qualquer sinal de verdadeiro esoterismo dos graus de vingança salomônicos do Rito Escocês Antigo e Aceito.[50] O catecismo da

---

47 Sabemos que Lojas dessa espécie foram criadas e funcionaram não só nos *Stalag* e nos *Oflag* alemães entre 1940 e 1945, como também nos campos da morte nazistas.
48 Cf. O. WIRTH, "L'Ordre du Lion", em *L'Accacia*, janeiro de 1909, edição especial, pp. 6-13.
49 *Id., ib.*, pp. 9-10.
50 Cf. RAGON, *Tuileur général de la Franc-Maconnerie*, pp. 114-117. Ver tam-

Ordem do Leão põe questões e dá as seguintes respostas: "Sois cavaleiro do leão? — Sim, sou. — Quem me certificará disso? — Meus sinais, palavras e toques... — Como fostes recebido? — Matando um leão com quatro golpes de clava e dele recebendo outro tanto. — Quem era esse leão? — Um animal feroz que encontrou um assassino e o dilacerou. — Como se chamava esse assassino? — *Chrisoppe*.[51] Por que vos tornastes cavaleiro do leão? — Para percorrer as montanhas do norte e do sul e vingar um rei".[52] Estamos, portanto, diante de uma sociedade totalmente profana e política (a expressão *vingar um rei* indica objetivos e uma causa precisa, o que para nós é um raio de luz: a participação do padre Lafont, membro da congregação realista, no caso Malet, cavaleiro do leão) e a inepta observação[53] de Oswald Wirth mostra quanto é destituído de senso crítico, e seu pífio esoterismo. A esse gênero de sociedades liga-se o grupo dos *Philadelphes* e dos *Adelphes*, que se fundiu na *Sociedade dos Sublimes Mestres Perfeitos*, que acharam sua direção num curioso grande firmamento parisiense,[54] no

---

bém: *Os mais secretos mistérios dos graus superiores da Maçonaria revelados ou o verdadeiro Rosa-Cruz*, traduzido do inglês, seguido do Noaquita, traduzido do alemão. Em Jerusalém, de Imprimerie des Amis de la Vérité, 1782, pp. 53-55 (catecismo do eleito perfeito). Esse livro seria atribuído a Koppen e teria sido traduzido pelo Ir∴ Bérage. (Cf. KLOSS, *op. cit.*, p. 133.)

51 O. Wirth escreve: *"Chrisoppe* é por excelência o espírito falso, desprovido de juízo e por conseguinte incapaz de compreender as leis da harmonia social etc." (*op. cit.*, p. 14).

52 O. WIRTH, *op. cit.*, p. 13.

53 "É surpreendente que o Rito Escocês que nos conservou tantos graus insignificantes não tenha sonhado em anexar um grau mais interessante que muitos outros..." (O. Wirth, *op. cit.*, p. 14). O esoterismo (?) de Wirth era de ordem moral, quer dizer, muito contingente. Com exceção de um estudo laborioso dos Tarots, esse escrito, por sinal muito prolixo, ficou preso ao ocultismo bastante turbulento do fim do século XIX.

54 L. DE LANGRES, *Histoire des sociétés secrètes de l'armée et des conspirations militaires qui ont eu pour objet la destruction du gouvernement de Bonapart*, Paris, in-8º, 1815. André Bouton demonstrou de uma maneira irrefutável que essa obra bastante curiosa tinha sido publicada por C. Nodier, sob o título: "Souvenirs et portraits. Épisode de la Révolution et de l'Empire" (cf.

qual o general Malet desempenhou importante papel.[55] Falaremos pouco para não fugir de um certo modo de nosso lema sobre essa *Ordem do Templo Moderno*, fundada, em 1804, por Fabré-Pélaprat e que subsistiu até pouco tempo.[56] Fabré-Prélapat, médi-

---

A. BOUTON, *Les Francs-Maçons manceaux et la Révolution française* (1741-1815), Le Mans, 1958, p. 267, nota 9).

55 Seria bom que todos aqueles que se interessam pelo caso Malet, num plano original, consultassem não só a série F7 6499-6501 dos arquivos nacionais, mas também as fichas AA 313-316 dos Arquivos da prefeitura de polícia. Há descobertas singulares a serem feitas, contanto que se tenha, bem entendido, um conhecimento bastante profundo da vida e dos usos e costumes da Franco-Maçonaria e das sociedades paramaçônicas da época.
56 "*Aviso*. P. 0. R. 00. P. 000. R. 0000. Conjunto: 0.
Nota. Esse aviso pode ser feito segurando mutuamente as mãos e apertando tantas vezes quantas o exijam quer a pergunta, quer a resposta.
Sinais. P. — Saudar-se mutuamente, elevando-se as mãos à altura dos ombros e abaixando-os para a frente.
R. — Elevar mutuamente, à altura do rosto, a mão direita fechada, fazendo destacar o dedo onde está o anel.
Dizer juntos: *Adonai, consummatum est*.
P. — *Quando fostes regenerado?*
R. — No século XIV.
P. — *Em que ano?*
R. — Em 1314.
P. — *Que dia?*
R. — No dia 18 de março.
P. — *Que batismo recebestes?*
R. — O batismo do fogo.
P. — *Onde foi posto o fogo?*
R. — Por cima das águas.
Fazer então o sinal de união M, soletrando por monossílabos as palavras *At-an-na-tos-el-ey-son*.
Dizer, em seguida, um ao outro: *Pax tecum*.
Conclui-se, pela descrição, um M, o outro I, e, se o lugar permitir, abraçam-se dizendo: V. D. S. A. (Viva Deus, Santo Amor!).
Explicar o hieróglifo.
Indicar os sinais falsos.
NOVIÇO. — *Aviso*. P. 0. R. 00. Conjunto: 0.
Nota. Pode-se fazer o aviso, apertando-se mutuamente a mão direita etc.
Sinais. P. — Levantar o braço esquerdo horizontalmente e dizer: *grande* ou *magnus*.

co meio charlatão meio iluminado, foi autorizado como "regente da Ordem Secreta dos Templários" a celebrar o aniversário da morte do último grão-mestre do Templo, Jacques de Molay, na igreja São Paulo, em Marais: "A cerimônia teve caráter oficial e por ordem do imperador para ali foi enviado um regimento de infantaria, com a finalidade de render honras aos titulares dessa ordem, vestidos em seus trajes típicos [...] A missa foi celebrada e a oração fúnebre pronunciada pelo coadjutor geral, o padre

---

R. — Levar a mão direita ao coração, com os dedos recurvados; abaixar-se, levar a mão direita ao joelho esquerdo e dizer: *elouck*.

P. — Levar a mão esquerda fechada ao lado esquerdo e dizer: *chabal*.

R. — Levar a mão direita aberta sobre a testa, com a palma para a frente e dizer: *mestre* ou *magister*.

Juntos: Fazer os dois sinais ao mesmo tempo, dizendo: V. D. S. A.

Nota. Soletram-se as palavras *elouck* e *magister* por letras, metade cada uma. (Nomes de religião; maneira de sinais.)

SERVO HOSPITALEIRO. — Aviso. P. 0,000. R. 00000, 0.

Nota. Faz-se também tomando-se mutuamente a mão direita etc.

P. — *Quem sois vós?*

R. — Servo dos pobres.

P. — *Qual é vosso dever?*

R. — Obedeço e guardo silêncio.

P. — *Qual é vossa divisa?*

R. — Respeito e submissão.

P. — *Respeito?*

R. — Fidelidade.

P. — *Silêncio?*

R. — Submissão.

Sinais. P — Cruzar os braços sobre o ventre.

R. — Inclinar a cabeça, bater-se três vezes sobre o peito.

Ortodoxia

CAVALEIRO. — P. *Bernard*.

R. — Monos.

P. — *Unidade*.

R. — Unidade.

P. — *Unidade*.

R. — Unidade.

Sinais ✠, percorrendo os lábios com os dois dedos indicadores e o polegar de uma das mãos; o outro faz o mesmo com a mão contrária.

Diz-se: *bem*.

Clouet, que trazia o cinturão e o capucho e ostentava o grande cordão de seda vermelha, semelhante ao da legião de honra, só que era bordado de branco e usado da direita para a esquerda".[57] A nova ordem não tinha provavelmente nenhuma filiação com a da Estrita Observância, mas no fundo retomava as ideias e os objetivos do célebre barão de Hund. Um tal de Le Blond, que se assinava modestamente Auguste Savinien de Lorraine, exclamava em 1810, quando da entronização de Henrique-Luís da América: "Creio já ver a Ordem do Templo recuperar seu antigo esplendor e cumprir o objetivo de sua instituição, prestando assinalados serviços ao soberano, à pátria e a todos os infelizes".[58] E canções em versos medíocres ressaltavam o ingênuo desejo de restaurar a Ordem do Templo, desaparecida para sempre (pelo menos na França) desde 1314[59]. Essa pseudo-

---

R. — Está bem. Juntos: *unidade*.
ESCUDEIRO. — P. — *melhor*.
R. — Melhor. Juntos: *ortodoxia*.
Bater-se com a mão direita sobre o ombro esquerdo.
PORTA... — P. — *Submissão*.
P. — Submissão. Juntos: *submissão*.
R. — Bater *idem*, com a mão esquerda.
CAVALEIRO-ADEPTO — P. — *Devotamento*.
R. — Fidelidade. Juntos: *Caridade*.
INICIADO SIMPLES. — P. — *Esperança*.
R. — Constância. Juntos: *caridade*.
Sinal de *mutismo*: Levar a mão aberta à boca e retirá-la na forma de saudação".
(J. M. RAGON, *Le Tuileur des chevaliers du Temple, Manuel de l'Initié*, pp. 229-231.)
57 G. MAUGUIN, *op. cit.*, pp. 196-197.
58 Acte d'Intronisation de S. A. E. T. G. T. P. et T. E. P. S. S. M. Henri Louis d'Amérique, lieutenant-général, P. S. de l'Ordre du Temple, Paris, de l'Imprimerie de J. B. Poulet, 692-1810, p. 24 (Coleção do autor).
59 Cantata:
"Dedicada à convenção geral na pessoa de seu presidente, o ilustríssimo cavaleiro Bernard Raymond Fabré, grão-mestre da ordem
Pelo cavaleiro Gabillot
Música do Irmão Parenti

-ordem templária tem apenas uma longínqua relação com a franco-maçonaria, mas as análises parciais que realizamos do assunto[60] não são destituídas de um interesse totalmente profano,

>Coro
>Generosos cavaleiros defensores do santo Templo
>ao universo ofereceis um virtuoso exemplo
>invocado o eterno neste augusto dia
>pelo canto reverenciado V. D. S. A. (Viva Deus, santo amor,
>grito de guerra dos templários.)
>Salve, salve, salve, príncipes magnânimos
>que do crime enfrentando os complôs odiosos
>em meio aos perigos, por meio de esforços sublimes
>Conservam de nossos direitos os títulos preciosos.
>>França, tu deves ao seu gênio
>>esses cavaleiros que
>>por seus feitos de arma valorosos
>>empolgaram a Europa e fazem tremer a Ásia.
>Ó tu, de um século ingrato vítima ilustre e cara
>Molai! do alto dos céus lança um olhar de pai
>Sobre esses nobres guerreiros, que se tornaram teus filhos
>Ama-os, eles jamais esqueceram seus juramentos
>Sob tua bandeira que juram defender.
>>Vê teus ciprestes que se transformam em loureiros
>>Vê teus altivos templários
>>Renascer de suas cinzas.
>Santo amor, que a viva luz de teus fogos
>ilumine os mortais cegos pelo erro
>e brevemente sobre toda a terra
>O Templo retome seu antigo esplendor!...
>>Com esta poderosa proteção
>>Sê para aquele que te serve de guia
>>Uma ajuda eterna e imortal
>>O apoio do trono e do altar".

(*Archives Nationales:* A B XIX, ficha 125.)

60 Sobre a ordem dos neotemplários, ver: *Archives Nationales*, A B XIX, fichas 125-158 (as primeiras fichas são as últimas na ordem cronológica). G. VAN RIJNBERG. *Épisodes de la vie ésotérique*, Lyon, 1948; R. P. HÉLYOT, *Encyclopéédie des ordres monastiques*, Paris, 1856; G. H. MAILLARD DE CHAMBRUN, *Règles et Status secrets des Templiers précédés de l'histoire de*

do mesmo modo que o estudo que um historiador, amante de curiosidades, nos oferecerá um dia, que esperamos esteja próximo, sobre o próprio Fabré-Pélaprat.[61]
O Império ruiu provisoriamente em 1814 e definitivamente em Waterloo, no dia 18 de junho de 1815. Período aparentemente calmo para a Maçonaria se tomarmos por base os almanaques oficiais e as canções de mesa. Temos a impressão de ver borbulhar em torno da Ordem, regularmente iniciática, todo o mofo de pequenas sociedades mais ou menos misteriosas de fins políticos ou lucrativos: Ordem do Leão, filadelfos, ordem moderna (!) dos templários, que são um dos sinais dos tempos. Com o desaparecimento do imperador, o período contemporâneo começa com a sua desordem, suas contrafacções, suas paródias, suas pseudo e contrainiciações. Felizmente, em meio a esse caos, permanece a ordem com a sua iniciação autêntica e o seu objetivo de realização espiritual individual, que, infelizmente, certos franco-maçons do século XIX e mesmo do século XX, vão tentar, consciente e, muitas vezes, inconscientemente, mas em vão, fazer desaparecer.

---

l'établissement, de la destruction et de la continuation moderne de l'Ordre des Templiers, Paris, 1890; *Annales de la Religion*, VI, 44-46; XI, 423; XII, 24-31; XIII, 139; XIV, XV, XVI; *Correspondance* (interessa sobretudo Mons. MAUVIEL); A BOUTON, "Les Néo-Templiers", em *Le Symbolisme*, 1953, pp. 367 ss.; A. LANTOINE, *La Franc-Maçonnerie dans l'État*, pp. 402 ss., e *La Franc-Maçonnerie chez elle*, pp. 275 ss. (superficial); CLAVEL, *Histoire pittoresque de la Franc-Maçonnerie*, p. 217; J. BOSSU, "Noblesse et Maçonnerie", em *Intermédiaire des Chercheurs et des Curieux*, julho de 1958, p. 627.
61 Sobre FABRÉ-PÉLAPRAT, além das fontes de arquivos indicadas na nota 59, ver: padre ROCHE: *Sciences historiques de prétendus réformateurs*, Paris, 1834; *L'Ami de la religion*, n^{os} de 30 de junho de 1831, de 26 de abril de 1832, de 9 de agosto de 1833 e de 3 de março de 1838; Pierre l'Ermite (Mons. LOUTIL), *Contemporains*, 15 de abril de 1894; FELLER, *Dictionnaire historique*, 1848, t. III, pp. 463 ss. O livro reeditado recentemente de J. CHARPENTIER, *L'Ordre des Templiers*, Paris, 1962, é um amontoado de erros, de contraverdades e de hipóteses quase delirantes. Ver também o interessantíssimo e recente opúsculo de I. DE LA THIBAUDERIE, *Église et évêques catholiques non-romains*, Dervy, 1962.

8. A Franco-Maçonaria nos séculos XIX e XX

O século XIX, que foi para alguns o triunfo do positivismo, a glorificação do método experimental tão caro a Claude Bernard — quer dizer o estudo do *comment*? jamais, porém, do *por quê?* —, a idolatria de um progresso científico e moral que não vivificava de modo algum a *consciência* preconizada por F. Rabelais, quer dizer o verdadeiro conhecimento tradicional, foi para outros um *século estúpido* e, pior ainda, em seus últimos anos, o ponto crucial da passagem do *satélite sombrio*.

O século XX continuou, acentuou e agravou o que o século XIX havia começado. A confusão mental, psíquica, verbal tornou-se inexprimível. A torre de babel aumentou 125 andares em menos de 63 anos. Isso é apenas uma simples e amarga constatação que muitos outros antes de nós, e em particular René Guénon, fizeram e denunciaram sem, todavia, fazer eco. O barulho terrível que fazia o mundo impedia que a voz tímida dos sábios aflorasse ao nível das consciências.

No plano que nos interessa aqui, não se pode negar que a Franco-Maçonaria conheceu, em cinquenta anos, uma degenerescência acentuada. O templo secreto tornou-se um fórum público e as querelas, tolas, das obediências tentaram substituir os ritos e os símbolos. A floresta de palavras, opulenta e invasora, escondeu, durante certo tempo, a árvore gigantesca da qual tinham saído os dois ramos imortais do companheirismo e da Franco-Maçonaria.

Em meio, porém, às criações novas de ritos (como se fosse possível a criação desse gênero no século da máquina e do robô), sobreviveu, no imenso oceano de dúvidas, inquietações e erros, a arca da aliança, aquela mesma que, em seu *navio* de cedro, guiada pelo patriarca Noé, aportara outrora, com todos os seus segredos e todas as suas promessas, sobre uma longínqua montanha do oriente próximo.

É normal que num período de dissolução geral, como a que vivemos, sobreviva, entretanto, a centelha iniciática, semelhante à parcela de fogo divino que os primeiros homens conservavam, ao preço de algumas dificuldades, no abrigo de algumas pedras secas, grosseira e penosamente amontoadas.

O RITO DE MISRAÏM

O Rito Cernau não pudera impor-se na França.[1] O Rito de Misraïm teve melhor sorte, apesar de muitos dissabores de toda espécie. Segundo algumas fontes dificilmente controláveis,[2] teria

---

1 Sabe-se muito pouco sobre esse rito. Joseph Cerneau (nascido em Villeblerin em 1763) foi iniciado em São Domingos no Rito Escocês de Perfeição. Após diversas aventuras, fixou-se em Nova Iorque, onde, em 1805, criou um Supremo Conselho do 33º grau, do qual se nomeou ele próprio grande comandante, secretário e tesoureiro. Pouco depois o Grande Oriente da França reconheceu esse Supremo Conselho. O Ir∴ Emmanuel de la Motta, membro do Supremo Conselho de Charlestown, foi estar com ele para tratar do assunto e verificou que Cerneau "estava completamente alheio aos sublimes conhecimentos do 33º grau". E não poderia ser diferente. Cerneau constituiu, em 5 de agosto de 1813, o Supremo Conselho de Nova Iorque, cujo grande comandante foi o vice-presidente dos Estados Unidos, o Ir∴ Tomkins. O Ir∴ Cerneau praticou um tráfico vergonhoso de graus e diplomas maçônicos e caiu em descrédito total. Em 1831 pôde conseguir um pouco de dinheiro necessário para voltar à Europa, que lhe foi oferecido pela Grande Loja de Nova Iorque. A partir daí, não se sabe mais nada a seu respeito. As brigas dos sucessores de Cerneau duraram muito tempo. Elas não têm nenhuma importância quanto ao plano iniciático, o único que nos interessa neste livro, e só dependem da contingência obediencial. Parece, entretanto, que o rito Cerneau, sobre o qual, do ponto de vista iniciático conhecemos tão pouco, obteve certo sucesso no sul da França.
2 K. H. LÉOBERICH, "Le Rite Écossais de Memphis et de Misraïm (Cerneau--New York) et sés représentants en Allemagne", em *Freie Glocken* (Os sinos livres), Leipzig, 1907 (cf. *L'Acacia*, julho de 1935, nº 3, vol. VI, p. 84).

sido em 1805, em Milão, que maçons, de reputação duvidosa e que não podiam ser admitidos no Supremo Conselho de Milão, teriam fundado o *rito chamado de Misraïm*. J. M. Ragon, que fez parte dos adeptos desse rito de 1814 a 1817, conta-nos, em seu *Tuileur général*,[3] suas desgraças e classifica Misraïm de "rito monstro", para cuja formação seus autores foram beber nas fontes do Escocismo, do Martinismo, do hermetismo, do templarismo (*sic*) e nas reformas maçônicas.[4] Um personagem chamado Lechangeur teria sido "encarregado de reunir os elementos necessários, de classificá-los por graus e categorias e de elaborar um projeto de estatuto. No início, os adeptos não podiam ir além do 87º, representando os graus 88º, 89º e 90º o coroamento do sistema, reservados a "chefes desconhecidos".[5] Esse rito propagou-se no norte da Itália e no reino de Nápoles. O capítulo de Rosa-Cruz *La Concorde*, Vale dos Abrúzios, adotou igualmente o Rito de Misraïm e o Ir∴ Bègue-Clavel, comissário das guerras, recebeu um diploma desse capítulo em 1811, assinado pelo Ir∴ Marc Bédarride, "que então não possuía mais do que 77 graus"[6] e não 87, como diz o autor que se esconde sob o pseudônimo muito transparente de Akim Haemeth.[7] Foi provavelmente em 1814 que os I∴ Joly e Bédarride introduziram o Rito Misraïm na França. Segundo Kloss,[8] Michel, Marc e Joseph Bédarride, originários de Avignon, foram os promotores do rito. Michel teria sido "um oficial do Estado-Maior, que, durante as campanhas na Itália, tinha conseguido uma coleção de graus egípcios, com os quais quis dotar seu país".[9] Os irmãos Bédarride ofereceram seu sistema de graus egípcios, baseado nos três primeiros graus simbólicos da Maçonaria escocesa (todavia com algumas variantes nos sinais da ordem), a um certo número de franco-maçons franceses, entre os quais se encontravam o conde Muraire, presidente da corte de cassação e

---

3 J. M. RAGON, *Tuileur général de la Franc-Maçonnerie*, pp. 234-252.
4 *Id., ib.*, p. 235.
5 *Les Annales maçonniques universelles*, julho de 1935, nº 3, vol. VI, pp. 84-85.
6 J. M. RAGON, *op. cit.*, p. 235.
7 *Les Annales maçonniques universelles, op. cit.*, p. 90.
8 KLOSS, *Histoire de la Franc-Maçonnerie en France*, passim.
9 Ir∴ BOUBÉE, *Souvenirs maçonniques*, Paris, 1866, p. 53.

grande oficial do Grande Oriente, o barão Larrey, ex-cirurgião de Napoleão I, Thory, célebre autor de *Histoire du Grand Orient de France* e de *Acta Latomorum*. O Ir∴ Boubée, referindo-se a esses detalhes,[10] adere aos irmãos para aceitar esse novo rito, do mesmo modo que o Ir∴ J. M. Ragon.[11] Não nos é possível afirmar, como o faz Gaston-Martin, que esse rito constituía "uma maçonaria nova, de fins secretos e sem dúvida políticos, sob o véu do disfarce de seus inúmeros graus",[12] apesar das medidas policiais que foram tomadas em seguida contra as Lojas do Rito Misraïm,[13] ou como A. Lantoine que escreve: "Só ele [o Grande Oriente] ultrapassa os limites permitidos [...] pois, em 1822, o discurso de seu grande orador Richard, que engloba numa mesma reprovação Misraïm e o Supremo Conselho, retomando uma ideia já aventada no Grande Oriente, em

---

10 "Juntei-me a esses dignos Ir∴, para tomar conhecimento dos documentos preciosos que nos eram anunciados, *que deviam dissipar as trevas profundas que dizem respeito à verdadeira Maç∴ e nos levar ao conhecimento dos verdadeiros princípios maç∴, dos quais não tínhamos qualquer dúvida*, princípios que os homens da Antiguidade, nos diziam, tinham praticado." (Ir∴ BOUBÉE, *op. cit.*, p. 54.) Paul Naudon dá mostra de grande indulgência com relação a esse rito; tem-se a impressão de que não faz uma distinção cronológica e ritual muito clara entre os ritos de *Misraïm* e de *Mênfis*, quando escreve: "[Esses ritos] não estabelecem, todavia, suas fontes iniciáticas no esoterismo cristão, mas reivindicam, para retomar a tradição, os mais antigos cultos da humanidade, principalmente os dos egípcios. Em suma, são mais tradicionalistas que os tradicionais". (P. NAUDON, *La Franc-Maçonnerie*, Paris, P.U.F., 1963, Collection Que Sais-Je?, nº 1064, p. 105.) Na realidade, é forçoso dizer que o Rito de Misraïm não se apoia em nenhuma filiação iniciática regular, além dos três primeiros graus simbólicos, e que o conjunto de seus "graus superiores", ao contrário do Escocismo, só apresenta como origem um conjunto variado de leituras heteróclitas sobre a maior parte das iniciações antigas.
11 J. M. RAGON, *Tuileur général de la Franc-Maçonnerie*, pp. 236-237.
12 GASTON-MARTIN, *Manuel d'Histoire de la Franc-Maçonnerie française*, Paris, 1929, p. 162.
13 Cf. GASTON-MARTIN, *op. cit.*, p. 162 (carta de Franchet d'Espérey, diretor da polícia, ao prefeito do Alto Garonne, datada de 26 de julho de 1822). Ver também: "Une Loge de Misraïm à Besançon (1822)" em *Bulletin mensuel des Ateliers Supérieures* do Rito Escocês Antigo e Aceito, nº 4, abril de 1935, pp. 65-75 e nº 5, maio de 1935, pp. 86-91.

1817, pelo marechal de Beurnonville, chega quase a denunciar os misraïmitas aos poderes públicos como perigosos para a segurança do Estado. Mau sistema! A polícia se agita".[14] De qualquer maneira, os irmãos Bédarride obtiveram uma procuração-geral de um certo número de membros do Supremo Conselho, para um *conselho dos soberanos grão-mestres absolutos do 90º Grau*. Os irmãos Bédarride lançaram, então, em1816, uma proclamação anunciando a criação do *Supremo Conselho para a direção da ordem de Misraïm sobre toda a face da Terra*, e na qual o Rito de Misraïm é apresentado como *a raiz e a origem de todos os ritos maçônicos* e, mais ainda, como a única forma venerável e autêntica da Maçonaria, não passando todos os demais ritos de variações mais ou menos cismáticas.[15] O I∴ Mélat, historiador da antiguidade, foi encarregado pelos Bédarride de fabricar os rituais de Misraïm, inspirando-se, bem entendido, nos mistérios do antigo Egito.

"Os diferentes graus do sistema são divididos em quatro categorias: a primeira compreende os graus simbólicos; a segunda, os graus filosóficos; a terceira, os graus místicos, e a quarta, os graus hermetocabalísticos. Essas quatro categorias são, cada uma, subdivididas em dezessete classes, cada classe comportando diferente número de graus. As variações na designação dos diferentes graus devem-se às duas diferentes modificações introduzidas no sistema nas épocas consecutivas ao seu aparecimento. Assim, não é sem razão que o Grande Oriente da França, em seu decreto de 1817, ao interditar, pela primeira vez na França, o Rito de Misraïm, que declara irregular, faz observar que é impossível determinar quais graus já conhecidos e praticados anteriormente se escondiam, ora sob nomes hebraicos, ora sob os números indicados nas duas últimas séries. Essa falta pode ser facilmente explicada: no que diz respeito às duas primeiras séries, as classes simbólicas e filosóficas, tinham sido adotados e repartidos, numa escala de 66 graus, de um modo geral, os graus conhecidos dos antigos sistemas franceses, inclusive o Rito de Perfeição, enquanto que do 67º ao 80º grau, trata-se de acrescentar algo de

---

14 A. LANTOINE, *Histoire de la Franc-Maçonnerie française*, 1925, *passim*.
15 *Les Annales maçonniques universelles, op. cit.*, p. 85.

inédito, o de que não eram capazes não só os fundadores da ordem como seus auxiliares. O próprio estabelecimento da escala dos primeiros graus já não era tão fácil, conforme se depreende do resumo a seguir: no *Rito Escocês Antigo e Aceito*, que simboliza o emprego dos diversos instrumentos maçônicos, com vista a uma vida justa e perfeita, e a junção das artes livres à Maçonaria; o Rito de Misraïm, pelo contrário, compreende os seguintes graus de arquitetos:

22º pequeno arquiteto;
23º grande arquiteto;
24º arquiteto;
25º aprendiz, arquiteto realizado;
26º companheiro, arquiteto realizado;
27º mestre, arquiteto realizado;
28º arquiteto inglês realizado.

"Além disso, encontramos na sua hierarquia nada menos que seis diferentes graus de 'eleito', quatro diversos 'cavaleiros da águia', quatro 'maçons de chave' (I, II, III e IV), dois graus do 'caos silencioso' e outras coisas semelhantes."[16]

Sob o título de *L'Ordre Maçonnique de Misraïm, depuis sa fondation jusqu'à nos jours, son âge, ses luttes et ses progrès,* Marc Bédarride publicou uma longa obra de mais de oitocentas páginas, em cujo capítulo I se lê:

"O rito franco-maçom de Misraïm não é de modo algum uma instituição humana, como muitos acreditam. Embora essa opinião seja muito divulgada no mundo, nem por isso é menos errônea. Basta ser iniciado no rito, estudá-lo atentamente, para se reconhecer que só pode ser obra do Todo-Poderoso e não de um ser humano, dado que nada que é criado pelo homem é constante e fixo, mesmo as obras de arte que tanto admiramos e que o desgaste do tempo não respeita. Qual mortal, por mais espiritual que pudesse ser, teria podido conceber uma ideia tão magnânima, que é a criação de uma instituição tão útil à humanidade!

16 *Ib.*, p. 86.

"Qual mortal teria sido capaz de dotá-la desse caráter, dessa constância que lhe permitiram conservar-se imutável, apesar de todos os perigos, até nossos dias?

"Não, a inteligência de um homem não poderia ser tão grande para produzir semelhante criação, não seria suficiente para mantê-la, para acompanhar seus progressos e lhe assegurar o triunfo, principalmente propagando por toda parte suas máximas veneráveis, que os mais sábios dos homens de todos os países e de todos os tempos têm posto em prática.

"Após haver tudo criado e atribuído a cada coisa seu valor, vós vos dignastes, ó Eterno, chamar à vida nossa instituição, à qual destes o nome de Misraïm, para que se tomasse o depósito sagrado de todos os conhecimentos humanos. Plantastes sua árvore mística ao lado da fonte divina que, enfrentando todas as tempestades e todas as épocas, conservou-se até nossos dias em sua pureza, frescor e florescimento.

"Foi no 17º dia do primeiro mês do 17º ano que, após a criação do mundo, instaurastes o ilustre patriarca Adão como seu fiel guardião, encerrando no seu coração todos os segredos inscritos sobre os ramos dessa árvore, para que ele os pudesse legar à sua posteridade, que, por sua vez, os transmitiria, em toda a sua integridade, aos seus descendentes.

"Obedecendo às instruções recebidas do Eterno, Adão, primeiro e supremo grande conservador da ordem [sic], ajudado por seus filhos, que colaboravam com ele em todos os seus trabalhos, fundou a primeira Loja."[17] Existia, todavia, na França, em 1821, uma quinzena de oficinas do Rito de Misraïm; em 1822, 73 organismos, entre os quais sete Lojas e quinze Conselhos do 8º ao 86º graus, em Paris. A Loja-mãe parisiense de *L'arc-en-ciel* (*O arco-íris*), fundadora da Loja *Les Sectateurs de Zoroastre* (*Os Seguidores de Zoroastro*), passou por graves dificuldades internas, conforme testemunha uma brochura raríssima que possuímos, trazendo a assinatura do barão Larrey, 90º e a de F. T. Bègue-Clavel.[18] Toda-

---

17 *Ib.*, p. 87.
18 Coleção e extrato de peças relativas às circunstâncias que deram lugar à

via, outras Lojas foram fundadas: *As Doze Tribos, Monte Sinai, Filhos de Apoio, Sarça Ardente, Seguidores de Misraïm, Loja Inglesa dos Amigos Benfeitores.*¹⁹ O Rito de Misraïm, como se viu, propunha 90 graus a seus adeptos. Limitar-nos-emos a dar a nossos leitores a descrição toda marcada de romantismo da disposição da Loja para a recepção do 46º grau (9ª classe), isto é, cavaleiro Rosa-Cruz de Kilvinning e de Hérédom: "Para as recepções, se requer um ambiente amplo:

1º Uma antecâmara para a reunião dos Cav∴.
2º Uma sala, representando a esplanada do castelo e um lugar reservado ao recipiendário.
3º Uma sala de espaço fechado por paliçadas que ali defen-

exclusão de alguns membros dissidentes da ☐ (Loja) de Arco-Íris e a uma nova organização dessa ☐ coleção útil para a manutenção da disciplina maç∴ dirigida a todos os maçons regulares, Vallée de Paris, A∴ I∴ 5819 (1819), 31 p.
19 As cidades da França, nas quais havia oficinas misraïmitas, são as seguintes:
Metz, S. C. G., do 73º grau, grande presidente: L. Fontanis.
Genève, S. C. G., do 74º grau, grande presidente: Vincenot, livreiro.
Nancy, 70º.
Estrasburgo, 73º.
Clermont-Ferrand, Cav. de Arsonval, marechal de campo.
Lausanne, 73º e Loja, Demartines.
Tolosa, 70º, Cardes, arquivista da prefeitura.
Moulins, Loja *Isis*, Ven∴: Dertachez.
Bordeaux, S. C. G. do 73º, grande presidente: Laportes.
Montpellier, 67º, Vernhès, 486 rue Causet.
Tarare, 67º, Louis Marion.
Saint-Étienne, 67º, Delacour.
Rouen, 70º, Pétraye.
Roanne, 67º, Feurriyre, advogado.
Nîmes, 70º, Fontanès, farmacêutico.
Sedan, 45º e Loja *Les Amis Réunis*, Juillon, negociante.
Montauban, 70º, Pillat, Caixa da Receita Federal; secretário, Simon Marty, notário.
Grenoble, 70º, presidente: Razerat, advogado.
Lyon, diversos.
Em *Bulletin Mensuel des Atliers Supérieures*, nº 5, maio de 1935, p. 89. Oficinas com nomes dos veneráveis.

dem a entrada da torre, com uma mesa e duas cadeiras. Essa sala tem uma saída para a terceira sala; uma lâmpada antiga a ilumina. Dentro da torre, à esquerda, está uma porta figurada, significando a porta que conduz à caverna subterrânea que serve de prisão; ao lado, está um pedaço de coluna, no qual estão gravados estes três nomes: *Caim, Acam* e *Unni*.

4º Uma terceira sala, representando as valas do castelo; diante da porta está uma saída que conduz ao castelo por meio de uma ponte levadiça.

5º Uma quarta sala, maior do que as outras, representa o pórtico do castelo. Está pintada de verde. Banquetas são dispostas à direita e à esquerda para os Cav∴; perto da porta, estão os assentos para os guardiães. De frente está o trono do presidente, atrás do altar. Sobre o altar está o quadro da Loja, representando uma esfera armilar, o livro dos Evangelhos aberto no Evangelho de São João, um esquadro, um prumo e um nível, por cima dos quais encontra-se um compasso aberto. No meio da sala está um pedestal representando a base de uma coluna; entre o pedestal e o altar está desenhado o fuste da coluna, da qual o altar representa o capitel.

6º Uma quinta sala, tão grande quanto a anterior, deve ter uma comunicação para acesso, sem necessidade de atravessar as outras salas; está pintada de preto; à esquerda, ao entrar, veem-se um assento e uma mesa, com o esquadro e o nível para o primeiro guardião; adiante, um candelabro com uma folha transparente, na qual estão pintados os sete preceitos dos *Noaquitas;* à direita, o assento e a mesa com o prumo e o compasso para o segundo guardião; diante dele está também um candelabro com uma folha transparente, onde se lê o Decálogo. No fundo da sala está o trono do presidente, à esquerda; um pouco adiante, encontra-se um terceiro candelabro com uma folha transparente, em que se lê: *fé, esperança, caridade*. Mais adiante e à direita está um altar sobre o qual se encontram a Bíblia, uma régua e um castiçal de três pontas. Ao pé, uma almofada coberta de preto.

Por cima do trono, uma grande folha transparente escondida por uma cortina. Representa um martinete rendado, um cordeiro deitado sobre o livro dos sete selos; à sua direita, uma águia plaina no ar; à esquerda, um pelicano com seus filhotes, a pedra cúbica sobre a qual pousa uma rosa murcha, a estrela flamejante com o *iod;* à direita, um burro; à esquerda, um boi; todos os dois deitados com a cabeça virada para o lado da estrela, que é colocada entre as letras M∴ e J∴, e por cima um martelo de ponta.

7º Uma sexta sala da mesma dimensão é forrada de vermelho e resplandece de luz. Por cima do altar encontra-se uma folha transparente na qual foi pintada uma montanha, de onde corre um rio; na borda, há uma árvore com doze frutos. No pico da montanha está um pedestal, cujas fieiras de pedra são de doze pedras preciosas; por cima vê-se um quadrado, do qual cada face apresenta três anjos, por cima dos quais estão os nomes das doze tribos de Israel. Esse quadrado contém uma cruz sobre a qual está pintado um cordeiro.

O trono do presidente, os assentos dos Ofic∴ e dos Cav∴ estão dispostos como nas outras salas.[20] Por volta de 1848, Boubée se separa de Misraïm e funda "uma Grande Loja nova, sob o título de G∴ Or∴ dos Vales Egípcios",[21] do qual se tornou venerável e que durou doze anos. Os irmãos Bédarride tinham sido antes, em 1822 declarados em falência e, tendo o Grande Oriente obtido por meio policial a reunião dos membros do Rito de Misraïm, os trabalhos cessaram até 1831, data em que Marc Bédarride os retomou. O Rito de Misraïm, que já havia sofrido vários cismas, sobretudo em 1816, passou por uma crise muito grave em 1851. Fundou-se então uma segunda obediência de Misraïm sob a direção da Loja de Boubée, a Loja *Chapitrale Jérusalem des Vallées Egyptinnes,* operando ela própria sob os auspícios do Grande Oriente da França. Marc Bédarride morrera em 1846 e a Michel Bédarride (falecido em 1856) sucedeu na direção do rito o Ir∴ Hayère. O rito caiu então em marasmo e, em 1889, a ruptura foi

---

20 J. M. RAGON, *Tuileur général de la Franc-Maçonnerie,* pp. 272-273.
21 BOUBÉE, *op. cit.,* p. 56.

consumada entre ele e o Grande Oriente da França. Em 1897, Papus (Dr. Encausse) tentou despertá-lo e dois anos depois estourava um conflito "entre os dois últimos membros da direção geral da ordem".²² A ordem procurou em vão propagar-se na Bélgica, na Suíça e na Holanda. Conseguiu manter-se em Nápoles e em Palermo, todavia mais ou menos associada aos resíduos do Rito Cerneau e ao de Mênfis, do qual falaremos logo em seguida.²³ Um último esforço tentado em 1900, na França, pelos ocultistas e mais particularmente por Sédir, não conseguiu impedir seu desaparecimento por um longo período.²⁴ Segundo P. Naudon, o Rito de Misraïm era "ainda praticado antes da guerra, principalmente pela *Loja-mãe L'arc-en-ciel*" e "ressurgiu na França em 1956 sob o impulso de J. H. Probst Biraben".²⁵

O RITO DE MÊNFIS

Esse rito chamado também de Mênfis-Misraïm intitula-se "o herdeiro das tradições maçônicas do século XVIII, das quais conservou os sábios princípios, a força moral e a disciplina. Tem sua origem na Maçonaria Oculta dos Filaletes de Paris, dos Irmãos Arquitetos Africanos de Bordeaux, da Academia dos Verdadeiros Maçons de Montpellier, do rito de Pernety d'Avignon e, sobretudo, do Rito Primitivo dos Filadelfos de Narbonne".²⁶ Essa estranha enumeração das origens do Rito de Mênfis e atribuída à pena qualificada de um de seus mais eminentes membros marca bem a natureza absurda dessa sociedade. Parece que as fontes primeiras

---

22 *Les annales maçonniques universelles, op. cit.*, p. 90.
23 Os titulares do 33º grau do Rito Cerneau podiam ser imediatamente detentores do 90º grau de Misraïm e mesmo do 96º do Rito de Mênfis.
24 Ver SÉDIR, "La Kabbale", em *Les sciences maudites*, Paris, 1900, Éditions de la Maison d'Art, p. 74.
25 P. NAUDON, *La Franc-Maçonnerie*, p. 105.
26 J. BRICAUD, *Notes historiques sur le rite ancien et primitif de Memphis-Misraïm*, Lyon, 1938, 2ª ed., p. 4.

do Rito de Mênfis encontram-se no Rito Primitivo dos Filadelfos, constituído em Narbonne pelo celebérrimo marquês de Chefdebien, *Eques a Capite Galeato* na "Estrita Observância".[27]

Esse rito, dito de Narbonne, teria sido importado pelo Egito durante a campanha de 1798-1799 e uma Loja teria sido fundada no Cairo, na qual se teria iniciado Samuel Honis, que restabeleceu uma Grande Loja em 1815 em Montauban, chamada de *Les Disciples de Memphis* "com a ajuda de Gabriel Marconis de Nègre, do barão Dumas, do marquês de La Rocque, de J. Petit e Hippolyte Labrunie, antigos irmãos do rito. O grão-mestre era o Ir∴ Marconis de Nègre".[28] Esta primeira tentativa não foi bem-sucedida e foi em 1838 que Jean-Étienne Marconis de Nègre instituiu definitivamente o *Rito de Mênfis*. Jean-Étienne Marconis de Nègre (1795- -1868), filho de Gabriel Marconis, foi eleito seu grão-mestre e grande hierofante no dia 7 de julho de 1838. Esse rito pretendia "continuar todas as iniciações antigas mas reconhecia os Templários como fundadores imediatos",[29] o que seria inteiramente normal se o Rito de Mênfis nasceu com marquês de Chefdebien, pertencente ele próprio à Estrita Observância.

O rito compreendia inicialmente 91 graus,[30] depois 92 e 95,[31] que se compunham de três séries repartidas em sete classes. A primeira série vai do 1º ao 34º grau e "[...] ensina a moral, dá explicação dos símbolos, dispõe os adeptos à filantropia e leva-os a conhecer a primeira parte histórica da ordem [...] [a segunda série, do 36º ao 68º grau] ensina as ciências naturais, a filosofia da

---

27 Sobre esse rito, ver os três interessantes documentos publicados por Benjamin Fabre: *Un Initié des Sociétés Secrètes Supérieures: Franciscus, Eques a Capite Galeato* (1733-1814), Paris, La Renaissance française, 1913, pp. 10-11, 13-16 e 18-19.
28 J. BRICAUD, *op. cit.*, p. 4.
29 P. NAUDON, *op. cit.*, p. 105. Outras fontes querem que os membros do Rito de Mênfis se tenham atribuído como fundadores imediatos "os cavaleiros da Palestina ou Ir∴ Rosa-cruzes do Oriente". (J. M. RAGON, *Tuileur général de la Franc-Maçonnerie*, p. 309, que cita a obra logo a seguir, p. 6.)
30 Ver MARCONIS e MOUTTET, *L'Hiérophante*, p. 240, in-12, Paris, 1839.
31 MARCONIS, *Le Sanctuaire de Memphis*, 1840.

história e explica o mito poético da antiguidade. Seu objetivo é provocar a pesquisa das causas e das origens e desenvolver o sentimento humanitário e de solidariedade. [A 3ª série, do 69º ao 92º grau] [...] complementa o conhecimento da parte histórica da ordem; ocupa-se da alta filosofia, estuda o mito religioso das diferentes eras da humanidade e admite os mais audaciosos estudos filosóficos".[32] Esta simples enumeração revela ao mesmo tempo perfeito confusionismo verbal e mental, assim como uma preocupação importuna com o ocultismo naquilo que tem de mais perigoso e sinistro. A ordem era regida por cinco conselhos supremos: o santuário, o Templo místico, o colégio litúrgico, o soberano grande consistório geral e o supremo e grande tribunal dos grandes defensores da ordem. Em seguida a numerosas crises, o rito de Mênfis uniu-se ao Grande Oriente da França, que o admitiu no seio de seu grande colégio dos ritos e, em 1881, o general Garibaldi, herói da união italiana, foi eleito grão-mestre do rito (ele morreu em 1882). Não temos condições de seguir a evolução muito complexa desse rito,[33] o qual, além disso, só oferece um interesse muito relativo, tendo em vista suas origens mais ou menos irregulares.[34] P. Naudon observou muito recentemente o ressurgimento de Mênfis-Misraïm sob o nome de *Rito Oriental Antigo e Primitivo de Mênfis,* operado na França por J. H. Probst-Biraben, em 1947. "Seus objetivos", escreve P. Naudon, "se resumem na *busca das leis da natureza e de suas relações com os homens e o plano divino,* e seus adeptos se proclamam *os verdadeiros sucessores dos pesquisadores da grande obra esotérica aceitos entre os companheiros operativos.*"[35]

---

32 *Apud* J. M. RAGON, *op. cit.,* pp. 309-310, 311 e 312.
33 De 1908 a 1916, os grão-mestres da França foram Papus (Dr. Gérard Encausse), de 1916 a 1918, Teder (Charles Détre), de 1918 a 1934, Jean Bricaud, e a partir de 1934 Constant Martin Chevillon, nascido em 26 de outubro de 1880, assassinado pela milícia do governo de Vichy no dia 25 de março de 1944. O Ir∴ Chevillon foi também grão-mestre da ordem martinista.
34 Os Ritos de Misraïm e de Mênfis fundiram-se em 1899, pelo menos um certo número de oficinas.
35 P. NAUDON, *op. cit.,* p. 106, referindo-se ele próprio a um artigo aparecido em *La Chaîne d'Union,* nº de junho de 1958, p. 541. Em outro artigo dessa mes-

RITOS FLORESTAL E CARBONÁRIO

"O Céu é seu pai, a Terra é sua mãe", tal é a fórmula iniciática, sempre idêntica a si mesma nas circunstâncias mais diversas de tempo e de lugar [...]"[36], escreve René Guénon e, com sua grande perspicácia e inteligência vivaz, observa: "Encontram-se mesmo os vestígios [dessa fórmula iniciática] até no ritual de uma organização tão completamente desviada para a ação externa como é o carbonarismo; esses vestígios tornam-se incompreensíveis em semelhante caso, testemunhando a origem realmente iniciática de organizações chegadas assim a um extremo grau de degenerescência".[37]

É precisamente por causa dessa tradição iniciática que temos certo interesse por aquilo que se denominou na Itália de Carbonária, e daí, pela Carbonária da França.

Vimos nos capítulos anteriores e demonstramos que o Escocismo era originário de uma Maçonaria ou, em última hipótese, de um rito florestal. Os distantes antepassados desses carbonários, que se tornaram célebres sob a Restauração (1815-1824), mas no plano puramente político, portanto, profano, estão ligados aos ritos dos lenhadores e dos bons primos carvoeiros. E não é menos verdade, ao contrário dos *Iluminados da Baviera* (e é por isso que não falamos ainda deles), que é impossível fixar uma origem *histórica* para o carbonarismo. É absolutamente certo, no que diz respeito a este

---

ma revista (n⁰ 5, fevereiro de 1956-1957), podemos ler na página 300 (*Quelques mots sur Menphis*) que o Rito de Mênfis "não considera para a afiliação senão a qualificação maçônica, sem qualquer consideração de regularidade administrativa. O Rito não recusa a entrada no Templo a um maçom eliminado em outra associação maçônica se essa eliminação ocorreu por um delito de direito comum ou pela inobservância dos antigos *landmarks*; segundo esse costume, o Rito de Mênfis não reconhece as decisões da justiça profana em matéria de delitos de opinião". Em 1959, os dois ritos, de Mênfis e de Misraïm, fundiram--se novamente num *Supremo Conselho das Ordens Maçônicas de Mênfis e de Misraïm reunidos* (cf. *La Chaîne d'Union*, janeiro de 1960, pp. 224 ss).
36 R. GUÉNON, *La grande triade*, Paris, Gallimard, 1957, 3ª ed., p. 82.
37 *Id., ib.*, p. 82, nota 1.

último, "que seus rituais apresentam claramente o caráter de uma *iniciação de ofício*, aparentado como tal à Maçonaria e ao companheirismo; mas, enquanto estes conservaram sempre uma certa consciência de seu caráter iniciático, por mais que tenha sido enfraquecida pela intromissão de preocupações de ordem contingente, parece (embora não se possa jamais ser absolutamente afirmativo nesse sentido, podendo alguns membros que não são necessariamente os chefes aparentes se constituir sempre em exceção à incompreensão geral sem deixar transparecer nada a esse respeito) que o carbonarismo tenha levado a degenerescência ao extremo, a ponto de não ser mais do que uma simples associação de conspiradores políticos, cuja ação é conhecida na história do século XIX. Os carbonários se misturaram então com outras associações de fundação recente e que nada tinham de iniciático, embora, por outro lado, muitos deles pertencessem ao mesmo tempo à Maçonaria, o que se pode explicar tanto pela afinidade das duas organizações como por uma certa decadência da própria Maçonaria, que ia no mesmo sentido, embora menos longe, do carbonarismo.[38]

É mais ou menos certo que a Carbonária venha dos lenhadores, ao contrário do que aventa Ragon,[39] pois é claro que nas florestas se inicia cortando a lenha para dela se fazer depois o carvão. Não nos é possível, por falta de documentos, remontar no tempo até os "lignari" (cortadores de lenha), "homens dos bosques", rachadores de lenha, os "descascadores", levantadores e carregadores, sobre os quais não possuímos nenhum vestígio, e seus descendentes imediatos — os carvoeiros: Theuriet escreve: "Nada é mais altivo que um carvoeiro que se aquece junto ao seu braseiro; ele tem a floresta por casa e o céu por janela". Isso lembra a frase iniciática que citamos no início desta seção. Os carvoeiros, diz a tradição oral, davam-se entre si o título de *primos*, que o rei da França reservava exclusivamente a altos dignatários. Quer a tradição que o rei Francisco I tenha surpreendido, uma noite, na floresta de Fontainebleau, uma reunião de bons

---

38 R. GUÉNON, *Aperçus sur l'initiation*, Paris, 1953, 2ª ed., p. 84.
39 J. M. RAGON, *Tuileur général de la Frac-Maçonnerie*, p. 317, nota 1.

primos carvoeiros e que se teria sentado involuntariamente no cepo do padre mestre (no lugar do presidente da assembleia). O padre mestre voltando com seus "bons primos" teria intimado o rei a abandonar o lugar ocupado abusivamente, exclamando: "O carvoeiro é senhor em sua casa", fórmula transformada em provérbio. Em seguida o padre mestre, a pedido do próprio rei, o teria iniciado nos ritos dos carvoeiros. Isso explicaria por que esse rei baixou certos decretos favoráveis aos habitantes das florestas. As origens "históricas" da Carbonária, segundo Héron Lepper,[40] seriam as seguintes:

"Durante os tumultos irrompidos na Escócia no tempo da rainha Isabel, muitos procuraram nos bosques o refúgio contra a tirania. Ali se dedicavam à fabricação do carvão vegetal e, a pretexto de vender seus produtos, introduziam-se nas aldeias onde se comunicavam com seus partidários. Na floresta habitavam casas na forma de cabanas compridas e se deram uma constituição e leis. Seu governo era uma espécie de triunvirato com mandato de três anos, composto de três lojas: legislativa, administrativa e judiciária. Esta última chamava-se a *Alta Vendita*; as próprias lojas se dividiam em um certo número de *barracas*, cada uma levantada por um *bom primo*. Havia também na floresta um eremita chamado Teobaldo, que se juntou aos carvoeiros e foi proclamado seu protetor. Francisco I, rei da França, ao caçar em seus domínios perto da Escócia, perdeu-se na floresta. Chegando a uma das barracas, ali pediu abrigo, que lhe foi dado. Iniciado, prometeu tornar-se protetor dos carvoeiros. De volta à França, cumpriu fielmente sua palavra e a sociedade espalhou-se por toda a Alemanha e a Inglaterra".

Inteligentemente acrescenta o autor: "A menção do rei Francisco I parece atribuir ao carbonarismo uma origem francesa e francesa de uma região cujos habitantes ignoravam que o mar separava seu país da Escócia; por outro lado, a menção da Escócia parece levar essa origem a remontar ao período da Franco-Maçonaria francesa, no qual a palavra escocês conferia um selo de respeitabilidade. Não se erraria muito procurando-se o tipo original

---

40 H. LEPPER, *Les sociétés secrètes de l'Antiquité à nos jours*, Paris, Payot, 1934, *passim*.

dos carbonários em alguma obscura sociedade secreta da França, da metade do século XVIII".[41]

Muito mais duvidosa nos parece a afirmação de Charles Godard quando escreve: "É provável que os templários, ao se desviarem da ortodoxia [?], tenham-se confraternizado com os bons primos, que terão iniciado [???], pelo menos em alguns ritos joanitas do oriente [???]".[42] Não se pode igualmente deixar de sorrir diante da interrogação de Évariste Duchêne: "Seria arriscado imaginar que os primeiros carbonários foram os templários escoceses perseguidos por Eduardo II no início do século XIV?".[43] Os colaboradores de Mons. Jouin contentavam-se com muito pouco para tentar, embora em vão, destruir toda organização verdadeiramente iniciática. Os bons primos carvoeiros haviam escolhido como patrono são Thibaud (nascido em Provins em 1017 e falecido em 1066) que, durante certo tempo de sua vida, segundo a lenda, teria fabricado carvão vegetal. Organização iniciática, os bons primos foram, sem dúvida, levados na Idade Média a se incorporar, do mesmo modo que os pedreiros e cortadores de pedra. Charles Godard observa a propósito: "Os bons primos, que, de resto, existiam nas províncias vizinhas foram, durante muito tempo, em Franché-Comté, uma dessas corporações que, a exemplo dos pedreiros do século XIII, dos companheiros do dever [cuja corrupção os transformou em devoradores], montanheses etc., tentaram manter uma associação de socorro de que pudessem lançar mão contra os senhores e o clero, dando-lhe ritos particulares e sinais de reconhecimento".[44] Se fossem fundamentadas as fontes *históricas* de Charles Godard, estaria provada a decadência iniciática dos carvoeiros desde a Idade Média. Ragon observa, ainda, a propósito: "As florestas do Monte Jura eram habitadas e exploradas por carvoeiros que se encontravam assim isolados por sua condi-

---

41 *Id., ib.*
42 C. GODARD, *Catéchisme des Bons Cousins Charbonniers*, tiragem à parte dos Annales Franc-Comtoises, Besançon, 1905, pp. 12 ss.
43 É. DUCHÊNE, "Franc-Maçonnerie et Charbonnerie, leurs origines", em *Revue internationale des sociétés secrètes*, nº 6, 15 de março de 1937, p. 186.
44 C. GODARD, *op. cit.*, p. 14.

ção e por sua moradia nos bosques. Esses homens eram perigosos [?], entregavam-se a excessos e haviam-se tornado temidos na região. Um cura da vizinhança pretendeu civilizar esses bárbaros e, para executar esse projeto humanitário, concebeu o plano de uma sociedade misteriosa chamada de *Irmãos Carvoeiros,* na qual seriam admitidos os carvoeiros da floresta e cidadãos respeitáveis das vilas e cidades vizinhas. Esses bárbaros, lisonjeados com essa ligação com pessoas de consideração [?], submeteram-se facilmente aos regulamentos dessa sociedade que pretendia civilizá--los e, por esse ardil, foi possível trazer para a sociedade homens quase selvagens".[45] Estamos diante do que já vimos a propósito da Franco-Maçonaria, quer dizer, o fenômeno social dos "aceitos". Nossos leitores encontrarão no fim deste livro um ritual antigo e muito pouco conhecido dos Bons Primos.[46] Apresentamos agora um ritual da sociedade dos lenhadores criada em Paris pelo carvoeiro de Beauchaîne, em 1747:

> O padre mestre estava sentado no alto do depósito de madeira sobre um grosso tronco de carvalho, com o cotovelo esquerdo apoiado na mesa; trazia um chapéu caído e uma coroa de folhas de carvalho; de seu pescoço pendia um cordão de seda verde, com uma cunha de buxo e — ousarei repetir os termos do ritual de então? — *um cachimbo na boca*; seu hábito era de cânhamo. Sobre a mesa estava um cântaro de vinho, pão trigueiro e tantos pacotinhos, nos quais havia cinco moedas de ouro e outro tanto de grés, quantos eram os assistentes, vestidos todos da mesma maneira que o padre mestre, menos a coroa de folhas de carvalho, e cada qual com um machado ao ombro, sentados sobre um feixe de lenha, tendo diante de si uma acha de carvalho. O primo Sorveira e o primo Castanheira estão sentados um de um lado, o outro do outro lado da mesa; o primo Carvalho e o primo Olmo estão

---

[45] J. M. RAGON, *Rituel de la Maçonnerie forestière*, Collignon, libraire éditeur, Paris, s. d., 31, rue Serpente, p. 4.
[46] Ver p. 299.

na extremidade do depósito, com um machado ao ombro; o primo Sorveira e o primo Castanheira estão mais perto do pão e do vinho da hospitalidade; o primo Bordo e o primo Freixo encontram-se ao lado da cadeira de honra, que é um cepo de carvalho; o primo Faia está à entrada do depósito com um fuzil no ombro.

Como se vê, ao quadro não falta nem ordem nem imprevisto.

A recepção de um neófito vale a pena ser descrita:

Um primo, com roupa comum, vai buscar o postulante na cabana onde se encontrava. Creio que podemos comparar esse lugar, chamado cabana pelos bons primos, à nossa sala de reflexão.

Ao se aproximar do lugar onde se encontra o primo Bordo, este lhe apresenta o fuzil, perguntando: Alto. Que queres?

À resposta do postulante, de que deseja ser recebido como companheiro, o primo Bordo lhe diz: 'Segue-me' e, com dois pedaços de madeira, bate no tambor de alvorada, gritando três vezes: 'À vitória'.

O primo Olmo saúda, então, o padre mestre com o machado e lhe anuncia:

— Padre mestre, há algum de vossos companheiros perdido na floresta; deseja que eu lhe vá prestar socorro?

Ao que o Padre Mestre responde:

— Primo Olmo, é teu dever, vai depressa e faze o que gostarias que te fosse feito.

O primo Olmo saúda o padre mestre com um golpe de machado e vai ver o que se passa na floresta. O primo Faia, advertindo-o, lhe diz:

— Saúde, primo Olmo.

— Saúde! — responde este. — Quem é esse homem?

— É um neófito que pede para ser recebido como companheiro lenhador.

— Vou saber se isto é possível — diz o primo Olmo, que volta ao depósito, saudando o padre mestre.

Entre eles trava-se o seguinte diálogo:

— Saúde, primo Olmo, de onde vens?

— Da floresta do rei.

— Que encontraste?

— Um neófito que pede para ser recebido como bom companheiro e bom primo lenhador.
— É seu desejo?
— Sim, padre mestre.
— Traze-o ao depósito. Trabalhai, primos.
Nesse momento, todos os lenhadores golpeiam com seu machado o pedaço de madeira posto diante deles.
Novo diálogo entre o padre mestre e o primo Olmo, que traz o postulante diante do padre mestre:
— Salve, padre mestre.
— Salve, primo Olmo.
— De onde vens?
— Da floresta do rei.
— Que encontraste?
— Um bom neófito que pede para ser recebido como bom companheiro lenhador.
O padre mestre, dirigindo-se ao postulante, diz:
— Dize, então, meu bom jovem, que te traz aqui?
— É o desejo de ser recebido como bom primo e bom companheiro lenhador.
Nesse momento o Padre Mestre anuncia:
— Convocai a reunião!
O primo Olmo toma então o neófito pela mão e circula com ele três vezes pelo depósito, dizendo três vezes: "À vitória!" e saudando todos os lenhadores com o machado, que lhe respondiam da mesma maneira.
O padre mestre recomeça:
— Meu jovem, tens realmente vontade de ser recebido como bom companheiro e bom primo lenhador?
— Sim, padre mestre.
— Não é por curiosidade ou para ir revelar a outros nossos deveres? Pensa bem no que vais fazer!
— Não, padre mestre.
— Se ousares ser um traidor, nossos machados, nossas serras, nossas cunhas, nossas machadinhas nos vingarão.

Nesse ponto, o padre mestre se levanta precipitadamente, apresentando o machado ao postulante, no que é seguido por todos os bons primos. E continua:
— Não é por curiosidade que vieste aqui?
O postulante responde que não e que só vinha para aprender a viver como bom primo.
O padre mestre volta então ao seu lugar, como também todos os bons primos, dirigindo-se assim ao primo Olmo:
— Primo Olmo, manda o postulante escolher um padrinho.
O primo Olmo o aconselha a escolher o primo Carvalho.
— Primo Carvalho — diz então o padre mestre —, o neófito toma-te por padrinho; agradece-lhe a homenagem que te faz.
— Se me é permitido — responde o primo Carvalho que recebe do padre mestre a seguinte resposta:
— Fazendo o teu dever, tudo te é permitido. Mostra-lhe como se empilha a madeira.
O primo Carvalho levanta-se, saúda o padre mestre com seu machado e assim se exprime:
— Salve, padre mestre.
Em seguida, voltando-se para o neófito, diz:
— Agradeço-te a honra que me deste de ser teu padrinho.
Dá três saltos de lado até ficar perto do neófito, olha-o e continua:
— Vê como se empilha a madeira.
Depois, apresentando-lhe uma machadinha, manda-o bater três vezes numa acha de lenha com força, devendo a lâmina do machado entrar sempre na primeira fenda, e, em seguida, põe-no de joelhos diante do padre mestre com a mão direita estendida sobre o pão e a esquerda sobre o vinho da hospitalidade, para prestar seu juramento que reproduzo textualmente:
— Eu me comprometo com o pão e o vinho da hospitalidade de jamais revelar os deveres dos bons companheiros lenhadores, nem mesmo a meu pai e sob pena de ser privado do pão e do vinho da hospitalidade. Consinto, se vier a faltar à minha palavra de honra, em ser rachado pelos machados dos bons companheiros lenhadores ou em ser devorado pelos animais selvagens da floresta.

Após o que, o primo Olmo lhe ensina a bater no tambor, responde por ele ao padre mestre e manda-o sentar-se na cadeira de honra dos Bons Primos, dando-lhe o pão e o vinho da hospitalidade e o direito de passagem que era de cinco moedas, dizendo-lhe:

— Toma, come e bebe; damos-te o que temos, mas é de bom coração; apesar de sermos pobres, toma cinco moedas para te conduzires.

O neófito come e bebe, depois é posto no depósito, com um machado nas costas, para receber do padre mestre o sinal que é de pôr a mão direita embaixo, com os dedos cerrados, como se metesse uma cunha numa acha de lenha, para, em seguida, tomando-lhe a mão direita, com o dedo médio estendido, dizer-lhe ao ouvido as palavras sagradas:

— Ferro, carvão, aço, saúde e bom companheiro lenhador!

Quando o postulante acaba de fazer o sinal para todos os bons primos lenhadores, abraçando-os, o padre mestre encerra os trabalhos com estas palavras:

— Salve, primos, terminemos o trabalho, que a noite já vem.

Eis mais duas questões do catecismo dos lenhadores, com suas respostas mudas ou, melhor, mímicas:

— Conheces teu pai?

Em resposta, levantam-se os olhos para o céu.

— Conheces tua mãe?

Em resposta, olha-se a terra.

Após toda essa cerimônia, servia-se a sopa de couve em pratos de barro, com carne de porco salgada, cada um tendo um prato de barro com uma colher de buxo e um copo de grés; cada qual comia e bebia à vontade.[47]

Depois desta última renascença *mundana* dos bons primos, a sociedade desapareceu. Parece, coisa curiosa, que desempenhou um certo papel contrarrevolucionário durante o Terror.[48] Tanto mais pa-

---

47 *La Chaîne d'Union*, nº 2, novembro de 1936-1937, pp. 63-8.
48 Cf. J. PALOU, "Un document inédit sur les Bons Cousins, Charbonniers", em *Annales historiques de la Révolution française*, ano de 1956, nº 142, pp. 73-74.

radoxal, quando vamos encontrar um pouco mais tarde, em Nápoles, carbonários como agitadores revolucionários. Só um exame de arquivos, por demais aleatório, poderia explicar essa transformação. Em todo caso, a Carbonária reapareceu na França sob a Restauração, mais ou menos ligada à Maçonaria.[49] Tanto em Paris (a conspiração chamada dos Quatro Sargentos de La Rochelle) como nas províncias, os carbonários estiveram envolvidos direta ou indiretamente com ações sediciosas contra o governo de Luís XVIII.[50] Mas,

49 Um dos promotores da Carbonária na França foi o venerável da Loja *Les amis de la vérité*, Buchez (cf. a esse respeito, o *Calendrier Maçonnique* do Grande Oriente da França, ano de 5825 (1825), p. 149).
50 Bibliografia sobre o assunto: A. ANDRYANE, *Mémoires d'un prisonnier d'État*, Paris, 1837; U. BACCI, *Il libro del masonne italiano*, Roma, 1922; BARTHOLDY *Denkschriften über die geheimen Gesellschaften im mittäglichen Italien und insbesondere über die Carbonari*, Stuttgart, 1882; M. A. BEAUCHAMP, *Histoire de la Révolution du Piémont*; G. BIANCO, *La rivoluzione siciliana*, Florença, 1905; C. CANTU (Cesare), *Il Conciliatore e i Carbonari*, Milão, 1874; CARDUCCI, *Letture del Risorgimento italiano*; CARRASCOSA, *Historische politische und militärische Denkwürdigkeiten über die Revolution des Königreichs Neapel, 1820/21*; R. CHURCH, *Brigantaggio e società segrete nelle Publie*, Florença, 1899; P. COLLETA, *Storia del reame di Napoli*; COMANDINI, *l'Italia nei cento anni del secolo XIX*; DADONE Ugone, 1822, Spielberg, 1922, Praga; A. D'ANCONA, *Federico Confalonieri*, Milão, 1898; DE CASTRO, *Milano e le cospirazioni lombarde*; O. DITO, *Massoneria, Carboneria ed altre società segrete nella storia del risorgimento italiano*, Turim-Roma, 1905; H. DOERING, *Denkwürdigkeiten der geheimen Gesellschaften in Unteritalien, insbesondere der Carbonari*, Weimar, 1822; C. GODARD, *Catéchisme des bons Cousins Charbonniers*, Besançon, 1905; L. HARTMAN, *Kurzgefasste Geschichte Italiens*, Gotha, 1924; HUCH (Ricarda), *Menschen und Schicksale aus dem Risorgimento*, Leipzig, 1921; R. HUCH, *Das Leben des Grafen Federigo Confalonieri*, Leipzig, 1922; R. M. JOHNSTON, *The Napoleonic Empire in Southern Italy and the rise of the secret societies*, Londres, 1904; V. LABATHE, *Un decenio di Carboneria in Sicilia* (1821-31), Roma, 1909; L. DE PAULA, *Cenno su i principali avvenimenti della rivolta di Palermo*, Nápoles; G. LETI, *Carboneria e massoneria nel risorgimento italiano*, Gênova, 1926; A. LUZIO, *Nuovi documenti sul processo Confalonieri*, Roma e Milão, 1908; A. LUZIO, *Processo, Pellico-Maroncelli*, Milão, 1903; E. MASI, *Cospiratori in Romagna dal 1815 al 1859*, Bolonha, 1891; M. MAZZIOTTI, *La provincia di Salerno del risorgimento italiano; Memoire del Generale Guglielmo Pepe*, Paris, 1847; C. MONTI DI MARCO, *La Massoneria*, Palermo, 1869; ORLOFF, *Mémoires sur le royaume de Naples*, Paris, 1819; G. PEPE, *Relation des événements politiques et militaires à Naples en 1820 et 1822*, Paris, 1822; *Rassegna, Storica del risorgimen-*

como diz bem F. de Corcelles, "A Carbonária não foi jamais um partido definitivo [...] [mas] uma espécie de coalizão transitória".[51] Não poderia ser de outra maneira, pois o objetivo original iniciático dos carbonários, descendentes dos lenhadores, fora completamente desviado e nada mais os prendia a uma base iniciática.[52]

A FRANCO-MAÇONARIA DO SÉCULO XIX

A vida maçônica de 1815 a 1848 oferece, no plano em que deliberadamente nos colocamos, muito pouco interesse, o qual, aliás, não depende senão das obediências e de suas disputas inter-

---

to. Mehere Bände; I. AULICH, *Storia del risorgimento politico d'Italia I Bd.* (1815--1830), Bolonha, 1920; Dr. H. REUCHLIN, *Geschichte Italiens*, Leipzig, 1895; Dr. H. REUCHLIN, *Geschichte Neapels während der letzten 70 Jahre*, Nördlingen, 1862; A. REY, *Storia del risorgimento politico d'Italia*, Pádua, 1870; *Rivoluzione piemontese, nel 1812*, Milão, 1980; R. SANTA, *Memorie e lettere* (Bianchi); G. SCARAMELLA, *Spirito pubblico, società segrete e polizia in Livorno del 1815 al 1821*, Roma, 1901; SAINT-EDME, *Constitution des Carbonari*, Paris, 1821; D. SPADONI, *Sette cospirazioni e cospiratori nello Stato pontificio all'indomani della restaurazione*, Roma, 1904; D. SPADONI, *Una trama e un tentativo rivoluzionario dello Stato Romano nel 1820/21*; D. SPADONI, *La cospirazione di Macerata del 1817*, Macerata, 1895; H. SRBIK, *Metternich*, Munique, 1925; G. TAMBARA, *La lirica politica del risorgimento italiano*, Milão, 1909; C. TIVARONI, *Storia critica del risorgimento italiano*, Turim-Roma, 1892-94; C. TORTA, *La rivoluzione piemontese nel 1821*, Roma e Milão, 1908; P. UCCELLINI, *Memoria di un vecchio carbonaro ravegnano*, 1898; Z. VINCENZINA, *La Carboneria in terra d'Otranto*, Milão, 1913; DE WITT, *Les sociétés secrètes de France et d'Italie*, Paris, 1830; R. H. WRIGHTSON, *History of modern Italy*, Londres, 1855.
51 F. DE CORCELLES, *Documents pour servir à l'histoire des cospirations des partis et des sectes*, 1831, pp. 12-13.
52 Paul Leuillot comete o erro, em sua excelente tese de doutorado, de não se dar conta de que a expressão empregada na Alsácia, a propósito das reuniões de membros da Carbonária: "ir à floresta de Lutterbach", estando efetivamente em uso desde tempos imemoriais, e exatamente por isso, é, portanto, um sinal de reconhecimento entre iniciados (cf. P. LEUILLOT, *L'Alsace au début du XIXe siècle. Essai d'Histoire politique, économique et religieuse (1815-1830)*, Paris, S. E. V. P. E. N., 1959. t. I: *La vie politique*, p. 331, nota 7.

nas ou não. A política profana invadiu as Lojas e o sentido profundo iniciático, próprio da Maçonaria, por sorte não desapareceu totalmente, mas definhou de uma maneira muito perigosa. Assistimos a manifestações muito curiosas, como a de um certo Ir∴ Blanchet, por exemplo, do Grande Oriente da França, que queria restituir à Maçonaria seu caráter religioso que lhe é próprio, elevando a cotização de seus membros. O Ir∴ Blanchet, demonstrando um confusionismo mental e verbal, admite o sincretismo quando declara: "A Maçonaria é verdadeiramente uma religião, mas uma religião que, em sua moral, compreende todas e não exclui nenhuma, admitindo antes de tudo a divindade em sua crença".[53] Veio a revolução de 1848 e foi feita então uma tentativa de unificação da Franco-Maçonaria: foi a Grande Loja Nacional da França, instaurada com um objetivo igualitário e que queria, por exemplo, abolir toda soberania individual dos graus superiores,[54] o que prova como eram ignorantes seus inspiradores do que são na realidade os graus superiores escoceses. A Grande Loja nacional da França foi fechada por decisão policial em 1851. Conquistado pela autoridade imperial, o Grande Oriente da França (grã-mestria do marechal Magnan em 1862) quis absorver o Rito Escocês. O grande comandante grão--mestre do Rito Escocês, o "clássico" acadêmico Viennet, respondeu altivamente ao marechal, grão-mestre do Grande Oriente:

Or∴ de Paris, 3 de fevereiro de 1862.
Senhor marechal,
Desde o momento em que o *Le Moniteur* me anunciou vossa designação para grão-mestre do Grande Oriente da França, dirigi-me ao senhor prefeito da polícia, para saber qual seria a sorte das Lojas do Rito Escocês, do Supremo Conselho e de seu grão-mestre.
Esse magistrado foi de particular benevolência para comigo,

---

53 *Apud* L. AMIABLE et J. C. COLFAVRU, *La Franc-Maçonnerie en France depuis 1725*, Paris, 1927, p. 53.
54 GASTON-MARTIN, *op. cit.*, p. 190.

atitude da qual lhe sou muito grato. Anunciou-me que nossas Lojas seriam protegidas como no passado; que continuariam seus trabalhos sob minha obediência e me pediu apenas que me comprometesse a não aliciar nem aceitar nenhuma Loja do Grande Oriente. Assumi esse compromisso sem dificuldade, uma vez que há 25 anos o próprio Supremo Conselho havia tomado essa resolução.

Podeis imaginar, senhor marechal, qual não foi minha surpresa ao receber vosso convite para pedir às Lojas de minha obediência para se unir às Lojas do Grande Oriente da França, para trabalharem juntas no local da rua Cadet, para se fundir nessa grande família para porem termo às dissenções internas que têm lugar em seu seio.

Antes de responder a esse convite, permiti-me lembrar-vos que me destes a honra de me dizer uma hora antes de vossa posse que ignoráveis completamente o que o imperador vos dera para dirigir e que não tínheis nenhuma noção do que era a Maçonaria. Não posso, portanto, vos melindrar, senhor marechal, acrescentando que a vossa carta é a prova disso. Estamos inteiramente alheios às dissensões de que falais. Nós as deploramos como maçons, mas não temos nem o direito nem a intenção de nos envolvermos nisso e nossa intervenção não teria nenhuma utilidade para lhes pôr um termo. Vosso poder será ali suficiente. Nossas duas ordens são inteiramente independentes uma da outra. Reunimo-nos num local que nos foi alugado por sete anos pelos asilos de Paris. Nossos interesses são distintos. Nossas relações estendem-se até a extremidade do mundo, enquanto as vossas não vão além da fronteira. A fusão a que nos convidais nos é proibida por nossos estatutos. Só a fraternidade nos é ordenada, e a isso somos mais inclinados do que os homens a quem o Grande Oriente deve talvez suas divisões e que nunca abandonaram a ideia de nos absorver, com um interesse que nada tem de maçônico. A tentativa que fazem hoje por vosso intermédio não nos causa admiração; mas eles sabem muito bem que toda fusão é impossível.

Somos, portanto, obrigados, senhor marechal, a permanecer tais quais somos, a trabalhar à parte, ao abrigo da proteção que me foi prometida, até o momento em que convier à autoridade pública no-la retirar.

Se o imperador interpretar seu decreto conforme os vossos desejos, demitir-me-ei imediatamente de minhas funções de soberano grande comandante grão-mestre, que me foram legadas pelo duque Decazes depois de as haver recebido do conde de Ségur, do duque de Choiseul e de outras celebridades dessa época; mas tal é a estrutura de nossa instituição, que, enquanto houver um maçom do 33º grau, tornar-se-á o chefe da ordem, o regulador supremo das Lojas do Rito Escocês, e que em definitivo a autoridade pública só terá o poder de interromper essa sucessão. Então a submissão será imediata, pois nossos estatutos nos impõem a obrigação de nos submeter.

Quanto ao que me toca pessoalmente, tenho perdido dignidades mais importantes sem perder nem o sono nem a saúde e me resignei a não ter outra obrigação neste mundo além do uso de minha pena.

Sou com o mais profundo respeito, senhor marechal, vosso servidor humilde e obediente.

O Gr∴ comandante Gr∴ mestre: assinado Viennet.[55]

Seguiu-se uma troca de cartas que terminou com a publicação na imprensa de uma nota do grande comandante Viennet:

Paris, 25 de maio de 1862.

Senhor Marechal,

Vós me intimais, pela terceira vez, a reconhecer vossa autoridade maçônica e esta última intimação vem acompanhada de um decreto que pretende dissolver o Supremo Conselho do Rito Esc∴ Ant∴ e Ac∴. Eu vos declaro que não atenderei ao vosso chamado e que considero vossa intimação como não recebida.

[55] *L'Acacia*, maio de 1909, nº 77, pp. 323-324.

O decreto imperial que vos nomeou grão-mestre do Grande Oriente da França, quer dizer, de um rito maçônico, que só existe de 1772 para cá, não vos submeteu à antiga Maçonaria que data de 1723. Em uma palavra, não sois, como pretendeis, o grão-mestre da Ordem Maçônica na França e não tendes nenhum poder com relação ao Sup∴ Cons∴ que tenho a honra de presidir; a independência das L∴ de minha obediência foi abertamente tolerada, mesmo depois do decreto em que vos apoiais, sem ter o direito de o fazer.

O imperador só tem o poder de dispor de nós. Se Sua Majestade achar por bem que deve dissolver-nos, submeter-me-ei sem protesto; mas, como nenhuma lei nos obriga a ser Maç∴, apesar de nós, permitir-me-ei de me subtrair, por minha conta, ao vosso domínio.

Não sou menos, de vossa dignidade, senhor marechal, O muito humilde e fiel servidor.

Firmado: Viennet.[56]

A Franco-Maçonaria, ou melhor, seus membros franceses envolveram-se de mais a mais na política e a tal ponto que maçons (de todas as obediências) foram vistos em manifestações de ruas, em Paris, por ocasião da Comuna.

Na convenção de 1877, o Grande Oriente da França pôs em sua ordem do dia "a supressão dessa afirmação dogmática da existência de Deus e da imortalidade da alma, e a enfática declaração, com muito mais brilho, simples e digna: liberdade absoluta de consciência".[57]

O Ir∴ Desmons, relator desse projeto na convenção, declarou:

"Deixemos aos teólogos o trabalho de discutir os dogmas. Deixemos às igrejas autoritárias o trabalho de formular seus *Syllabus*. Mas que a Maçonaria fique como ela deve ser, isto é, uma instituição aberta a todos os progressos, a todas as ideias morais e elevadas, a todas as aspirações amplas e libertas. Que não desça

---

56 *Ib.*, p. 331.
57 L. AMIABLE e J. C. COLFAVRU, *op. cit.*, p. 64.

jamais à arena de inflamadas discussões teológicas que só têm produzido problemas e perseguições. Que evite querer ser uma igreja, um concílio, um sínodo! Pois todas as igrejas, todos os concílios, todos os sínodos foram violentos e perseguidores, e isto por ter sempre querido tomar por base o dogma que, por sua natureza, é essencialmente inquisidor e intolerante. Que a Maçonaria se coloque, portanto, majestosamente acima de todas essas questões de igrejas e de seitas; que domine de toda a sua altitude todas as suas discussões; que continue sendo um vasto abrigo sempre aberto a todos os espíritos generosos e valentes, a todos os pesquisadores conscienciosos e desinteressados, da verdade, a todas as vítimas, enfim, do despotismo e da intolerância".[58]

Em consequência disso, o Grande Oriente tomou a seguinte decisão:

Artigo primeiro:
A Franco-Maçonaria, instituição essencialmente filantrópica, filosófica e progressiva, tem por objetivo a busca da verdade, o estudo da moral universal, das ciências e das artes e o exercício do bem. Tem por princípios a liberdade absoluta de consciência e a solidariedade humana. Não exclui ninguém por causa de suas crenças. Tem por divisas: liberdade, igualdade, fraternidade.

A partir desse momento, a vida da Maçonaria francesa não tem para nós, sempre do ponto de vista iniciático, muito interesse. Observamos, entretanto, que, em 12 de fevereiro de 1880, doze Lojas do Rito Escocês negaram-se a se submeter ao Supremo Conselho desse rito e constituíram a *Grande Loge symbolique écossaise* (Grande Loja simbólica escocesa). Essas Lojas "eliminavam a fórmula do Grande Arquiteto".[59] O número dessas Lojas aumentou de doze para 36. Chegou um tempo em que a situação dessa nova

---
58 *Id., ib.*, p. 65.
59 GASTON-MARTIN, *op. cit.*, p. 236.

potência maçônica era tão incerta, que foi tentada uma reaproximação com o Supremo Conselho do Rito Escocês. Isso resultou, em 26 de julho de 1904, na criação da Grande Loja da França. A partir dessa data, o Supremo Conselho e a Grande Loja no Rito Escocês separaram-se. O primeiro dirige as oficinas superiores que conferem os graus superiores, a segunda, as Lojas azuis.

Mais ou menos pela mesma época (1910), *Le Centre des Amis* (O centro dos amigos) criou a *Grande Loge nationale indépendante et régulière pour la France et les Colonies* (Grande Loja nacional independente e regular para a França e as colônias). Essa Loja, originária do Rito Escocês Retificado, agregou-se ao grande Oriente, conservando, porém, "especialmente a invocação ao Grande Arquiteto do universo [...]". Mas o Grande Oriente "não tarda em contestá-las, embora *Le Centre des Amis* deixe a Obediência, seguido pela R∴ L∴ *Anglaise 204* (R∴ L∴ inglesa 204) de Bordeaux. Em 1913, essas duas oficinas resolveram erigir-se em potência maçônica autônoma e fundaram a *Grande Loge nationale indépendante et régulière pour la France et les Colonies françaises* (Grande Loja nacional independente e regular para a França e as colônias francesas), que assume em 1915 o título de *Grande Loge Nationale Française* (Grande Loja nacional francesa). A partir de 29 de novembro de 1913, a nova obediência é reconhecida pela G∴ L∴ unida da Inglaterra, enquanto a G∴ L∴ da França nunca recebeu essa consideração.[60]

Por outro lado, o início do século XX assistiu ao ressurgimento da Maçonaria feminina chamada *Adoção*.

A FRANCO-MAÇONARIA FEMININA

A iniciação das mulheres na Maçonaria pôs e põe sempre um importante problema. A maior parte dos velhos maçons é inteira-

---

60 P. NAUDON, *La Franc-Maçonnerie*, p. 61.

mente hostil à iniciação feminina, com argumentos, todavia, pouco convincentes, quer do ponto de vista psicológico, quer do ponto de vista do "ofício". Levantam-se contra a Maçonaria feminina, em nome da tradição, sem se dar conta, como o veremos mais adiante, que mulheres foram iniciadas na Idade Média nas Lojas dos maçons operativos, seus antepassados.

Anderson, que dedicou seu livro das Constituições a uma mulher, a sra. Lagard, escreveu: "As pessoas admitidas como membros de uma Loja devem ser homens de bem e leais, nascidos livres, de idade madura, circunspectos, nem servos, nem mulheres, nem homens sem moral ou de conduta escandalosa, mas de boa reputação".[61] Convém, todavia, observar que na Maçonaria inglesa, tão hostil ao sexo frágil, encontra-se uma singular menção da presença de mais de 160 mulheres quando da consagração do *Free Mason Hall* (salão do franco-maçom) pela Grande Loja, em Londres, em 23 de maio de 1776, esplêndida cerimônia, na qual foram trazidos sobre uma almofada de veludo o compasso, o esquadro e a Bíblia.[62]

Na França, no século XVIII, existiu um certo número de sociedades báquicas ou galantes, como a Ordem da Felicidade, ou a da Medusa, cujos rituais fantasistas e muitas vezes excessivamente superficiais constituíam uma paródia dos rituais maçônicos.

Albert Lantoine, amante da licenciosidade e grande historiador de historietas, perdeu dezenas de páginas divertindo-se com essas ordens burlescas em seu ensaio sobre *Hiram coroado de espinhos*. É evidente que são páginas como essas que trouxeram a confusão, talvez pretendida, entre as sociedades de divertimentos e as Lojas de adoção, criadas um pouco por toda a França no século XVIII e que obtiveram grande sucesso. As mulheres queriam entrar para a Maçonaria. Contra isso insurgiu um grande número de maçons que objetavam ou ainda objetam com argumentos na maioria das vezes um tanto especiosos. Um deles escreve: "Puramente masculina, a iniciação maçônica é proibida às mulheres e é

---

61 ANDERSON, *Constitutions de 1723*, artigo III, Das Lojas, ed. M. Paillard, p. 51.
62 *Livre des Constitutions de 1784*, pp. 318-319.

lógico [...] uma iniciação masculinizante [que linguagem!] seria para a mulher uma iniciação falsa e perniciosa, o contrário da verdadeira iniciação feminina".[63] Os argumentos de René Guénon são, no mínimo, pouco claros: "Assim, se a iniciação maçônica exclui notadamente as mulheres [o que não significa de modo algum, como já o dissemos, que sejam inaptas a toda iniciação]".[64] E um pouco mais adiante,[65] o mesmo autor refere-se aos famosos *landmarks* erigidos por Anderson, a quem ele frequentemente atacou, às vezes mesmo com certa injustiça. Convém lembrar, a propósito, que R. Guénon e outros escritores acusaram Anderson de haver feito desaparecer, voluntariamente, grande número de textos antigos. Os poucos textos que mencionassem a presença de mulheres na Maçonaria não poderiam estar entre esses?

Jean Reyor observa: "É certo que as mulheres, na maior parte das tradições, são admitidas à iniciação. No cristianismo e no Islã, há obras atribuídas a mulheres e que testemunham um elevado grau, não dizemos de santidade, mas de conhecimento metafísico efetivo, (existem) iniciações no interior de certas ordens monásticas femininas [...] formas de iniciação comuns aos dois sexos, e as senhoritas e as damas da cavalaria do Graal não eram sem dúvida mais do que as beatas de simples exoteristas".[66] Se, como o diz Luc Benoist, existem relações entre a Maçonaria, que é uma iniciação artesanal, "e a iniciação cavaleiresca (com seus três graus: pajem, escudeiro e cavaleiro)",[67] vimos que na Idade Média a mulher podia armar um cavaleiro.[68]

---

63 B. NAC, "La Maçonnerie féminine", em *Le Symbolisme*, nº 195, maio de 1935, p. 128.
64 R. GUÉNON, *Aperçus sur l'Initiation*, 2ª ed, 1953, p. 102.
65 *Id., ib.*, p. 103.
66 J. REYOR, "Initiation féminine et Franc-Maçonnerie", em *Études Traditionnelles*, nº 357, janeiro/fevereiro de 1960, p. 13.
67 L. BENOIST, *L'Ésoterisme*, Paris, P.U.F., 1963, Collection Que Sais-Je?, nº 1031, p. 107. Trata-se, em suma, de um excelente livro de esclarecimento, muito inspirado na obra de Guénon. No plano da Maçonaria, contém algumas inexatidões, às vezes mesmo alguns erros (ver sobre o assunto: J. REYOR, "À propos d'un petit livre", em *Le Symbolisme*, nº 361, julho/setembro de 1963, pp. 361-367).
68 L. GAUTIER, *La Chevalerie, passim*.

Criou-se no século XVIII uma Maçonaria chamada de *adoção*. Cada Loja de mulheres era enxertada numa Loja de homens e cada "platô" (venerável, 1º supervisor, 2º supervisor etc.) tinha dois titulares: um homem e uma mulher. O. Wirth, falando com certa afetação dessas Lojas de adoção que existiam por volta de 1770, escreve: "Os maçons feministas da época foram buscar na Bíblia motivos de encenação e fizeram da Loja um paraíso em que Eva se deixa seduzir pela serpente, depois uma arca de Noé e, finalmente, uma torre de Babel. As iniciações femininas não iniciavam em grande coisa [...]".[69] Para dizer a verdade, muito pouco se sabe sobre essas Lojas de adoção do Antigo Regime, nas quais se encontravam "alguns rituais, diferentes dos rituais masculinos, mas visivelmente criados para lembrar o caráter simbólico, misterioso e educador".[70] As maiores damas da corte, como madame de Lamballe ou a princesa de Chartres, fizeram parte dela. Tratava-se, evidentemente, como observa com propriedade Gaston-Martin, de uma "Maçonaria à margem". Esquecidas durante a revolução, as Lojas de adoção conheceram uma vida artificial no império para voltar à letargia após 1815.[71] Em 1907, uma oficina que pertencia à Grande Loja da França, a *Jerusalém Escocesa*, pediu para criar uma Loja de adoção. Após muitas discussões, quatro Lojas de adoção passaram a funcionar em 1925 sob a tutela da Grande Loja da França. Na inatividade como todas as demais Lojas francesas em 1940, retomaram sua atividade em 1944. "Mas então [a Grande Loja da França] já sonha em se aproximar da Grande Loja da Inglaterra. Ora, uma das condições dessa reaproximação está na eliminação total das mulheres da Franco-Maçonaria ou de tudo quanto de perto ou de longe lhe diga respeito. Em 1945, o conselho federal da Grande Loja da França determina a ab-rogação da fórmula daí por diante prescrita: *Lojas de adoção*.[72] Depois de

---

69 O. WIRTH, "Le rituel féminin", em *Le Symbolisme*, nº 219, julho de 1937, p. 170.
70 GASTON-MARTIN, *op. cit.*, p. 113.
71 *Id.*, *ib.*, p. 114.
72 M. LEPAGE, *L'Ordre et les Obédiences*, Derain, 1956, 2ª ed., pp. 70-71.

haver formado uma *união maçônica feminina da França*, essas mulheres maçons assumiram, após sua convenção de 1953-1954, o título de *Grande Loja feminina da França* e, renunciando ao rito fantasista das Lojas de adoção, passaram desde então a trabalhar no Rito Escocês Antigo e Aceito".

É importante voltar às Lojas de adoção e aos seus rituais. O. Wirth não poupa suas palavras a respeito de ambos: "Uma educação sentimental precede o discernimento iniciático, que conduz ao aprofundamento dos mistérios. Não estamos ainda no segundo grau, mas os homens nada têm para censurar as mulheres nesse sentido, uma vez que foi preciso que tivessem dois séculos de *escola infantil* antes de tomar consciência do *maçonismo* [...] Elas ajustarão agora seu simbolismo provisório [...] Os pais da Maç∴ de adoção foram, portanto, inspirados em seu sincero desejo de dotar nossas irmãs de um ritual de substituição equivalente ao deles. Os símbolos assumem o valor que lhes sabemos dar; são os espelhos em que se reflete o espírito. Se este está ausente [...]".[73] Antes de prosseguir, convém ressaltar a ideia singular que tem Wirth do símbolo. Este não poderia ser o espelho do espírito humano, porque é, pelo contrário, a representação forçosamente atenuada de alguma coisa sobre-humana. Albert Lantoine é ainda mais cínico: "O simbolismo das Lojas de adoção", escreve, "simplesmente não existe. Não existe porque não pode existir. Suas cerimônias de iniciação (as das Lojas de adoção) ou de acesso ao companheirismo ou à mestria comportam um ensinamento moral e generoso, mas cuja falta de profundidade é percebida pelas irmãs inteligentes".[74] E ousa escrever: "As irmãs só recebiam uma iniciação de fantasia e o *segredo* não lhes era revelado",[75] o que lhe valeu uma réplica muito severa (e merecida) da Ir∴ Marie-E. Ber-

---

73 O. WIRTH, *op. cit.*, p. 172.
74 A. LANTOINE, "Les Loges d'adoption", em *Le Symbolisme*, nº 216, abril de 1937, pp. 93-94.
75 *Id., ib.*, p. 95.

nard Leroy, da Loja de adoção da *Nova Jerusalém*.[76] Os maçons da Grande Loja da França não tinham querido seguir senão uma tradição, mas de muito pouca antiguidade, a de seus antepassados do século XVIII, que consideravam a mulher como um brinquedo agradável e a Maçonaria para ela *fabricada* como interessante divertimento. Nada poderia ressaltar melhor a decadência da Maçonaria francesa no século XVIII. Além disso, os maçons do fim do século XIX ou do início do século XX não conheciam mais a tradição medieval e não se davam conta do papel social que a mulher iria desempenhar na sociedade contemporânea. Wirth escreve com uma certa ingenuidade: "Atualmente, apreciamos mais a herança dos pensadores que nos legaram um simbolismo profundo[77] e achamos que seria um absurdo propor para a mulher um programa iniciático que visa ao desenvolvimento da *masculinidade*; essa iniciação só poderia dar-se nos mistérios da feminilidade".[78] E A. Lantoine, por sua vez, deixou-se apanhar na sua ignorância, quando afirmou: "Há poucos dias", dizia, "um oficial da Grande Loja independente, a qual, embora de inspiração britânica, tem a audácia e desenvoltura de se intitular *nacional,* disse-me que essa reputação, na sua opinião chocante [de que o Rito Escocês da França admite mulheres], era a causa da recusa da Grande Loja da Inglaterra de reatar as relações com a Grande Loja da França. Apresso-me a dizer [concluía o bom apóstolo] que não acredito nisso".[79] Muito antes disso, Gaston-Martin se interrogava: "A mulher, viria ela para a Maçonaria de outra forma que não seja a porta baixa de uma obediência *irregular* e reconhecida com toda sorte de reticências?[80] Não lhe dispensar senão uma Luz restrita, mantê-la à margem da iniciação regular, não seria uma injustiça

---

76 *Le Symbolisme*, nº 218, julho de 1937, pp. 153-158.
77 Sempre o mesmo erro fundamental quanto às origens profundas do Simbolismo.
78 O. WIRTH, *L'Ideal initiatique*, p. 84.
79 A. LANTOINE, "Les loges d'adoption", em *Le Symbolisme*, nº 216, abril de 1937, pp. 90-91.
80 É ao *Direito Humano* que Gaston-Martin alude aqui.

acrescida de uma falta: as oportunidades incorridas de rejeitá-las para o adversário?".[81]

Era, com efeito, uma luz muito restrita que havia sido dispensada às mulheres e mesmo nenhuma luz com o ritual ridículo das Lojas de adoção. Reproduzimos um deles nos anexos a esta obra. O. Wirth deixava entender que se as irmãs "operavam da melhor maneira possível com um [ritual] improvisado", poder-se-ia, talvez, "mais tarde lhes dar um ritual de iniciação feminina".[82] Isto, porém, a nosso ver, seria também completamente desprovido de regularidade maçônica iniciática como o das Lojas de Adoção. Já em 1934, a Ir∴ Jeanne Solérus havia procurado levantar o problema do ritual iniciático com muito mais coragem e boa vontade do que sentido profundo do esoterismo real.[83] O. Wirth a isto respondeu[84] com uma vulgaridade consternadora para um espírito às vezes tão elevado. Sua má-fé misógina, em mais de um lugar, é muito evidente.

Existia também um argumento antifeminista que ainda circula entre certos franco-maçons atrasados. É de que, sendo a Maçonaria solar, a mulher não pode ser nela admitida. É esquecer que nas Lojas operativas o trono de Salomão era colocado no Ocidente, o que é normal, e não no Oriente. O giro em torno da Loja é então lunar e toda a argumentação desses pseudotradicionalistas não tem mais base. Com quanto mais de sabedoria e de inteligência escreve Paul Naudon: "Salvo a reserva de adaptação de certos ritos,[85] não vemos nenhum motivo para negar a iniciação

---

81 GASTON-MARTIN, *op. cit.*, p. 266.
82 O. WIRTH, *op. cit.*, pp. 170-171.
83 J. SOLÉRUS, "De l'initiation féminine", em *Le Symbolisme*, nº 184, maio de 1934, p. 134.
84 O. WIRTH, "Réponse à la proposition de la S∴ Jeanne SOLÉRUS concernant l'initiation féminine", em *Le Symbolisme*, nº 185, junho de 1934, pp. 166-167.
85 Paul Naudon alude aqui à "nudez parcial dos iniciáveis [que] lembra a dos *mystes* nos mistérios" (L. BENOIST, *L'Ésotérisme*, Paris, P.U.F., 1963, Collection Que Sais-Je?, nº 1031, p. 111). Essa afirmação de Luc Benoist prova, além disso, que o costume (e não a tradição) de desnudar o peito do neófito é um empréstimo tomado pela Maçonaria especulativa e sábia, por volta de 1738, à Antiguidade clássica. Pelo contrário, parece que junto aos antigos

maçônica às mulheres".[86] Observamos que Willermoz iniciou sua irmã madame Provençal na Ordem dos Eleitos Coëns[87] e que não se pode pertencer a essa ordem sem antes ter recebido a iniciação maçônica regular. Remontemos, porém, a uma era mais distante, a Idade Média, onde vemos que as mulheres podiam fazer parte das Guildas,[88] desde que se tenha o cuidado de não confundir operativismo com corporativismo, como muitas vezes acontece. O próprio Paul Naudon observa: "As mulheres eram admitidas à mestria[89] em dois casos bem distintos. De uma parte, certos ofícios eram exclusivamente compostos de mulheres (fiadoras de seda, trabalhadoras de tecidos de seda); em alguns outros ofícios as mulheres eram admitidas à mestria em concorrência com os homens (remendões, trabalhadores em linho, criadores de galinhas). Por outro lado, as viúvas eram em geral autorizadas a continuar no ofício do marido falecido. Presumia-se, então, que tivessem adquirido uma suficiente experiência profissional".[90] Mas há coisa melhor ainda. Sabemos[91] que na guilda dos carpinteiros de Norwich (por volta de 1375), à qual estavam ligados[92] os maçons (pedreiros), o que prova o caráter iniciático desse organismo, a Maçonaria sempre mantida à parte dos outros ofícios, "os irmãos e as *irmãs* deviam orar juntos no dia da ascensão".

Maçons, os neófitos traziam uma túnica (cf. *Rôles d'York de 1370;* ver o artigo de B. Jones: "Le mot 'franc' das Franc-Maçon", em *Le Symbolisme*, julho/agosto de 1954, p. 342).
86 P. NAUDON, *L'humanisme maç∴*, Paris, Dervy, 1962, p. 106.
87 A. JOLY, *Un mystique lyonnais et les secrets de la F∴ M∴* (1730-1824), Macon, 1938, p. 56.
88 P. NAUDON, *Les origines religieuses et corporatives de la F∴ Maç∴*, Paris, Dervy, 1953, p. 77.
89 Trata-se da mestria no ofício e não do grau de mestre na Maçonaria iniciática, que só existirá a partir de 1723.
90 P. NAUDON, *op. cit.*, p. 168.
91 *Id., ib.*, p. 207.
92 L. VIBERT, *La F∴ M∴ avant l'existence des Grandes Loges*, Paris, Gloton, 5960 (1960), p. 88.

Diz a tradição também que a filha do mestre de obras da catedral de Estrasburgo, Sabina de Steinbach, trabalhou na Loja dos maçons daquela cidade e esculpiu as estátuas do portal meridional da catedral e que, com seu marido, o mestre maçom Bernard de Sunder, trabalhou num grupo de estátuas da catedral de Magdeburgo.[93]

Enfim, existe um texto de importância capital (em geral passado em silêncio pelos historiadores maçons) e conhecido sob o nome de manuscrito inglês de 1693, que pertence à Loja de York nº 236. A propósito da iniciação de um novo maçom, declara esse texto: "Um dos mais antigos toma o livro; esse ou *essa, que se vai tornar maçom, põe a mão sobre o livro* e em seguida são dadas as instruções. Todo maçom deve estar atento a isto".[94] É de admirar a ingenuidade de H. F. Marcy, que assim comenta essa passagem: "Segundo esse texto, mulheres teriam sido iniciadas!!!".[95] Por outro lado, André Lebey apresentou faz algum tempo[96] uma gravura do século XIX, representando Élisabeth Aldworth, a primeira mulher recebida numa Loja, segundo Lebey, o que é absolutamente falso como acabamos de mostrar, mas que deu muito assunto para discussões. Essa Élisabeth Aldworth, ao contrário do que Jean Reyor[97] quer insinuar, é muito conhecida. Em 1744, Dr. Dassigny publicou em Dublin uma *pesquisa séria e imparcial sobre a causa da atual decadência da Maç∴ no reino da Irlanda,* seguida dos *regulamentos gerais da Grande Loja da Irlanda.* Entre os signatários desse documento, encontram-se três mulheres, das quais lady Éli-

---

93 Ver L. LACHAT, *La Maçonnerie opérative,* p. 150 e sobretudo *Le Magasin Pittoresque,* 1845, p. 171, coluna 1.
94 Ver capítulo I, nota 1.
95 H. F. MARCY, *op. cit.,* t. I, pp. 59-60, nota 1.
96 A. LEBEY: "Documents du Temps présent". Gravura reproduzida em *Les Francs Maçons,* de S. Hutin, Paris, le Seuil, 1960, p. 132.
97 J. REYOR, *op. cit.,* pp. 15-16, nota 3. "Nós nos perguntamos, sem o poder assegurar", escreve J. REYOR, "se essa gravura não teria relação com uma história que lemos outrora, segundo a qual, no século XVIII, tendo uma jovem surpreendido os segredos de uma Loja Maç∴, seus membros resolveram iniciá-la para a obrigar ao segredo". Jean Reyor peca, ou por ignorância, o que seria surpreendente, ou por má-fé.

sabeth Aldworth é uma delas. Sabemos que essa senhora fazia parte da Grande Loja da Irlanda desde 24 de junho de 1741.[98] Observaremos, a título de lembrete, que na atualidade existe na Inglaterra a Honrada Fraternidade da Maçonaria antiga que segue o Rito Emulação e que é composta de mulheres.[99]

Tudo isso parece fazer cair todos os argumentos, sem referências históricas, dos maçons contrários a que as mulheres possam ser admitidas nas Lojas e possam trabalhar com um ritual e num simbolismo masculino, quando mulheres, nos séculos XII e XIV, trabalharam com o formão e o maço nos pórticos das igrejas. Concluiremos com Paul Naudon: "Seria evidentemente pueril pretender que a Maçonaria, que guarda a verdade divina e ensina a moral universal, não possa comunicar sua iniciação a uma mulher, porque a natureza não lhe deu força física suficiente para levar e manejar a trolha".[100]

O DIREITO HUMANO

Enfim, uma Maçonaria muito particular se constituiu sob o título distintivo de *Direito Humano*.

O criador do rito misto do *Direito Humano* foi o dr. *Georges Martin*, que pôde vencer vários obstáculos e merecer, por sua entusiástica tenacidade, os resultados desde então obtidos. A organização do novo rito é muito semelhante à do Rito Escocês; como este, comporta duas categorias distintas de organismos diretores, um Supremo Conselho encarregado da administração dos graus superiores e da supervisão geral da ordem,

---

98 H. F. MARCY, *op. cit.*, t. II, p. 145. Ver também GOULD, *Histoire abrégée*, pp. 291-292, que declara que essas três mulheres "tinham sido regularmente iniciadas".
99 P. NAUDON, *L'humanisme maç.*, p. 107, nota 1.
100 *Id.*, *ib.*, p. 105.

e uma assembleia das Lojas simbólicas reunidas em convenção anual, todavia menos livres da autoridade do Supremo Conselho do que a Grande Loja escocesa do rito masculino. Maçonaria de essência racionalista e democrática, o *direito humano* não acolheu a fórmula do Grande Arquiteto do universo. As relações da obediência mista com as duas grandes obediências francesas são cordiais, porém, bastante ambíguas. A grande maioria dos membros masculinos pertence, com efeito, à Maçonaria regular. A questão levantada era se sua adesão a uma Maçonaria tida como irregular os privaria de seus direitos maçônicos. Esse ostracismo prevaleceu por certo tempo, mas em 1909, a convenção do Grande Oriente deu um prazo de opção aos seus membros que pertenciam ao mesmo tempo às duas obediências. Na atualidade, pelo contrário, vem sendo feito um grande esforço de conciliação. A partir de 1921, o Grande Oriente e o Direito Humano trocam demonstrações de amizade. E os irmãos do Direito Humano, mas não as irmãs, mesmo que só iniciados por essa potência, têm direito de acesso aos templos do Rito Francês. O Rito Escocês continua sendo, em princípio, mais reservado, só admitindo os maçons do Direito Humano, não membros ao mesmo tempo de uma obediência regular, depois de tê-los regularizado, formalidade acompanhada de um gracioso direito de chancelaria. Enfim, o Grande Oriente manteve [em 1927] a proibição de que seus membros sejam ao mesmo tempo dignatários do rito francês e de qualquer outro rito. Uma enérgica intervenção do Ill∴ Ir∴ Siman, venerável de Rodez, não convenceu a assembleia da necessidade de uma abordagem favorável da obediência mista, da qual esse irmão se faz anualmente vigoroso e eloquente defensor.[101]

---

101 GASTON-MARTIN, *Manuel d'histoire de la Franc-Maçonnerie française*, pp. 240-241. Cf. E. BRAULT, *La Franc-Maçonnerie et l'émancipation des femmes*, Paris, 1953.

A Franco-Maçonaria na França e nos outros países conheceu uma grande atividade de 1914 a 1940, infelizmente cada vez mais orientada para o estudo de problemas políticos, sociais e econômicos. O mundo profano invadiu seus templos. E A. Lantoine, com o qual, na maior parte das vezes, estamos longe de concordar, pôde escrever uma vez, com tristeza, mas não sem razão: "Se amanhã a República se desmoronasse, a Franco-Maçonaria estaria entre as suas ruínas. Seria para o país uma perda irreparável. É um desastre que convém evitar".[102] Infelizmente, a derrota de 1940 viria confirmar esse pessimismo. Uma lei de13 de maio de 1940, promulgada pelo Governo de Vichy, suprimia "as sociedades secretas" e determinava o confisco de seus bens.

Começou então a perseguição. Maçons foram presos e deportados. Maçons morreram por seu ideal de vida espiritual e humana. Após a tormenta, a Franco-Maçonaria, tal como a fênix, ressuscitou de suas cinzas ainda quentes, mas tingidas com o sangue de seus mártires.

A Franco-Maçonaria existe sempre, existirá até o momento em que desaparecerão da Terra os últimos homens. Não se pode suprimir um rito, não se pode atingir o esoterismo.

De origem imemorial, constituída da cadeia sem fim de todos os seus iniciados, a Franco-Maçonaria, como todo princípio espiritual, só desaparecerá quando os tempos se cumprirem...

---

102 A. LANTOINE, *Les Lézardes du Temple*, éd. du Symbolisme, Paris, 1939, p. 13.

Simbolismo

9. O simbolismo maçônico

AS LOJAS DE SÃO JOÃO

As oficinas dos três primeiros graus são chamadas, na Franco-Maçonaria, *Lojas azuis* ou *Lojas de São João*. Veremos, dentro em pouco, detalhadamente, a significação histórica e simbólica desta última expressão. Ademais, os dois termos estão muito ligados entre si, pois o simbolismo conhece três cores azuis: "uma que emana do vermelho, outra, do branco, e a terceira, que se une ao preto", o que corresponde às Maçonarias azul, vermelha, preta e branca. De outro lado, essas três modalidades da mesma cor estão ao mesmo tempo unidas tanto nos três graus da iniciação antiga como no tríplice batismo cristão, pois "São João Batista batiza na água (azul), para inspirar a penitência: é uma preparação para um segundo batismo que ele anuncia e que Jesus Cristo dará por meio do Espírito Santo e do fogo".[1] Daí se vê desde então por que as Lojas azuis constituem os primeiros degraus, na humildade e no abandono do mundo profano, no sentido da regeneração operada mais tarde, pelo fogo (Ignis-Cordeiro). Naturalmente, a esse simbolismo de cores vem juntar-se o de são João.

Na obra muito conhecida de Samuel Prichard, aparecida em Londres, em 1730, *Masonry dissected,* podem-se ler as seguintes perguntas e respostas:

---

1 Padre AUBER, *Histoire et théorie du Symbolisme avant et après le christianisme*. Paris et Poitiers, 1870, t. I, pp. 314-315.

P. — De onde vens?
R. — Da santa Loja de São João.
P. — Que recomendações trazes dela?
R. — As recomendações que trago dos verdadeiros e veneráveis irmãos e companheiros da verdadeira e santa Loja de São João de onde venho, e vos saúdo três vezes de todo o coração.²

Doze anos mais tarde verifica-se em *L'Ordre des Francs-Maçons trahi et leur secret révélé*³ uma versão mais sucinta que a anterior: "Perguntas que se acrescentam a algumas das anteriores, quando um franco-maçom estranho pede para ser admitido na Loja.

P. — De onde vens?
R. — Da Loja de São João.

Paul Naudon, numa obra sobre *Les Loges de Saint-Jean*, procurou mostrar as relações existentes entre a Franco-Maçonaria e os dois são João. Esse interessante estudo é, além disso, mais histórico e filosófico do que propriamente simbólico e é este último plano que mais nos interessa.

Qual são João a Maçonaria quis honrar dando seu nome às suas Lojas azuis, tanto no passado para a Loja dos companheiros construtores, como na Maçonaria moderna para as oficinas dos três primeiros graus? O Ir∴ E. F. Bazot escreve a propósito: "quanto ao são João que os maçons tomaram por patrono, não

---

2 *La Maçonnerie disséquée*, de Samuel Prichard (1730), traduzido do inglês e publicado pela Loja *La parfaite intelligence et l'étoile réunis*, no Oriente de Liège, 1930, p. 14.
3 *L'Ordre des Francs-Maçons trahi, et leur secret révélé*. À l'Orient chez G. de l'Étoile, entre l'Équere et le Compas, vis-à-vis du Soleil couchant, 1ª ed., 1742, p. 124 (livro atribuído ao padre PÉRAU). A referência de Paul Naudon (P. NAUDON, *Les Loges de Saint-Jean et la philosophie ésotérique de la connaissance*, Paris, Dervy, 1957, p. 11) é extraída de uma edição muito posterior, sem dúvida do meado do século XIX.

pode ser nem João Batista nem João Evangelista, que não têm, nem um nem outro, qualquer relação com a instituição filantrópica da Franco-Maçonaria. Convém pensar, como pensam os irmãos mais filósofos e mais esclarecidos, que o verdadeiro patrono das lojas é são João, o Esmoler, filho do rei de Chipre, que no tempo das Cruzadas deixou sua pátria e a esperança do trono para ir a Jerusalém dispensar os mais generosos socorros aos peregrinos e aos cavaleiros. João fundou um hospital e instituiu irmãos para cuidar dos enfermos, dos cristãos feridos e distribuir auxílios pecuniários aos viajantes que vinham visitar o Santo Sepulcro. João, digno por suas virtudes de se tornar o patrono de uma sociedade, cujo único objetivo é a beneficência, expôs mil vezes a sua vida para fazer o bem. A morte o colheu em meio aos seus trabalhos, mas o exemplo de suas virtudes ficou para seus irmãos, que fizeram de sua imitação um dever. Roma o canonizou sob o nome de são João, o Esmoler, ou são João de Jerusalém; e os maçons, cujos templos, arrasados pela barbárie, ele havia recuperado, o acolheram de comum acordo para seu protetor".[4] Paul Naudon rejeita com uma frase um tanto desdenhosa[5] essa opinião de Bazot que, evidentemente, ao dar à ordem o único objetivo da beneficência, esquece que a Maçonaria é antes de tudo uma técnica de realização espiritual. É possível que a origem da afirmação de Bazot esteja, como o diz P. Naudon,[6] no discurso de Ramsay: "nossa Ordem [a Maçonaria] está intimamente ligada aos cavaleiros de são João de Jerusalém. Desde então, nossas Lojas trouxeram o nome de Lojas de São João". Trata-se, então, de uma outra Maçonaria que não a dos três primeiros graus e, se Bazot cometeu um erro, foi o de dar o patronímico de são João de Jerusalém às

---

4 E. F. BAZOT, *Manuel du Franc-Maçon*, Paris, 1812, 2ª ed., pp. 144-145.
5 P. NAUDON, *op. cit.*, p. 35. "Esta lenda é talvez emocionante. Seu valor histórico é nulo e esotericamente é de igual valor".
6 *Id.*, *ib.*, p. 35.

Lojas azuis, enquanto Ramsay se referia a uma outra Maçonaria, isto é, a dos graus irlandeses ou escoceses.

A única relação entre são João, o hospitaleiro ou o Esmoler, e os maçons operativos prende-se a um fato relatado por Rohrbacher. Lê-se com efeito nesse autor que são João, o Esmoler, patriarca de Alexandria, enviou imensos recursos a Modesto, abade de São Teodoro, na Palestina, para reconstruir as igrejas destruídas pelos árabes em 615.[7] Na realidade, há dois santos patronos da ordem Maçônica: são João, o precursor, e são João Evangelista, estando um e outro em estreita relação com Janus, deus dos romanos, "deus das corporações de artífices ou *Collegia fabrorum*, que celebravam em sua honra as duas festas solsticiais do inverno e do verão".[8]

No primeiro capítulo do Evangelho segundo são Lucas, Zacarias insiste muito em explicar o nome de seu filho, o futuro precursor. Afirma que se chamará João, aquele que anuncia a piedade e a misericórdia, que serão os próprios caracteres do Batista.[9] Convém observar que em hebraico o nome de João se diz *hanan*, que significa ao mesmo tempo benevolência e misericórdia, louvor, graça e *mercê* (tendo esta última palavra o sentido de "piedade" e não deixa de ser interessante ressaltar o papel da ordem dos trinitários ou ordem das mercês, ordem de cavalaria destinada a resgatar os cristãos caídos nas mãos dos infiéis, e que constitui o 26º grau dos graus superiores do Escocismo). *Johanan* significa simultaneamente "misericórdia de Deus" e "louvor de Deus", aplicando-se esses dois sentidos, res-

---

7 ROHRBACHER, *Histoire universelle de l'Église catholique*, livro 48, ano de 615. Aliás, é ao que alude Bazot, quando fala de maçons, cujos "templos" tinham sido reconstruídos por são João de Jerusalém.
8 R. GUÉNON, "Quelques aspects du symbolisme de Janus", em *Voile d'Isis*, julho de 1929, reproduzido em *Symboles fondamentaux de la science sacrée*, Paris, 1962, p. 150, nota 3.
9 Cf. St-Isidore HISPAL, *Etymologiarum*, livro VII, capítulo VI, citado por dom MIGNE, *Patrologie*, t. III, coluna 274.

pectivamente, ao Batista e ao Evangelista. R. Guénon, a propósito, observou com propriedade "que a misericórdia é evidentemente *descendente* e o louvor, *ascendente*, o que nos leva ainda à sua relação com as duas metades do ciclo anual",[10] quer dizer, às festas solsticiais de São João de inverno e de São João de verão (27 de dezembro e 24 de junho).

São João Batista é sempre representado vestido de roupas de cor vermelha, que é o símbolo do martírio,[11] e no batistério de Constantino, na Igreja de São João de Latrão em Roma, veem-se em torno de sua estátua de prata, *sete* cervos do mesmo metal, "imagem dos *sete* dons do Espírito Santo, recebidos no batismo".[12] Convém lembrar, a propósito, que ninguém pode ser recebido numa Loja de São João sem a presença de sete maçons. Uma relação ainda mais estreita entre o Escocismo e são João Batista está na igreja de Santa Maria das Fontes, em Liège. Vê-se nessa igreja um lindíssimo relevo em cobre sobre o qual é representado o precursor batizando o filósofo Craton. A pia batismal está ali assentada sobre *doze* bois, símbolo dos doze profetas da antiga lei e dos doze apóstolos da nova lei (há também a dupla alegoria à circuncisão e ao batismo). A pia batismal torna-se, então, a imagem do mar de bronze que Salomão havia consagrado à entrada do Templo, para ali se purificar, que constitui um dos símbolos de um grau superior escocês.[13]

---

10 R. GUÉNON, "À propos des deux Saint Jean", em *Études Traditionnelles*, junho de 1949 e em *Symboles fondamentaux de la science sacrée*, p. 235. R. Guénon observa, não sem perspicácia, que as figuras populares de *João que chora* e *João que ri* são equivalentes (do mesmo modo que as duas faces de Janus), a primeira "d'aquele que implora a misericórdia de Deus, quer dizer, são João Batista" e a segunda d'"aquele que o louva, quer dizer, são João Evangelista" (p. 255, nota 3.)
11 No Rito Escocês, o avental dos mestres é bordado de vermelho, cor do martírio de são João? ou de Hiram? ou de um outro personagem? Está aí um estudo muito sugestivo a fazer, ao qual voltaremos talvez num futuro próximo.
12 Padre AUBER, *op. cit.*, 1870, t. III, p. 290.
13 14º grau do Escocismo: grande escocês da abóbada sagrada de James II "a oeste um grande vaso ou cuba de bronze, cheia de água". (J. M. RAGON,

São João Evangelista, "o louvor de Deus", é representado nos vitrais da Idade Média e nos livros de horas, com uma roupa *verde*. Em Bourges, ele veste uma roupa verde e um manto vermelho marchetado de ouro. Batiza por *infusão* (quer dizer, derramando a água sobre a cabeça dos batizados) almas figuradas por personagens nus e assexuados. Acima do santo vê-se o Cristo cercado por *sete* candelabros de ouro e o salvador traz em uma das mãos um livro fechado por *sete* selos e, na outra, o globo do mundo;[14] a roupa verde é o símbolo da caridade e essa cor é também a de vários graus escoceses, especialmente o do príncipe da misericórdia, ao qual já nos referimos. A esmeralda, pedra preciosa igualmente verde, é o ornamento atribuído ao Evangelista. O número *sete* é o número próprio dos dois Santos (por exemplo, em certas pinturas podemos ver o Evangelista cercado por sete formas de igrejas, simbolizando esse número o mistério que envolve as verdades encerradas no livro divino).[15] A águia "que se alça, desde o primeiro impulso de voo, até o seio de Deus, para expressar em termos consagrados a origem de seu verbo e o princípio da luz divina",[16] como a águia do tetramorfo "planando como esse pássaro acima de todas as gerações humanas, quando conta o nascimento eterno do verbo",[17] são os pássaros de são João, cujo Evangelho é lido em algumas Lojas à abertura dos trabalhos. Existe uma relação ainda mais estreita entre o Evangelho e a Franco-Maçonaria, quando se lê no Apo-

---

Tuileur général de la Franc-Maçonnerie, p. 124.) Encontra-se em *Légende dorée* (Degolação de são João Batista) uma história muito curiosa referente à cabeça do santo e a uma gruta que poderia ter alguma relação com os graus de *vingança salomônicos*, cuja origem poderia ser algo muito mais profundo do que a interpretação habitual dos rituais praticados a partir do século XVIII.
14 R. P. CAHIER, *Monographie des vitraux de Bourges*, pl. VII.
15 Cf. *Apocalipse*, cap. V.
16 Padre AUBER, *op. cit.*, t. II, p. 44.
17 *Id.*, *ib.*, t. III, pp. 145-146.

calipse que João recebeu de um anjo uma vara de medir com a ordem de medir o Templo, com exceção do átrio, que é abandonado por Deus para os gentios, que deverão pisar esse átrio, nas trevas exteriores, durante três anos e meio.[18] É preciso comparar João, mestre da iniciação e presidente da direção do templo esotérico, que é a Loja que traz o seu nome onde os profanos não podem ser admitidos senão depois de três anos de aprendizagem, quando são recebidos como companheiros, o único grau da antiga Maçonaria operativa. Mais curiosa ainda é esta citação de Dante, que talvez tenha pertencido aos "fiéis de amor" ou à fraternidade dos rosa-cruzes, mostrando João mártir e provando assim a Deus seu amor, após o haver tirado do peito do pelicano celeste.[19] Seria fácil desenvolver as muitas relações existentes entre a simbólica cristã joanista e as Lojas de São João, mas queremos chegar ao elo, e este é o termo iniciático exato, existente entre os dois são João e Janus.

Janus é *Clusius* (porta-chaves) e ao mesmo tempo *Patuleius* (o operário) e *Clusius* ou *Cluvisius,* quer dizer, o fechador.[20] Era chamado também o Pai e os sacerdotes o invocavam como Deus dos Deuses. Janus era sobretudo o mestre da iniciação, e Ovídio nos diz que ninguém entrava no céu se ele não abrisse a porta,[21] e Martial diz que ele abria também a marcha das estações do ano e das revoluções celestes, daí o seu nome *Janitor,* o porteiro do céu.[22] Mais tarde, Janus tornou-se, junto aos romanos, o guia das almas e chefe dos manes, que mandava subir três vezes por ano dos infernos ao mundo superior, nos dias 24 de agosto, 5 de outubro e 8 de novembro.[23]

As festas solsticiais de Janus foram convertidas nas festas de

---

18 *Apocalipse*, cap. XI.
19 DANTE, *Paraíso*, 28, 58.
20 OVÍDIO, *Faustos*, I, versos 99 ss.
21 *Id., ib.*, versos 102 ss.
22 MARTIAL, *Epigrammes*, I, versos 8 ss.
23 Cf. G. LANOÉ-VILLÈNES, *Le livre des symboles*, Paris, 1930, Che-Co, p. 194.

São João de inverno e de São João de verão. Deus dos artífices construtores, quer dizer, dos homens do ofício, cuja iniciação resulta nos pequenos mistérios, Janus é cristianizado e torna-se patrono sob o vocábulo dos dois são João (que, em suma, são apenas duas modalidades de um único e mesmo ser), das Lojas de construtores da Idade Média, celebrando-se suas festas nos dias 27 de dezembro e 24 de junho. Tanto é verdade, que podemos ver na igreja de Saint-Rémy, em Reims, um vitral no qual figura "um são João que se poderia chamar de *sintético*, incluindo numa só figura o Precursor e o Evangelista, fusão sublinhada pela presença por cima da cabeça de dois girassóis dirigidos em sentidos opostos [= os dois solstícios], em suma, uma espécie de Janus cristão".[24] Parece-nos igualmente útil mencionar que no simbolismo maçônico operativo, que é transmitido na Maçonaria anglo-saxônica, encontra-se uma figuração dos dois são João, representada por um círculo, tendo em seu centro um ponto, trazendo o círculo duas tangentes paralelas. "[Esse] círculo é considerado como uma figura do ciclo anual, correspondendo então os pontos de contato dessas duas tangentes, diametralmente opostas uma à outra, aos dois pontos solsticiais."[25] Janus possuía às vezes duas faces (bifrons), mais raramente quatro[26] e citaremos este exemplo muito curioso que bem demonstra a relação das duas faces de Janus com os maçons operativos. Na catedral de Nantes podemos admirar o túmulo do duque da Bretanha, Francisco II, de Michel Colombe. Num dos ângulos do túmulo vê-se uma estátua representando a prudência. Trata-se de uma mulher com dupla face: a de uma moça e a de um velho (alegoria janusiana). Esse personagem traz em uma das mãos um espelho convexo simbolizando o microcosmo (o espelho foi introduzido

---

24 J. HANI, *Le symbolisme du temple chrétien*, Paris, La Colombe, 1962, pp. 91-92.
25 R. GUÉNON, "Le symbolisme solsticial de Janus", em *Symboles fondamentaux de lanscience sacrée*, p. 253, nota 3.
26 CREUZER, *Symbolisme religieux de l'Italie*, t. III, p. 3.

mais tarde no Rito Retificado, no grau de companheiro, após o ter sido na Estrita Observância em 1782) e, na outra, um compasso.[27] O escultor do século XVI soube, portanto, perfeitamente reunir todos os símbolos iniciáticos: o de Janus, patrono dos construtores, e o compasso, instrumento dos mestres maçons. Mais impressionante ainda é essa madeira gravada do tratado de *L'Azoth,* do alquimista Basile Valentin, onde se vê: "aos pés de Atlas, que sustenta a esfera cósmica, um busto de Janus — *prudentia* — e um menino soletrando o alfabeto — *simplicitas*"[28] que nos apresenta Janus como mestre de iniciação diante do cosmos, quer dizer, a Loja e a criança que soletra, o aprendiz que deverá por esforço iniciático reunir o que está espalhado, quer dizer, as letras que formarão as palavras sagradas, as palavras-chave. Não se poderia esquecer tampouco que Janus, deus das portas celestes e a quem é consagrado o mês de janeiro, tem entre seus atributos uma *chave* que simboliza o instrumento que permite abrir as portas, as barreiras, em busca de um conhecimento mais perfeito, mais profundo do esoterismo.[29] Essa chave tornou-se um cetro em certas representações de Janus, sendo esses dois atributos também do Cristo: "O Clavis David, et sceptrum domus Israel! Sois, ó Cristo esperado, a chave de David e o cetro da casa de Israel. Abris e ninguém pode fechar, e quando fechais, ninguém poderá mais abrir...".[30] Esse canto do ofício romano de 20 de dezembro canta, ao mesmo tempo que anuncia a festa do Evangelista, o solstício do inverno, cuja porta é aberta com a chave de Janus, a vinda do Salvador que será batizado pelo Precursor e que

---

27 Podemos ver uma boa reprodução dessa estátua em FULCANELLI, *Les demeures philosophales*, Paris, 1960, 2ª ed., t. II, p. 38.
28 FULCANELLI, *op. cit.*, t. II, p. 141.
29 No tempo dos reis, a chave era o atributo dos camaristas. Muitas chaves figuram em heráldica, por exemplo, no brasão dos condes de Clermont-Tonnerre, um dos quais foi o sucessor do duque de Antin na grã-mestria da Ordem Maçônica no século XVIII.
30 *Breviário Romano*, ofício do dia 20 de novembro.

dará a Pedro o poder das chaves: a de ouro e a de prata. Uma e outra são as chaves dos pequenos mistérios e dos grandes mistérios; representam a abertura para os mundos temporal e espiritual, Pedro possui a chave da salvação. João, sendo Janus, traz a chave da libertação. A esse título, não pode ser senão o Santo patrono das Lojas Maçônicas onde, ao mesmo tempo que se edifica na fraternidade o Templo ideal, o iniciado tende, por meio de um segundo nascimento (a mestria), à *realização* integral, ao retorno ao Adão Qadmon primordial.

PEDRA BRUTA E PEDRA TRABALHADA

A Franco-Maçonaria, ao se tornar *especulativa,* em 1717, perdeu seu apoio técnico de realização *operativa* e espiritual. Os materiais, os instrumentos do ofício tornaram-se imagens, quer espirituais, fixadas sobre os tapetes da Loja nos primeiros e segundos graus,[31] quer mentais. De toda maneira, o que a mão pudesse tocar, agindo o espírito sobre a mão, participaria, doravante, exclusivamente do domínio do mental. Está aí, sem dúvida, a consequência de uma época em que a máquina passou a substituir cada vez mais a ação humana.

A pedra bruta continua sendo um dos símbolos fundamentais da Franco-Maçonaria. De uma maneira geral, os autores maçônicos transformaram esse símbolo numa alegoria moral, muitas vezes bastante utilitária. Comparam o novo maçom, o aprendiz, a uma pedra bruta que ele próprio devia trabalhar e nele mesmo, por um trabalho constante, puramente interior. Se nos colocamos no plano metafísico, a pedra bruta (o aprendiz) é uma individualidade (o eu) que deverá ser desbastada para chegar à personalidade, quer dizer, para, enfim, desbastada de todas

---

31 Cf. Cap. 1, nota 57.

as suas asperezas (a pedra trabalhada), integrar-se ao edifício global que forma a Franco-Maçonaria.

Se voltarmos ao plano operativo, e como tivemos a oportunidade de sublinhar várias vezes aqui mesmo, as primeiras construções foram feitas de madeira, e a transição progressiva dessa primeira modalidade de edificação para o emprego da pedra bruta, depois da pedra trabalhada, só pode constituir aos olhos de nossos modernos contemporâneos um progresso real. Trata-se também, uma vez que se fala de construção e, portanto, de abrigo para os homens, de uma estabilização da modalidade de vida, ou se quiserem, da estabilidade dos homens em termos espaciais e temporais, quer dizer, da transição da vida nômade para a vida sedentária, o que implica uma mudança de tradições "e, ademais, quando Israel passou do primeiro desses estágios para o segundo, desapareceu a proibição de edificar edifícios em pedras trabalhadas uma vez que não havia mais razão para isso, como testemunha a construção do templo de Salomão, que certamente não foi uma empresa profana, à qual se prende, pelo menos simbolicamente, a própria origem da Maçonaria".[32]

A construção em pedras brutas, depois em pedras trabalhadas, pode dar ao edifício mais força e mais beleza, mas constitui esse fato, no plano tradicional, uma *solidificação* que reflete uma espécie de decadência espiritual. Não é menos verdade que o trabalho da pedra bruta se realiza sempre segundo um rito, quer dizer, por uma sacralização do trabalho que resulta na glorificação não só desse trabalho propriamente dito, mas d'Aquele que comanda e inspira os trabalhadores, tudo se operando e se integrando num plano traçado pela divindade. Não é preciso dizer que o trabalho efetuado na pedra bruta, para fazer dela uma pedra trabalhada, só pode ser feito numa sociedade tradicional, o que não é, infelizmente, o caso do contin-

---

32 R. GUÉNON, "Pierre brute et pierre taillée", em *Études Traditionnelles*, setembro de 1949, reproduzido em *Symboles fondamentaux de la science scrée*, p. 214.

gente mundo moderno. Só a Franco-Maçonaria pode, neste mundo, permitir esse trabalho de realização espiritual, porém, mais uma vez, só no plano mental e isto porque a Maçonaria, apesar de sua decadência "especulativa", conservou a transmissão espiritual iniciática e ritualiza por meio de gestos e de palavras o trabalho outrora efetivo, hoje unicamente mental. O companheirismo continua sendo atualmente, com a Maçonaria, o único representante eficaz desses ofícios de outrora, que permitiam ao operário iniciado realizar o trabalho na pedra, nele mesmo e na totalidade do cosmos.[33]

A pedra constitui em si um "potencial de forças telúricas e determina todo um ritual de arte sacra. Para demonstrar que o homem se aperfeiçoa, é feita sua comparação com uma pedra, que do estado bruto chega ao estado de pedra esculpida".[34] É assim que no decurso dos séculos deu-se uma importância toda particular não só ao corte da pedra bruta, como também à colocação da pedra assim enfim desbastada, não como se lê comumente na Maçonaria, pelo malho e o cinzel, mas por um cinzel de escultor, "uma espécie de martelo de ponta de que se servem efetivamente os cortadores de pedra".[35] Assim, não faz muito tempo, os pedreiros da região de Menton recitavam uma prece quando da colocação da primeira pedra; os de Namur a aspergiam com um ramo de buxo previamente molhado na água benta.[36] Não é menos curioso observar que, ainda no século XIX, os pedreiros do Bocage normando batiam na primeira pedra sentada com uma trolha e um martelo, enquanto os de Franche-Comté batiam-na três vezes.[37] A colocação da primeira pedra num edifício era sempre fei-

---

[33] J. P. BAYARDD, *Le Monde Souterrain*, Collection "Symboles", Paris. Flammarion, 1961. p. 59.
[34] *Id., ib.*
[35] Cf. PLANTAGENET, *Causeries en chambre de Compagnons*, p. 122 e J. BOUCHER, *La Symbolique maçonnique*, p. 21.
[36] P. SÉBILLOT, *Le Folk-lore de France*, t. IV, Paris, E. Guilmoto, 1907, p. 93.
[37] P. SÉBILLOT, *Légendes et Curiosités des Métiers*, Paris, Flammarion, s. d., pp.

ta no ângulo nordeste da futura construção, acompanhada de um ritual peculiar a cada região. Do mesmo modo na Franco-Maçonaria especulativa, o novel iniciado é posto — pedra fundamental simbólica do futuro edifício — no ângulo nordeste da Loja. A maior parte dos autores procura demonstrar que o corte da pedra bruta, quer dizer, o trabalho individual realizado pelo aprendiz, prende-se à ideia inteiramente profana da liberdade, embora a noção iniciática de *libertação* conviesse muito mais nesse campo. Ali está a lembrança das lições maçônicas do século passado e a afirmação muito conhecida e peremptória "O maçom livre na Loja livre", de Oswald Wirth, que reflete um estado de espírito individualista e profano, enquanto que o corte da pedra bruta se opera efetivamente pelo indivíduo associado, integrado à comunidade total dos iniciados, uma vez que o trabalho de realização espiritual maçônica, convém não esquecer, não poderia ser senão uma obra coletiva.

A PEDRA ANGULAR

A tradição cristã, da qual a Franco-Maçonaria permanece como uma das formas (esotéricas) mais essenciais, confere muita importância à *pedra angular* e ao seu simbolismo. O essencial dessa tradição repousa na seguinte frase: "A pedra que os construtores tinham rejeitado tornou-se a pedra principal do ângulo".[38] São Bernardo, falando da construção do templo cris-

---

15 e 18. Ver do mesmo autor: *Le Folk-lore, littérature orale et ethnographique traditionnelle*, Paris, O. Doin et fils éd., 1913, pp. 82-90.
38 Cf. P. SÉBILLOT, *Légends et curiosités des Métiers.*, pp. 295-298. É interessante observar "que machados de pedra polida [são] colocados debaixo das fundações em várias regiões da França" (*op. cit.*, p. 297), mormente quando se sabe que na Maçonaria a pedra cúbica em ponta, que representa o companheiro, é muitas vezes feita na forma de um machado, sendo este instrumento próprio da Maçonaria florestal, simbolizando o fogo purificador e sendo um

tão e de sua sacralização (construção e sacralização realmente efetuadas pelos franco-maçons construtores de igrejas, detentores tanto do segredo técnico como do segredo iniciático), exclamava: "É preciso que se cumpram espiritualmente em nós os ritos dos quais essas muralhas foram o objeto material. O que os bispos fizeram nesse edifício visível, o que Jesus Cristo, o pontífice dos bens futuros, opera diariamente em nós de uma maneira invisível [...] Entraremos na casa que a mão do homem não levantou, na morada eterna do céu, que se constrói com pedras vivas, que são os anjos e os homens [...] As pedras desse edifício são unidas e soldadas por um duplo cimento, o conhecimento e o amor perfeitos".[39] O simbolismo da pedra angular é um dos

---

dos atributos de são João, sob cujo patrocínio são colocadas as Lojas Maçônicas (cf. J. BOUCHER, *La Symbolique Maçonnique*, Paris, Dervy, 1953, 3ª ed., pp. 164-166). Sobre a pedra cúbica, ver R. GUÉNON, "Pierre noire et pierre cubique", em *Études Traditionnelles*, dezembro de 1947, reproduzido em *Symboles fondamentaux de la science sacrée*, pp. 309-312. R. Guénon observa, com muita propriedade, que "a pedra *cúbica* é essencialmente uma pedra de fundação, é, portanto, muito *terrestre*, como o indica sua forma e, mais ainda, a ideia de *estabilidade* expressa por essa forma convém muito à função de Cibele, na qualidade de *Terra-Mãe*, quer dizer, como representante do princípio *substancial* da manifestação universal. Eis por que, do ponto de vista simbólico, a relação de Cibele com o "cubo" não deve ser totalmente rejeitada, na qualidade de *convergência* fonética; mas, bem entendido, não constitui fundamento para daí se tirar uma *etimologia*, nem para identificar com a *pedra cúbica* a *pedra preta*, que na realidade era cônica. Só conhecemos um caso singular, em que existe uma certa relação entre a *pedra preta* e a *pedra cúbica*: é aquele em que esta última constitui não uma das *pedras da fundação* colocadas nos quatro ângulos do edifício, mas a pedra *shetiyah*, que ocupa o centro da sua base, correspondente ao ponto de queda da *pedra preta*, como, no mesmo eixo vertical, mas na sua extremidade oposta, a *pedra angular* ou *pedra de cumeeira* que, pelo contrário, não tem a forma cúbica, corresponde à situação "celeste" inicial e final dessa mesma *pedra preta*" (*op. cit.*, pp. 311-312). Salmos CXVIII, 22; São Mateus XXI, 42; São Marcos XII, 10; São Lucas XX, 17.

39 Sobre são Bernardo e o grande papel desempenhado por esse santo na igreja de Pedro e sobretudo na igreja de João, ver René GUÉNON, *Saint Bernard*, Paris, 1929, 2ª ed., 1951; 3ª ed., 1959. A definição de são Bernardo aplica-se perfeitamente também à obra da Franco-Maçonaria que dirige os trabalhos de seus

mais difíceis de se estudar, pois os autores, voluntariamente ou não, o confundem com o da pedra fundamental, por causa do célebre Evangelho segundo são Mateus: "Tu és Pedro e sobre esta pedra edificarei a minha igreja e as portas do inferno não prevalecerão contra ela".[40] Segue no plano cristão uma confusão desagradável entre Pedro e o Cristo que é a *pedra angular* e não a pedra de fundação do edifício. Jean Hani, em seu livro interessante, mas prematuro, sobre *Le Symbolisme du Temple Chrétien* [O simbolismo do templo cristão], fez esta confusão como muitos outros. Escreve com efeito: "Todo o ciclo cristão desenvolve-se em três anos. Primeiro ato: o Cristo vem à Terra assentar a *primeira pedra*[41] ou pedra de fundação que, no final das contas, é Ele próprio. Segundo ato: o edifício será concluído com a colocação da verdadeira *pedra angular* ou chave da abóbada. Então, todo o edifício passa por uma transmutação gloriosa: as pedras se tornam preciosas e resplandecentes, penetradas pela irradiação do ouro divino que é sua substância interior; a cidade celestial surgirá em todo o seu esplendor [...]". Jean Hani,[42] em seu lirismo um tanto "sentimental", simplesmente esqueceu o texto tão importante de são Paulo: "Sois um edifício construído sobre os fundamentos dos apóstolos e dos profetas, sendo o próprio Jesus Cristo a pedra principal do ângulo (*summo angulari lapide*), no qual todo o edifício, construído e unido em todas as

---

membros em função de sua realização espiritual por meio de símbolos tomados emprestados ao ofício de construtor e tende a lhes dispensar, por conhecimentos esotéricos, o amor que é ao mesmo tempo fraternidade e conhecimento. Não se pode esquecer que certas oficinas superiores da Maçonaria escocesa se denominam oficinas de perfeição, o que não tem um sentido puramente moral que lhes querem dar certos maçons. Não se trata nessas oficinas de estudar a filosofia moderna, que só pode ser profana e, por conseguinte, destituída de qualquer interesse iniciático, mas de meditar sobre a *Sofia* tradicional. Citado por J. HANI, *op. cit.*, pp. 70-71.
40 São Matheus XVI, 18.
41 Sublinhado no texto original.
42 J. HANI, *op. cit.*, p. 71.

suas partes eleva-se como um templo consagrado ao Senhor, por meio do qual entrastes na sua estrutura para ser a habitação de Deus no espírito".[43] Poderemos ter uma excelente representação figurativa do que é realmente a "pedra angular" no Manuscrito de Munique, intitulado *Speculum humanae salvationis* (Espelho da salvação humana),[44] no qual se podem ver "dois pedreiros segurando a trolha em uma das mãos e, com a outra, segurando a pedra que preparam para assentar no cume de um edifício [aparentemente a torre de uma igreja, cujo pináculo deve ser completado com essa pedra]. Cabe aqui observar, a propósito dessa figura, que a pedra de que se trata, na qualidade de *chave de abóbada* ou em qualquer outra função similar de acordo com a estrutura do edifício que está destinada a 'coroar', não pode ser, por sua própria forma, colocada senão pelo alto (sem o que, aliás, é claro que acabaria caindo no interior do edifício); por isso, representa de uma certa forma a 'pedra descida do céu',[45] expressão que se aplica muito bem ao Cristo e que lembra

---

43 Epístola aos Efésios II, 20-22.
44 Clm. 146, folio 35 (LUTZ e PERDRIZET, t. II, pl. 64). Erwin Panofski reproduziu esse desenho em *Art Bulletin*, t. XVII, p. 450, fig. 20. Encontra-se o mesmo desenho reproduzido em *Symboles fondamentaux de la science sacrée*, Paris, 1962, p. 287, fig. 14.
45 Parece-nos muito sugestivo comparar esse texto com a decoração da Loja real de perfeição do 13º grau escocês (*Royal Arch*, cujo próprio nome é muito significativo). Cf. *Memento des Grades de Perfection*, Paris, Gloton, 1927, p. 75 e do ritual de Mark-Mason. O perfeito mestre Mark dirige-se ao candidato e lhe declara: "Por que, irmão, tiveste a intenção de nos enganar ou, melhor, serias tu um operário que, sem refletir, viria a nos apresentar uma de suas criações mais informes da natureza como uma obra acabada... em uma palavra, como uma obra-prima? Esta oficina não pode senão indignar-se com o teu comportamento culpável e deve pensar com razão que quiseste fixar sua atenção num objeto qualquer, para lhe esconder teu pouco zelo e tua pouca ciência; se te fosse dada aqui a recepção que tanta insolência merece, serias imediatamente expulso do Templo e declarado indigno de jamais possuir o sublime grau de Mark-Mason. Esta pedra informe que chamas de obra-prima é uma produção imperfeita e bruta das mãos da natureza, semelhante ao homem que não foi ainda modela-

também a pedra do *Graal* (o *lapis exillis* de Wolfram d'Eischenbach), que pode ser interpretada como *lapis ex caelis* (pedra vinda do céu) [...] essa mesma ilustração mostra a pedra sob o aspecto de um objeto na forma de diamante (o que a aproxima mais da pedra do *Graal*, que é descrita como esculpida em facetas)".[46] René Gaston tem toda a razão de observar que a "pedra angular" "tomada no seu verdadeiro sentido de pedra 'da cumeeira', é designada ao mesmo tempo em inglês como *Keystone*, como *capstone* (que às vezes aparece grafado também *capestone*) e como *copestone* (ou *copingstone*)". *Capstone* deriva-se, sem dúvida, do latim *caput* (cabeça), "o que nos leva à designação dessa pedra como a 'cabeça do ângulo', é exatamente a

---

do pelo trabalho e pela educação, que é posto de lado, até que suas faculdades sejam desenvolvidas. Esta pedra, que não recebeu nenhuma melhoria que o formão do artista lhe pode dar e da qual pode surgir, talvez, uma obra-prima, produzida por seu trabalho e seu talento, deve ser posta de lado.
Então o perfeito mestre Mark acrescenta estas palavras:
— Eve over...
e joga esta pedra para trás dele ..." (citado por P. MARIEL, *Rituel des sociétés secrètes*, Paris, La Colombe, 1961, p. 73). Por outro lado, as letras I. V. I. O. L., bordadas no cordão do Grande Tesoureiro do 13º grau escocês [cf. RAGON, *Tuileur généralde la Franc-Maçonnerie*, p. 123], estão em estreita relação com a chave de abóbada representando o Cristo e o leão, igualmente símbolo do Salvador [cf. Padre AUBER, *op. cit.*, t. III, pp. 541-542].
46 Vê-se que a ideia do *Graal* e de seu simbolismo está presente em todos os graus superiores do Escocismo e mesmo nas oficinas de perfeição. Às facetas da chave de abóbada prende-se a designação de *pedra de aresta*, significando o mesmo objeto e sobre o qual existem lendas muito curiosas, como a da igreja de Châtel-Montagne, em Bourbonnais, a qual, segundo consta, foi construída pelas fadas. Em 1793, os montanheses locais derrubaram a maior parte do campanário dessa igreja; mas quando um deles tentou arrancar a *pedra de aresta*, de diminuta dimensão, ela resistiu como se tivesse sido ali colada (F. PÉROT, *Légendes du Bourbonnais*, Moulins, 1890, in-8º, p. 14).
R. GUÉNON, *Symboles fondamentaux de la science sacrée.*, p. 286. Cf. em cônego MACÉ, *La Cathédrale de Saint-Jean à Lyon*, Lyon, 1953, as curiosas chaves de abóbadas das pp. 32-40.
Id., *ib.*, p. 284.

pedra que 'acaba' ou 'coroa' um edifício; é também um capitel, que é da mesma maneira o 'coroamento' de uma coluna.[47] Acabamos de falar em 'acabamento' e as duas palavras *cap* e *chefe* são, efetivamente, idênticas do ponto de vista etimológico; a *capstone* é, portanto, o 'chefe' do edifício ou da 'obra' e, em decorrência de sua forma especial que requer, para a cortar, conhecimentos e capacidades peculiares, é também, ao mesmo tempo, uma 'obra-prima' no sentido maçônico dessa expressão; é por ela que o edifício é completamente acabado ou, em outras palavras, finalmente levado à perfeição".[48] À luz do que acabamos de expor, parece-nos oportuno oferecer aos nossos leitores um trecho de Anderson, escrito em 1723: "Finally, all these *Charges* you are to observe, and also those that shall be communicated to you *another way*; cultivating, Brotherly-love, the Foundation and Cape-stone, the *Cement* and *Glory* of this ancient Fraternity...",[49] o que demonstra de sua parte um conhecimento mais profundo do esoterismo maçônico do que em geral lhe é atribuído. Chave de abóbada, a pedra angular ostenta, em No-

---

[47] Cabe aqui observar, a propósito, que o juramento do grau da *Royal Arch* contém uma alusão à "coroa da caveira" (*the crown of the skull*), que sugere uma relação entre a abertura desta (como nos ritos de trepanação póstuma) e a remoção (*removing*) da Keystone; de resto, as assim chamadas "penalidades" expressas nos juramentos dos diferentes graus maçônicos, assim como os signos que lhe são correspondentes, dizem, de um modo geral, relação com os diversos centros sutis do ser humano" (R. GUÉNON, *Symboles fondamentaux de la science sacrée*, p. 284, nota 1, colunas 1 e 2). Só nos resta também sorrir quando vemos um polígrafo atual escrever friamente: "A Grande Loja da Inglaterra ousa interpretar as santas escrituras. Seu grau da *Royal Arch*, sobretudo, é intolerável nesse sentido." (A. MELLOR, *Nos frères séparés: les Francs-Maçons*, Paris, Mame, 1961, p. 323), o que prova que o escritor de *Trois affaires de chantage* não possui senão um conhecimento muito superficial não só da Maçonaria como dos textos bíblicos.
[48] R. GUÉNON, *Symboles fondamentaux de la science sacrée*, pp. 284-285.
[49] "Enfim, todas essas *obrigações* devem ser por vós observadas, como também aquelas que vos serão comunicadas de uma *outra maneira*; cultivando o *Amor fraterno*, o fundamento e a cumeeira, o *Cimento* e a *Glória* dessa antiga confraria..." (traduzido por M. PAILLARD, *op. cit.*, p. 56).

tre-Dame du Fort, em Étampes (Seine-et-Oise), a imagem dos quatro coroados, o que ressalta ainda os vínculos existentes entre os franco-maçons iniciados e a tradição cristã.[50] Às vezes não existe nenhuma pedra angular. Então, acima do transepto encontra-se o *occulum* (o olho de Deus), orifício pelo qual penetra a luz na igreja e cujo equivalente se encontra na atalaia dos navios, cuja construção exigia ritos de consagração semelhantes aos ritos utilizados para a consagração das igrejas. Nas Lojas maçônicas o *occulum*, chave de abóbada do templo a ser construído, é simbolizado pelo fio de prumo, instrumento dos homens do ofício, que pende de cima do teto no meio da oficina. Assim, a *pedra angular* é um dos símbolos mais interessantes tanto da Maçonaria operativa como da Maçonaria especulativa; seria ainda necessário estabelecer a distinção primordial existente entre o "quadrilongo", que figura a Loja, e a chave de abóbada ou o *occulum*, circular, simbolizando a Terra e o Céu, o que corresponde a dois estágios iniciáticos diferentes: os da *Square Masonry* e da *Arch Masonry* "que por suas relações respectivas com a 'Terra' e o 'Céu', ou com as partes do edifício que os representam (a forma quadrada, parte inferior do Templo e a abóbada ou cúpula), são postos aqui em correspondência com os 'pequenos mistérios' e com os 'grandes mistérios'".[51] Isso prova à saciedade que a Maçonaria azul (ou dos três primeiros graus) equivale à iniciação baseada no ofício de construtor, enquanto a Maçonaria dita dos graus superiores, prolongamento obrigatório da primeira, resulta numa iniciação de ordem diferente e mais profunda, mas que não poderia realizar-se sem a dependência dos três primeiros graus maçônicos.

50 Cf. P. SÉBILLOT, *Le Folk-lore. Littérature orale et Ethnographie traditionnelle*, Paris, 1913, pp. 301-302.
51 R. GUÉNON, *Symboles fondamentaux de la science sacrée*, p. 281, nota 1.

A CADEIA DE UNIÃO

Os franco-maçons chamam de *borla dentada* uma *corda de nós* que cerca o "quadro de aprendiz" e o "quadro de companheiro". Essa "expresão parece imprópria", afirma Jules Boucher, "mas, não obstante, está consagrada pelo uso. Trata-se de uma corda formando nós chamados de *laços de amor* e terminada por uma borla em cada extremidade".[52] Esses nós são "entrelaçados [e] sem interrupção formam a borla dentada de nossos templos, são a imagem de uma união fraterna que liga, por uma cadeia indissolúvel, todos os maçons do globo, sem distinção de seitas nem de condições. Seu entrelaçamento simboliza também o segredo que deve cercar nossos mistérios. Sua extensão circular e sem descontinuidade indica que o império da Maçonaria, ou o reino da virtude, compreende o universo em cada Loja. A borla dentada lembra as faixas amarelas, verdes, azuis e brancas dos templos egípcios, e as faixas brancas, vermelhas e azuis das antigas igrejas da França, nas quais os senhores aplicavam seus brasões e que, nesses monumentos sagrados, destinados a um culto solar, representavam o zodíaco".[53] Vê-se aqui toda a redundância sentimental de J. M. Ragon, sem esquecer, como ocorre com a maioria dos maçons de seu tempo, a ligação abusiva com a simbólica egípcia, então inteiramente nova para os ocidentais. Convém lembrar que Ragon foi um dos mais altos dignatários da ordem de Misraim, antes de se afastar dela com ostentação.[54] Também inteiramente sentimental é a interpretação de Plantagenet: "A borla dentada simboliza a fraternidade que une todos os maçons, e, por esse título, é uma reprodução permanente e material da "cadeia de

---

52 J. BOUCHER, *op. cit.*, pp. 169-170.
53 J. M. RAGON, *Rituel du grade de Compagnon*, p. 36, *apud* J. BOUCHER, *op. cit.*, p. 170.
54 Cf. RAGON, *op. cit.*, pp. 235-252.

união".⁵⁵ Mais precisa, mas sem grande valor iniciático, é a opinião de O. Wirth: "Um lambrequim recortado forma um friso e traz uma corda terminada em borlas que se juntam perto das colunas J∴ e B∴. Esse ornamento tem sido impropriamente chamado de borla recortada. A corda ata-se em entrelaces, chamados de laços de amor, e representa assim a cadeia de união que liga todos os maçons. Os nós podem ser em número de *doze* para corresponder aos signos do zodíaco".⁵⁶ Mais simplista ainda E. F. Bazot, que define a borla dentada como "um cordão que tem em cada extremidade uma borla. Vínculo de fraternidade que une todos os maçons".⁵⁷ E com referência à cadeia de união, diz que "ela só se estabelece normalmente em dois casos, quando da comunicação das palavras de semestre⁵⁸ e em seguida a banquetes. É reunir-se em círculo, de mãos dadas".⁵⁹

Por outro lado, os companheiros comportam-se igualmente nessa cerimônia chamada por eles de cadeia de aliança. Raoul Vergez relata-nos num recente artigo que em 1861, após um acidente fatal ocorrido em Notre-Dame de Paris "... mais de quinhentos companheiros vieram formar a cadeia de aliança em torno da catedral e o cônego de Notre-Dame celebrou para eles a missa dos mortos".⁶⁰ Essa anotação muito interessante parece con-

---

55 *Apud* J. BOUCHER, *op. cit.*, p. 170.
56 O. WIRTH, *Le Livre de l'Apprenti*, p. 178. J. Boucher observa, com propriedade, a respeito desse texto, que "Wirth afirma aqui que o número de nós pode ser doze, enquanto na página seguinte no desenho que apresenta "só figurem três" (J. BOUCHER, *op. cit.*, p. 170, nota 2).
57 E. F. BAZOT, *Manuel du Franc-Maçon*, Paris, 1812, 2ª ed, p. 134.
58 As *palavras de semestre* são dadas na Franco-maçonaria de seis em seis meses. Só foram instituídas no dia 28 de outubro, pelo duque de Orléans, quando Grão--Mestre do Grande Oriente da França. As palavras de semestre nunca são escritas e são, portanto, comunicadas verbalmente. "Só o venerável tem autoridade para as transmitir àqueles que não estavam presentes quando da comunicação [das palavras de semestre] na Loja." (J. BOUCHER, *op. cit.*, pp. 346-347.)
59 E. F. BAZOT, *op. cit.*, p. 126.
60 R. VERGEZ, "Le coq de Notre-Dame", em *Atlantis*, nº 209, novembro/dezembro de 1961, p. 11.

firmar a opinião daqueles que consideram a cadeia de união como uma representação do "cordel de que se serviam os maçons operativos para traçar e delimitar o contorno de um edifício".[61] E R. Guénon, ao mostrar que a Loja Maçônica é uma representação simbólica do cosmos, tem o cuidado de indicar que todo o sítio de um edifício tradicional devia ser cercado e que "o traçado 'materializado' pelo cordel representava, para dizer a verdade, uma projeção terrestre".[62] Assim, a Cadeia de União seria a projeção celeste do cordel terrestre, formando nas paredes da Loja uma moldura situada num plano que, evidentemente, não pertence às três dimensões comuns. A cadeia de união, cordel projetado ao infinito, materializa-se na parede da Loja com a imagem de uma corda que se cruza e recruza em doze nós (pelo menos teoricamente, a julgar pelas representações mais ou menos fantasistas dos tapetes de Loja) chamados de *laços de amor*. R. Guénon se pergunta se esse nome bastante curioso não seria fruto da civilização do século XVIII, observando que talvez exista nessa denominação poética "um vestígio de algo que remonta a algo muito mais distante e que poderia mesmo estar diretamente ligado ao simbolismo dos *Fiéis de Amor*".[63]

Sem chegar a esse ponto, lembraremos que nos séculos XII e XIII as cartas, quer sociais quer amorosas, trazem os selos particulares dos missivistas e que esses selos, frequentemente muito

---

61 R. GUÉNON, "La chaîne d'Union", em *Études Traditionnelles*, setembro de 1947, reproduzido em *Symboles fondamentaux de la science sacrée*, p. 388.
62 *Id., ib.*, p. 388. No mesmo artigo indica R. Guénon que o símbolo da cadeia da união "traz também outra denominação, a de 'borla dentada', que dá antes a impressão de designar o contorno de uma abóbada; ora, sabemos que a abóbada é um símbolo do céu (por exemplo, a abóbada do carro na tradição extremo-oriental); mas, como se verá, não existe, na realidade, nenhuma contradição" (p. 388, nota 3). Parece que nesse ponto Guénon faz uma confusão, sendo a borla dentada unicamente a terminação da cadeia de união. Duas borlas dentadas completam de cada lado das colunas J. e B., no ocidente, a cadeia de união que estende seus laços às paredes da Loja.
63 *Id., ib.*, p. 389, nota 2.

numerosos, são presos ao documento por meio de laços de seda verde chamados "laços de amor". Se quisermos admitir o simbolismo da cor verde e sua ideia de esperança, poderemos ver, talvez, nos laços de amor da cadeia de união, a esperança alimentada pelos maçons, de ver no curso dos tempos virem futuros irmãos iniciados tomar lugar nessa cadeia universal, sendo o lugar desses novatos obrigatoriamente entre as colunas do templo, a oeste, de onde pendem exatamente no infinito as duas borlas dentadas. Mas R. Guénon tem plena razão de ressaltar que a cadeia de união, que forma um quadro no templo maçônico, imagem do cosmos, tem "por função principal manter em seu lugar os diversos elementos que contém ou encerra em seu interior, de modo a formar um todo ordenado, o que, além disso, é, como se sabe, a própria significação etimológica da palavra 'cosmos'".[64]

Caberia aqui, ao concluir esse tópico, dizer algumas palavras sobre os labirintos que ornam ainda algumas igrejas ou catedrais. Esses traçados de pedras de cores diferentes das cores do pavimento, e que podem ser ainda vistos em Chartres, "apresentam evidentemente uma surpreendente semelhança com a cadeia de união maçônica".[65] R. Guénon engana-se, todavia, quando escreve

---

64 *Id., ib.*, p. 390. GUÉNON acrescenta em nota (nota 1): "Pode-se afirmar que nosso mundo é 'ordenado pelo conjunto das determinações temporais e espaciais ligadas ao zodíaco, de uma parte, por sua correspondência com as direções do espaço (não é preciso dizer que este último ponto de vista está em estreita relação também com a questão da orientação tradicional dos edifícios)". A esse propósito, ressaltaremos que uma cadeia de união de pedra e em relevo existe na parte externa de um grande número de igrejas, mais especialmente de estilo romano, por exemplo em Vieux Saint-Nicolas de Caen, em Nouzerines (Creuse), em Crévoux e em Embrun (Altos Alpes). O fato de um zodíaco ornar a fachada oeste das igrejas não faz senão confirmar a união existente entre o quadro dessas igrejas construídas por maçons operativos e o da Loja dos Maçons especulativos, provando até que ponto a Franco-Maçonaria, originária dos primeiros, soube conservar as representações tradicionais mais antigas.
65 R. GUÉNON, "Encadrements et labyrinthes", em *Études Traditionnelles de la*

que os labirintos medievais "são também considerados como constituindo uma 'assinatura coletiva' das corporações de construtores",⁶⁶ uma vez que se conhece a maior parte dos nomes daqueles que edificaram ou mandaram edificar esses labirintos e, às vezes, como em Chartres, a efígie do mestre de obras encontra-se gravada no centro do traçado.

A interessante questão dos labirintos tem suscitado muitos e variados estudos,⁶⁷ infelizmente, na maioria das vezes,

---

science sacrée, outubro/novembro de 1947, reproduzido em *Symboles fondamentaux*, pp. 391 ss.

66 *Id., ib.*, p. 391.

67 Sobre os labirintos, ver: E. AMÉ, *Les carrelages émaillés*, Paris, 1859; Padre Charles AUBER, *Histoire de la Cathédrale de Poitiers;* M. AUBER, *Compte rendu de l'Académie des Inscriptions et Belles-Lettres*, 30 de abril de 1943, pp. 203-209; J.-P. BAYARD, *Le Monde Souterrain*, Paris, 1961, pp. 129-146, e do mesmo autor: "Le Labyrinthe", em *L'Age nouveau*, nº 104, novembro/dezembro de 1958; M. BERTHELOT, artigo "Labyrinthe", em *La Grande Encyclopédie*, t. XXI, pp. 203; D. DE BOISTHIBAULT, "Notice sur le labyrinthe de Chartres", em *Revué archéologique;* M. BRION, "Le thème de entrelacs et du labyrinthe dans l'œuvre de Léonard da Vinci", em *Revue d'Esthétique*, V. nº de janeiro/março de 1952, e do mesmo autor: "Les nœuds de Léonard de Vinci et leur signification", em *Études d'Art*, nº 8, 9 e 10; M. BRION, *Léonard da Vinci*, Albin Michel, 1952, pp. 192 ss.; L. DEMAISON, *La Cathédrale de Reims*, Paris, 1910, pp. 22-23; H. DENEUX, *Bulletin de la société nationale des Antiquaires de France*, 1920; L. D. DE PAS, *Essai sur le pavage des églises*, *Annales Archéologiques*, t. XII; DIDRON, *Annales Archéologiques;* Padre DURET, *Notions élémentaires d'architecture religieuse*, pp. 206 ss.; M. ELIADE, *Images et Symboles*, Paris, 1952, e *Traité d'Histoire des Religions*, Paris, Payot, 1953, pp. 326 ss.; FULCANELLI, *Le Mystère des Cathédrales*, Paris, reed. 1957; J. GAILHABAUD, *Ouvrages d'Architecture et des Arts;* R. GUÉNON, *Le symbolisme de la Croix*, Vega, 1950, "La caverne et le labyrinte", em *Symboles fondamentaux de la science sacrée*, pp. 209-218, "Encadrements et Labyrinthes", em *Symboles fondamentaux de la science sacrée*, pp. 391-395; E. LAMBERT, "Le Labyrinthe de la Cathédrale de Reims", em *Gazette des Beaux-Arts*, maio/junho de 1958, pp. 273-280; R. DE LASTEYRIE, *L'Architecture Religieuse en France à l'époque gothique*, Paris, 1927, t. II, pp. 247-249; H. LECLERCQ, *Dictionnaire d'Archéologie chrétienne et de Liturgie à l'article labyrinthe;* E. MALE, *L'Art Religieuse en France*, 1928-1932; M. O. V. DE MILOSZ, *Les Arcanes*, Paris, Egloff, 1948, p. 34; F. RUCHON, "Rites et Symboles de l'ancien compagnon-

escritos com espírito profano. Para nós, o traçado do labirinto sobre o pavimento do edifício consagrado, às vezes chamado de "caminho de Jerusalém" e cujo percurso (que era feito de joelhos) era realizado quando de uma peregrinação à Terra Santa (Guénon observou que em Saint-Omer "o centro [do labirinto] continha uma representação do templo de Jerusalém"),[68] ter-se-ia projetado na parede da igreja (às vezes, como dissemos em nossas notas, pelo seu lado externo) e, por conseguinte, na parede da Loja. A cadeia de união seria então a projeção da obra coletiva dos Maçons, a molduragem tradicional da Loja e também o símbolo da edificação futura do Templo de Salomão.

Vemos, então, que nesse símbolo, como em muitos outros, não há nenhuma necessidade de se encontrar uma explicação moral ou sentimental, não tendo na realidade o simbolismo nada a ver com esse gênero de coisas, uma vez que se basta a si mesmo por sua natureza transcendente, mas também imanente, para todos quantos tenham alguma noção tradicional que não seja vela-

---

nage", em *Alpina*, dezembro de 1948; A. B. DE SÉNÉAC, "La Liberté", "Les labyrinthes compagnonniques", em *Bulletin du Comité des Travaux historiques et scientifiques*, Section des Sciences économiques et sociales, 1936, pp. 141-151; E. SOYER, *Les Labyrinthes d'Églises*, Amiens, 1896; T. DE VIGIER, "Découverte d'un labyrinthe à Genainville", em *Mémoires de la société historique et archéologique de l'arrondissement de Pontoise et du Vexin*, t. LVI, Pontoise, 1957, pp. 73-78; V. LE DUC, *Dictionnaire raisonné de l'architecture française*, t. VI, pp. 152-153; *Vile d'Isis*, numéro spécial sur le Compagnonnage, novembro de 1925, nº 171, pp. 680-692.

A maior parte dos labirintos conhecidos, como o de Saint-Ouen (2041 ladrilhos), de Chartres (608 pés), chamado de a *légua*, porque se despendia uma hora para percorrê-los de joelhos, o de Sens (30 pés de diâmetro), o de Bayeux (4 m de diâmetro) é de grande porte, exceto os da Abadia de Toussaint em Isle à Châlons-sur-Marne (0,25 m de lado) e de Genainville (14 m de desenvolvimento, isto é, 28 metros de percurso de ida e volta) (T. DE VIGIER, *op. cit.*, p. 77).

68 R. GUÉNON, "Encadrements et Labyrinthes", em *Symboles fondamentaux de la science sacrée*, p. 392, nota 3.

da por qualquer especulação humana "inventada" a partir do século XVIII.[69]

---

[69] Existe uma evidente relação entre o desdobramento do traçado dos labirintos sobre o pavimento das igrejas e a marcha do sol. O labirinto participa do simbolismo solar. Vê-se daí que se o labirinto é uma outra forma da cadeia de união, adorno obrigatório das Lojas, como acreditamos, estas estão postas em estreita correlação com o itinerário aparente do sol, o que implica um sentido obrigatório da marcha dos franco-maçons em suas Lojas (ver a esse respeito, R. GUÉNON, *La Grande Triade*, pp. 55-65).

Conclusão

Num artigo de *Le Symbolisme* de outubro de 1948, Marius Lepage empenhou-se em demonstrar o que é *La Délivrance Spirituelle par la Franc-Maçonnerie* (A Liberdade Espiritual pela Franco-Maçonaria) e citou, com propriedade, algumas dificuldades que experimentam muitas pessoas de boa vontade na atualidade para promover seu desengajamento da contingência social.

Este é o problema, aliás, característico de todas as épocas. Por que meios "técnicos" poderá o homem encontrar o caminho da salvação, não só pela prática do exoterismo, qualquer que ele seja, mas ainda pelo conhecimento esotérico? A Franco-Maçonaria, apesar de seus ritos diversos, apesar de suas obediências lamentavelmente múltiplas, oferece esse meio, uma vez que constitui um autêntico depósito tradicional iniciático.

Após momentos muito penosos, quando os templos maçônicos tinham sido invadidos pelas preocupações próprias do mundo profano, temos a impressão de que os franco-maçons se recuperaram e se recuperaram sob a influência do homem a cujo nome dedicamos esta obra: René Guénon. A Franco-Maçonaria tende na atualidade e tenderá cada vez mais à transcendência pelo estudo aprofundado de seus ritos e simbolismo.

Os tempos não são mais aqueles em que, a queda de um regime político podia ser associada à suspensão, embora provisória, da Franco-Maçonaria.

Como todas as potências espirituais, a Franco-Maçonaria é intemporal. Existia em princípio no começo do mundo e existirá até *o fim dos tempos.*

Esotérica, a Franco-Maçonaria nada tem a fazer senão desdenhar as condenações que lhe são impostas por uma religião exotérica. Elas se ignoram, pois a Franco-Maçonaria e a Igreja Católica Apostólica Romana, independentemente do real valor espiritual desta última, não se situam no mesmo plano.

Baseada no ofício de construtor, a Franco-Maçonaria edifica universalmente o Templo futuro do homem para a harmonia e a felicidade perfeitas de todos os seres, quaisquer que sejam suas cores ou suas crenças, para a glória d'Aquele que em primeiro lugar criou o Cosmos.

Perseguidos, acuados, torturados, assassinados, martirizados através dos séculos e em muitos países, os franco-maçons, ao constituir uma ordem, asseguraram, apesar de tudo e de todos, a perenidade iniciática da Franco-Maçonaria.

A Franco-Maçonaria, no nosso pobre mundo contemporâneo, em que a ciência parece não ter mais consciência, permanece como o lugar, o cume montanhoso, a corte do Sol, a ilha branca, a ilha do esplendor, a floresta da Brocelândia, o templo do Graal, a extrema tule onde brilha ainda a Luz... salvadora...

Paris, domingo, 17 de novembro de 1963.

Anexos

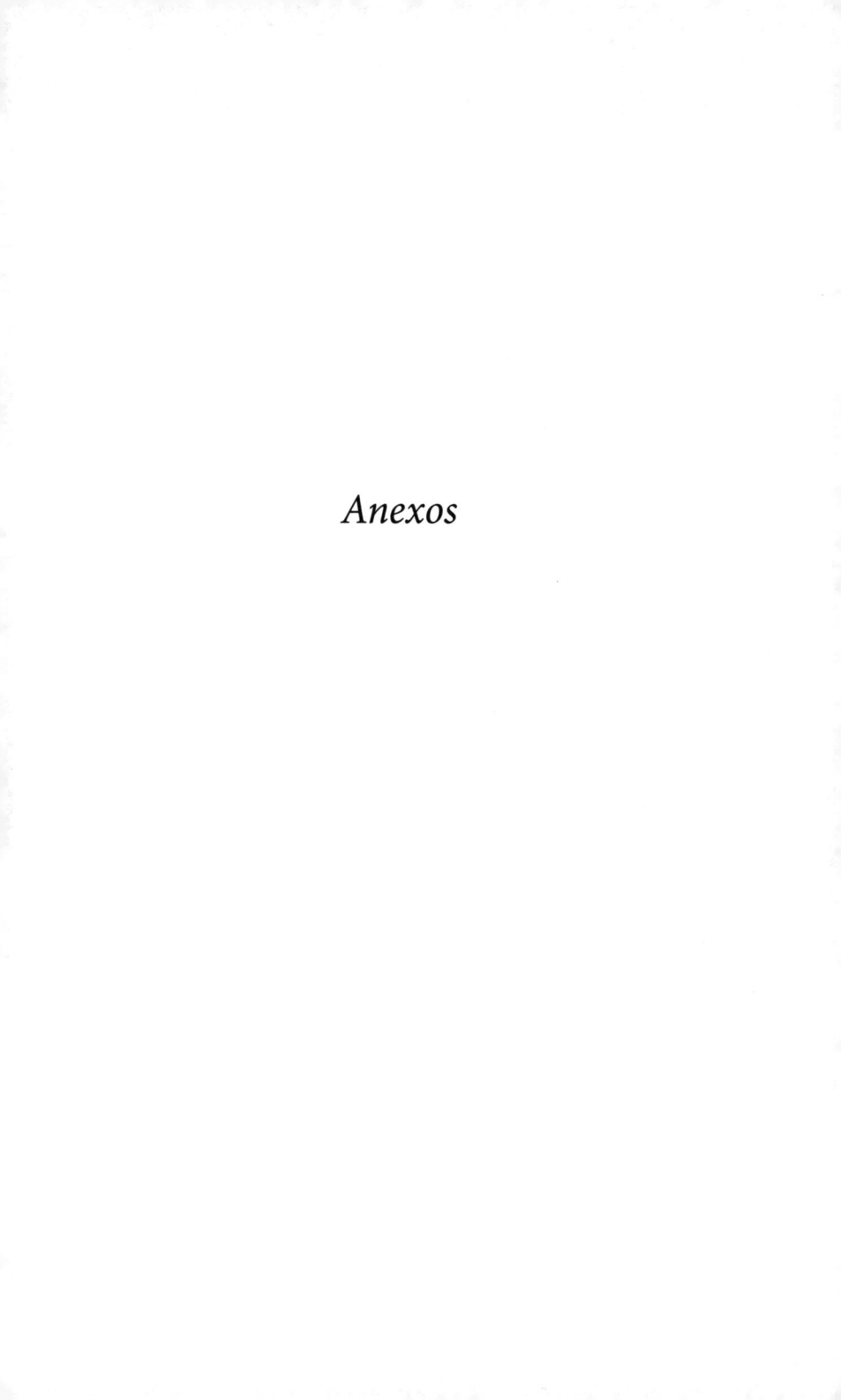

I. Extrato das Constituições de Anderson

DE 1723

As obrigações de um franco-maçom

"1 — Com relação a Deus e à religião:
"Um maçom está obrigado, por sua condição, a obedecer à lei moral e se compreender a arte, não será jamais um ateu estúpido, nem libertino irreligioso. Mas, embora nos tempos antigos os maçons fossem obrigados em cada país a pertencer à religião adotada, qualquer que ela fosse, por esse país ou por essa nação, hoje se considera mais conveniente apenas obrigá-los à religião sobre a qual todos os homens estão de acordo, deixando a cada qual a sua própria opinião; quer dizer, ser homens de bem e leais, ou homens honrados e probos, quaisquer que sejam as denominações ou confissões que ajudem a distingui-los; em consequência disso, a Maçonaria se torna o centro de união e o meio de estreitar uma amizade sincera entre as pessoas que, caso contrário, teriam podido permanecer eternamente estranhas."

DE 1738

A primeira obrigação

"1 — Com relação a Deus e à religião:
"Um maçom está obrigado, por sua condição, a observar a lei

moral, na qualidade de um verdadeiro noaquita, e se compreender o ofício, não será jamais um ateu estúpido, nem um libertino irreligioso, nem agirá contra a sua consciência.

"Nos tempos antigos, os maçons cristãos eram obrigados a se conformar aos costumes cristãos de cada país que habitassem ou por onde viajassem: mas existindo a Maçonaria em todas as nações, mesmo de religiões diversas, estão hoje apenas obrigados a aderir à religião sobre a qual todos os homens estão de acordo (deixando a cada irmão suas opiniões pessoais), quer dizer, ser homens de bem e leais, homens honrados e probos, quaisquer que sejam os nomes, religiões ou confissões que ajudem a distingui-los: pois todos estão de acordo com relação aos três grandes artigos de Noé, o suficiente para preservar o cimento da Loja; assim, a Maçonaria é o centro e sua união, e o meio feliz de conciliar as pessoas que, de outro modo, teriam ficado eternamente estranhas."

II. Discurso do cavaleiro de Ramsay

Senhores, o nobre ardor que demonstrais para ingressar na nobilíssima e ilustríssima ordem dos franco-maçons é prova incontestável de que já possuís todas as qualidades necessárias para tornar-vos seus membros, isto é, a humanidade, a moral pura, o segredo inviolável e o gosto pelas belas-artes.

Licurgo, Sólon, Numa e todos os legisladores políticos não puderam tornar duradouros seus sistemas: por mais sábias que fossem suas leis, não puderam estender-se a todos os países e em todos os séculos. Por não terem em vista senão as vitórias e as conquistas, a violência militar e a proeminência de um povo sobre outro não puderam tornar-se universais, nem se ajustar ao gosto, ao gênio e aos interesses de todas as nações. A filantropia não constituía sua base. O amor à pátria, mal compreendido e levado ao excesso, destruía muitas vezes, naquelas repúblicas guerreiras, o amor e a humanidade em geral. Os homens não se distinguem essencialmente pela diferença das línguas que falam, dos hábitos que possuem, pelas regiões que habitam, nem pelas dignidades de que são revestidos. O mundo inteiro não é senão uma grande república, da qual cada nação é uma família e cada indivíduo, um filho. Foi para reviver e expandir essas máximas essenciais, inerentes à natureza humana, que foi inicialmente estabelecida nossa sociedade. Queremos reunir todos os homens dotados de espírito esclarecido, de costumes morigerados e de humor agradável, não só pelo amor às belas-artes, mas também pelos grandes princípios de virtude, de ciência e de religião, nos quais o interesse da confraria torna-se o interesse do gênero humano, nos quais todas as nações podem sorver conhecimentos sólidos e nos quais os súditos de todos os reinos podem aprender a se estimar mutuamente, sem renunciar à sua pátria. Nossos antepassados, os cruzados, reunidos de todas as partes da cristandade na Terra Santa, quiseram reunir assim numa única confraria os indivíduos de todas as nações. Que gratidão não devemos a esses homens superiores que, sem interesses subalternos, sem mesmo ouvir a vontade natural de domínio, imaginaram um estabelecimento cujo único objetivo fosse a reunião dos espíritos e dos corações para torná-los melhores e formar com o tempo uma nação toda espiritual, na qual, sem derrogação dos diversos deveres impostos pela diferença dos Estados, criar-se-á um povo novo, o qual, composto de várias nações, as cimentará todas de uma certa maneira pelo vínculo da virtude e da ciência.

A sã moral é a segunda disposição exigida em nossa sociedade. As ordens religiosas foram criadas para tornar os cristãos perfeitos; as ordens militares, para inspirar o amor à verdadeira glória; e a Ordem dos franco-maçons para formar homens e torná-los amáveis, bons cidadãos, bons súditos, invioláveis em suas promessas, fiéis adoradores do Deus da amizade, mais amantes da virtude do que das recompensas.

Polliciti servare fidem, sanctumque vereri.
Numen amicitiae mores, non munera amare.

Com isso não queremos dizer que nos limitamos unicamente às virtudes civis. Temos entre nós três espécies de confrades: noviços ou aprendizes; companheiros ou professores; mestres ou perfeitos. Aos primeiros se explicam as virtudes morais; aos segundos, as virtudes heroicas, e aos últimos, as virtudes cristãs. De modo que nosso instituto encerra toda a filosofia dos sentimentos e toda a teologia do coração. Eis por que um dos nossos veneráveis confrades exclama:

Maçom livre, ilustre grão-mestre,
Recebe meus primeiros entusiasmos.
Em meu coração a ordem os fez nascer,
Sou feliz porque tão nobres esforços
Fazem-me merecer tua estima
E me elevam ao verdadeiro e ao sublime,
À primeira verdade,
À essência pura e divina,
Da alma celeste origem,
Fonte de vida e de iluminação.

Como uma filosofia triste, selvagem e misantropa afasta os homens da virtude, quiseram nossos antepassados, os cruzados, torná-la amável pela atração de prazeres inocentes, de uma música agradável, de uma alegria pura e de um contentamento razoável. Nossos festins não são o que imaginam o mundo profano e o ignorante vulgar. Todos os vícios do coração e do espírito dali são banidos e a irreligião e a libertinagem, a incredulidade e a devassidão são proscritas. Nossa refeição se parece com aquelas virtuosas ceias de Horácio, onde se exercitava tudo que pudesse ilustrar o espírito, moderar os sentimentos e inspirar o gosto pelo verdadeiro, pelo bom e pelo belo.

O noctes coenoeque Deum...
Sermo oritur, non de regnis domisbusve alienis
...sed quod magis at nos
Pertinet et nescire malum est, agitamus; utrumne
Divitis homines, an sint virtute beati;
Quidve ad amicitias usus rectumve trahat nos
Et quæ sit natura boni, summumque quid ejus.

Assim, as obrigações que a Ordem vos impõe destinam-se a proteger vossos irmãos com a vossa autoridade, a esclarecê-los com as vossas luzes, a edificá-los com as vossas virtudes, a socorrê-los em suas necessidades, a sacrificar todo ressentimento pessoal e buscar tudo quanto possa contribuir para a paz e a união da sociedade.

Não temos segredos. Estes são sinais figurativos e palavras sagradas, que compõem uma língua ora muda, ora muito eloquente, para a transmitir à maior distância e para reconhecer nossos confrades, qualquer que seja sua língua. Eram palavras de guerra que os cruzados davam-se uns aos outros para se prevenir contra surpresas dos sarracenos, que se infiltravam frequentemente entre eles, com o objetivo de os degolar. Esses sinais e essas palavras são um lembrete ou de alguma parte de nossa ciência, ou de alguma virtude moral ou de algum mistério da fé. Aconteceu conosco o que não aconteceu a quase nenhuma outra sociedade. Nossas Lojas foram fundadas e se espalharam em todas as nações civilizadas e, todavia, entre um tão grande número de homens jamais nenhum de nossos confrades traiu nossos segredos. Os espíritos mais levianos, os mais indiscretos, os menos instruídos, para se calar, aprendem esta grande ciência ao entrar para a nossa sociedade. Tamanha é a força sobre os espíritos exercida por tão grande ideia de união fraternal! Esse segredo inviolável contribui fortemente para ligar os indivíduos de todas as nações e para tornar fácil e mútua a comunicação dos benefícios entre nós. Temos vários exemplos disso nos anais de nossa Ordem. Nossos irmãos que viajavam por diversos países não precisavam fazer outra coisa que se fazer reconhecer em nossas Lojas para ali serem cumulados imediatamente de todas as formas de auxílio; mesmo nos tempos de guerras mais sangrentas, ilustres prisioneiros encontraram irmãos onde só esperavam encontrar inimigos.

Se alguém faltasse às promessas solenes que nos unem, sabei, senhores, que a pena que lhe imporíamos seriam os remorsos da consciência, a vergonha de sua perfídia e a expulsão de nossa sociedade, conforme as belas palavras de Horácio:

Est et fideli tuta silentio
Merces; vetabo qui Ceresis sacrum
Vulgaris arcanum; sub iisdem

Sit trabibus, fragilemque mecum
Salvat phaselum...

Sim, meus senhores, as famosas festas de Ceres em Elêusis, de Ísis no Egito, de Minerva em Atenas, de Urânio entre os fenícios e de Diana na Cítia tinham relação com as nossas. Ali se celebravam mistérios, nos quais se achavam vários vestígios da antiga religião de Noé e dos Patriarcas. Terminavam com banquetes e libações e ali não se conheciam nem a intemperança, nem os excessos em que os pagãos caíram aos poucos. A origem dessa infâmia foi a admissão de um e de outro sexo às assembleias noturnas contra a instituição primitiva. Foi para prevenir contra tais abusos que as mulheres foram excluídas de nossa ordem. Não somos tão injustos para considerar o sexo como incapaz do segredo. Mas a sua presença poderia alterar insensivelmente a pureza de nossas máximas e de nossos costumes.

A quarta qualidade requerida em nossa Ordem é o gosto pelas ciências úteis e pelas artes liberais. Assim exige a ordem de cada um de vós a contribuição, por vossa proteção, por vossa liberalidade ou por vosso trabalho, para uma imensa obra, para a qual nenhuma academia seria suficiente, porque sendo todas essas sociedades compostas de uma quantidade muito pequena de membros, seu trabalho não pode abranger um objetivo tão extenso. Todos os grãos-mestres da Alemanha, da Inglaterra, da Itália e de outros países exortam todos os sábios e todos os artífices da confraria para que se unam e forneçam a matéria para um dicionário universal das artes liberais e das ciências úteis, só excetuadas as da teologia e da política. A obra já foi iniciada em Londres e com a união de nossos confrades será possível levá-la à perfeição dentro de poucos anos. Ali se explicam não só as palavras técnicas e sua etimologia, como também a história de cada ciência e de cada arte, seus princípios e maneira de operar. Com isso se reunirão as luzes de todas as nações numa só obra, que será como uma biblioteca universal do que há de belo, de grandioso, de luminoso, de sólido e de útil em todas as ciências e em todas as artes nobres.

Essa obra aumentará em cada século, conforme o aumento das luzes, e difundirá por toda parte a emulação e o gosto pelas coisas belas e úteis.

O nome franco-maçom não deve, portanto, ser tomado num sentido literal, grosseiro e material, como se nossos instituidores tivessem sido simples trabalhadores em pedra ou gênios puramente curiosos, que quisessem aperfeiçoar as artes. Eles eram não só hábeis arquitetos, que queriam consagrar seus talentos e seus bens à construção dos templos exteriores, mas também príncipes religiosos e guerreiros, que quiseram iluminar, edificar e proteger os templos vivos do Altíssimo. É o que vos pretendo mostrar, ao vos expor a história, ou antes, a renovação da Ordem.

Cada família, cada república, cada império, cuja origem se perde numa antiguidade obscura, tem sua fábula e sua verdade, sua lenda e sua história. Há quem remonte nossa instituição aos tempos de Salomão, outros a Moisés, outros a Abraão, alguns até a Noé e mesmo até a Enoque que construiu a primeira cidade, ou até a Adão. Sem pretender negar essas origens, passo a coisas menos antigas. Eis aqui, portanto, uma parte do que recolhi nos antigos anais da Grã-Bretanha, nas atas do Parlamento britânico, que se referem muitas vezes aos nossos privilégios, e na tradição viva da nação inglesa, que foi o centro de nossa confraria a partir do século XI.

No tempo dos cruzados na Palestina, vários príncipes, senhores e cidadãos uniram-se e professaram o voto de reconstruir os templos dos cristãos na Terra Santa e de se empenharem na reconstituição de sua arquitetura primitiva. Estabeleceram vários sinais antigos e palavras simbólicas tirados do fundo da religião para se fazer conhecer entre si em meio aos infiéis e sarracenos. Esses sinais e essas palavras só eram comunicados àqueles que prometiam, solenemente, e muitas vezes ao pé dos altares, jamais os revelar. Essa promessa sagrada não era, portanto, um juramento execrável, como é tachada, mas um bem respeitável para unir os cristãos de todas as nações numa mesma irmandade. Pouco tempo depois, nossa Ordem se uniu intimamente com os cavaleiros de são João de Jerusalém. Desde então, nossas Lojas trouxeram todas o nome de Lojas de São João. Essa união se fez a exemplo dos israelitas, quando levantaram o segundo templo. Enquanto manejavam a trolha e a argamassa com uma mão, traziam a espada e o escudo na outra.

Nossa ordem não deve ser, por conseguinte, considerada como uma renovação das bacanais, mas como uma ordem moral, fundada na antiguidade e renovada na Terra Santa por nossos antepassados para restabelecer as mais sublimes verdades em meio aos inocentes prazeres da sociedade. Os reis, os príncipes e os senhores, de volta da Palestina para seus Estados, ali fundaram diversas Lojas. No tempo dos derradeiros cruzados, viam-se várias Lojas estabelecidas na Alemanha, na Itália, na Espanha, na França e daqui para a Escócia, dada a estreita aliança dos escoceses com os franceses. Jacques, Lord Steward da Escócia, era o grão-mestre de uma Loja estabelecida em Kilwin, no oeste da Escócia no ano MCCXXXVI, pouco depois da morte de Alexandre III, rei da Escócia, e um pouco antes de Jean Baliol subir ao trono. Esse senhor recebeu como franco-maçons, em sua Loja, os condes de Glocester e de Ulster, um inglês, o outro, irlandês.

Pouco a pouco nossas Lojas e nossas solenidades foram negligenciadas na maioria dos lugares. Daí a razão de, entre tantos historiadores, só os da Grã-Bretanha falarem de nossa Ordem. Ela, todavia, se conservou em seu esplendor entre os escoceses, a quem nossos reis (da França) confiaram durante vários séculos a guarda de suas sagradas pessoas.

Após os deploráveis reveses dos cruzados, da deterioração dos exércitos cristãos e do triunfo de Bendoidar, sudão do Egito, durante a oitava e última cruzada, o grande príncipe Eduardo, filho de Henrique III, rei da Inglaterra, vendo que não havia mais segurança para seus confrades na Terra Santa de onde se retiravam as tropas cristãs, os reconduziu todos, e essa colônia de irmãos estabeleceu-se na Inglaterra. Como esse príncipe tinha tudo que faz os heróis, amou as belas-artes, declarou-se protetor de nossa Ordem, concedeu-lhe novos privilégios e então os membros dessa confraria assumiram o nome de franco-maçons, a exemplo de seus antepassados.

A partir dessa época, a Grã-Bretanha foi a sede de nossa Ordem, a conservadora de nossas leis e a depositária de nossos segredos. As discórdias fatais de religião que tumultuaram e dilaceraram a Europa no século XVI levaram à degeneração da nobreza de origem da Ordem. Vários ritos e usos que eram contrários aos preconceitos do tempo foram mudados, disfarçados ou suprimidos. Foi assim que muitos de nossos confrades esqueceram, como os antigos judeus, o espírito de nossas leis, e delas não retiveram senão a letra e a casca. Alguns remédios começaram a ser aplicados. Não se trata senão de continuar e de reconduzir tudo à sua primeira instituição. Esta obra não pode ser muito difícil num Estado em que a religião e o Governo não poderiam ser senão favoráveis às nossas leis.

Das Ilhas Britânicas a arte real começa a se estender na França, sob o reinado do mais amável dos reis, cuja humanidade anima todas as virtudes, e sob o ministério de um mentor que realizou tudo o que se poderia imaginar de fabuloso. Nessa época feliz em que o amor à paz tornou-se a virtude dos heróis, a nação, uma das mais espirituais da Europa, tornar-se-á o centro da Ordem. Ela se estenderá sobre nossas obras, nossos estatutos e nossos costumes, a graça, a delicadeza, o bom gosto, qualidades essenciais numa Ordem cuja base é a sabedoria, a força e a beleza do gênio. Será em nossas Lojas, no futuro, como nas escolas públicas, que os franceses verão sem viajar os caracteres de todas as nações, e que os estrangeiros aprenderão, por experiência, que a França é a pátria de todos os povos. *Patria gentis humanae*.

III. Ritual dos Bons Companheiros lenhadores da floresta da Loja de Macon (1751)

— Salve, meu bom companheiro lenhador.
R. — Salve, M. B. C. L.
Os *instrumentos* que ali se representam por movimentos são: a alavanca, o relho de arado, a cunha, as cunhas, o maço ou pé de cabra, a serra, a lima, as chaves da oficina (os dez dedos), a gazua, a forquilha bem afiada.
Há sete espécies de madeira, a saber: a picada, a vermelha, a zelada, a ensebada, a ramosa, a madeira que vira para a direita e a madeira que vira para a esquerda.
P. — Vossa madeira vira bem, M. B. C. L.?
R. — É preciso revirá-la, M. B. C. L.
P. — O que é preciso fazer para a revirar?
R. — É preciso bater três vezes na ponta mais alta.
P. — De um pedaço quantas peças se tiram?
R. — Três peças.
P. — E como se tiram três peças de um pedaço escolhido?
R. — É fazer de um bom postulante um bom companheiro lenhador.
P. — Onde está, portanto, a mais *bela* árvore da floresta?
R. — Mostra-se com a mão direita o meio do corpo.
P. — Qual é a árvore mais cheia de ramos?
R. — Toca-se na cabeça.
P. — Qual é a árvore mais alta da Loja?
R. — Toca-se no alto da cabeça.
P. — Qual é a árvore mais aprumada?

R. — Mostra-se o *dedo indicador*.

P. — Qual é a árvore mais nodosa?

R. — Levam-se as duas mãos aos joelhos.

P. — Qual é o tronco da árvore?

R. — Toca-se no tronco do corpo, pondo as pontas dos dedos nos lados.

P. — Qual é a árvore de dez ramos?

R. — Mostram-se os dez dedos abertos.

P. — Qual é a árvore de dez ramos cruzados?

R. — Cruzam-se as duas mãos abertas.

P. — Qual é a árvore cruzada?

R. — Cruzam-se os braços.

P. — Quais são as árvores mais curvas?

R. — Põe-se a mão direita num lado, inclinando-se um pouco para o mesmo lado.

P. — Onde estão os pés angulares?

R. — Mostram-se os quatro dedos da mão esquerda, sem o polegar.

P. — Quais são os mais belos lugares da Loja?

R. — Os *olhos*, as *orelhas*, o *nariz*, a *boca*, os *dedos*.

P. — Qual é a casca mais fina?

R. — A camisa.

P. — Qual é a casca mais grossa?

R. — A veste.

P. — Por onde se passa na floresta?

R. — Pelo pé angular.

P. — Onde está o pé angular?

R. — Na entrada da floresta.

P. — Qual é a folha mais limpa e a mais verde da Loja?

R. — O azevinho.

P. — Qual é o caminho que conduz à água?

R. — É o caminho mais trilhado.

P. — Onde é o meio da Loja?

R. — Inclina-se como se fosse cumprimentar e marca-se com o dedo o meio da mão.

P. — O que é um império?

R. — Quando um bom companheiro lenhador põe menos peças do que é necessário numa pilha.

P. — Onde o rouxinol faz o seu ninho?

R. — Na ilha, sobre o Verne.

P. — Como se gira a roda?

R. — Passa-se o indicador sobre o dedo médio e se junta o polegar ao quarto e ao quinto dedos.

P. — Onde está a vossa medida?

R. — Mostra-se o meio do braço.

P. — Quantas são as espécies de regiões?

R. — Três espécies: a região alta, a região baixa e de vertente.

P. — Onde é a região mais alta?

R. — Marca-se com o dedo a *dobra* do braço e do antebraço.

P. — Onde é a região baixa?

R. — Aponta-se o meio do braço com o dedo.

P. — Onde está a região de vertente?

R. — Aponta-se a cova da mão com o dedo.

P. — Por onde *passastes*?

R. — Pela Câmara de Honra do bom companheiro lenhador.

P. — Por que razão fostes elevado a mestre?

R. — É o *pão* e o *vinho* da hospitalidade que foi dispensada no dia de minha mestria na Câmara de Honra do B. C. L.

P. — Onde está vosso pai?

R. — Elevam-se os olhos para o céu.

P. — Onde está vossa mãe?

R. — Abaixam-se os olhos para a terra.

P. — Onde está vosso padrinho?

R. — Vira-se a cabeça para a direita e mostra-se seu primeiro botão.

P. — Onde está vossa madrinha?

R. — Volta-se a cabeça para a esquerda e mostra-se sua primeira casa de botão.

P. — Em que lugar um B. C. L. põe a melhor peça de sua oficina?

R. — Na mão.

P. — Onde está a conduta de um B. C. L?
R. — Põe-se a mão na axila.
P. — Onde está o guardanapo do B. C. L?
R. — Mostra-se a camisa.

Canção do bom companheiro lenhador

Celebremos nossa mestria
As vantagens e a concórdia,
Jamais, e falo com franqueza,
Houve algo tão encantador.
Nossa sorte é digna de inveja,
Entre nós reina a verdadeira felicidade
Que pode ser usufruída nesta vida
Por todo mestre companheiro lenhador.

Para conhecer seu mistério
E a revelação dos sinais,
Antes de tudo é preciso saber calar,
Ser discreto, sábio e prudente:
E para conhecer suas vantagens,
Entrai na loja de honra;
Um pé angular é a passagem
Para um bom companheiro lenhador.

Em nossa arte que se chama enigmática,
Tudo é claro, tudo é purificado;
A união e a virtude são sua glória,
Nossos prazeres, tudo é medido.
O pudor e toda a inocência
Imperam em nossas câmaras de honra;
Nada de venda, tudo é luz
Para um bom neófito lenhador.

Se amais a solidão,
A paz, os prazeres inocentes,
Nossas florestas, sem inquietação,
Vo-los oferecem os mais encantadores.
Aqui, livres dos rumores do mundo,
Baco prodigaliza seus favores;
Riem-se e se saúdam em volta
Todos os bons companheiros lenhadores.

Esta arte, pelo deus do trovão
E pela companhia dos imortais,
Foi trazida à terra
Para lhes erguer altares.
Sem ela Baco estaria sem a curvatura de uma abóbada,
E que seria feito de todos os nossos labores?
Estaríamos na bela estrela
Sem os bons companheiros lenhadores.

Assim, primos da floresta,
Tomemos todos a taça,
Brindemos, cantemos todos à vontade,
Exaltemos nosso destino feliz,
Se algum neófito desejar
Provar as doçuras de nossa arte,
Ajudemo-lo, mas nada de imposição
Entre os bons companheiros lenhadores.

IV. Quadro das irmãs da Loja *La Candeur* [A Candura] do Oriente de Paris, 1779

IRMÃS DIGNATÁRIAS

Sereníssima Ir∴ duquesa de Bourbon, grã-mestra da ordem e da Loja *La Candeur*, maçona perfeita.
Il∴:
Condessa de Brienne, representante da Sereníssima Ir∴ grã-mestra da L∴ *Sublime Écossaise* (Sublime Escocesa).
Condessa de Brassac, grande inspetora escocesa.
Condessa Carlota de Polignac, depositária, maçona perfeita.
Condessa Dessalles, oradora, mestra.
Marquesa de Havincourt, introdutora, mestra.

IRMÃS DA LOJA DE ACORDO COM A ORDEM DE RECEPÇÃO

Il∴:
Viscondessa de Faudoas, mestra.
Condessa de Espinchal, mestra.
Marquesa de Monteil, *sublime escocesa*.
Marquesa de Bréhaut, escocesa.
Primeira presidenta de Nicolai, *sublime escocesa*.
Condessa de Trévières, companheira.
De Vannes, mestra.
Condessa de Béthisy, maçona perfeita.

Condessa d'Auvet, maçona perfeita.
Condessa d'Erlack, mestra.
Condessa Jules de Rochechouart, companheira.
Marquesa de Bercy, mestra.
Condessa de Praslin, companheira.
Condessa de La Fare, companheira.
Condessa d'Ambrugeac, aprendiz.
A Loja situa-se na rue des Petits-Écuries-du-Roi, no jardim de *L'Amitié*, bairro de Saint-Denis.

QUADRO DAS IRMÃS

Sua alteza sereníssima, a irmã duquesa de Bourbon, princesa de sangue, grã-mestra da Ordem de Adoção e grã-mestra particular da L∴ *La Candeur*.

LA CANDEUR

Sua alteza sereníssima, a irmã duquesa de Chartres, princesa de sangue, mestra perfeita.

II∴

Condessa de Dauvet, representante da sereníssima irmã grã--mestra, *sublime escocesa*.

Condessa de Brienne, ex-representante da sereníssima irmã grã-mestra, *sublime escocesa*.

Primeira presidenta de Nicolaï, primeira inspetora, *sublime escocesa*.

De Persan, segunda inspetora, *sublime escocesa*.

Condessa de La Ferté-Meun, oradora, mestra perfeita.

Condessa de Brassac, secretária, *sublime escocesa*.

Marquesa de Goulet, depositária, mestra.
De Vannes, mestra de cerimônias, mestra.
Condessa d'Ambrugeac, chanceler, mestra perfeita.
Marquesa de Monteil, *sublime escocesa*.
Condessa de Praslin, companheira.
Marquesa de Brihaut, *sublime escocesa*.
Condessa Charlotte de Polignac, mestra perfeita.
Condessa de Salles, mestra.
Condessa de Trévières, mestra,
Condessa Despinchal, mestra.
Condessa de Béthisy, mestra.
Condessa Derlak, companheira.
Condessa de Rochechouart, companheira.
Marquesa de La Guiche, aprendiz.
Marquesa de Persan, companheira.
Marquesa de Rennepont, mestra.
Marquesa de Bouzols, aprendiz.
Condessa de Colbert, mestra.
Condessa de Chastenet-Puységur, aprendiz.
Marquesa de La Salle, mestra perfeita.
Viscondessa de Choiseul-Meuse, aprendiz.
Marquesa de Sainte-Clair, aprendiz.
Marquesa de Gouy-d'Arsy, mestra.
De Fourqueux, companheira.

IRMÃS ASSOCIADAS HONORÁRIAS

II.·.:
Leopoldina Landgrave, princesa de Hesse-Rheinsfeld, aprendiz.

Teresa de Montalto Sangro, dama de honra da rainha de Nápoles, grande inspetora da L∴ de adoção do O∴ de Nápoles. AR∴ I∴ grã-mestra da R∴ L∴ de *Saint-Louis*, do regimento de infantaria do rei, irmã iniciada em *La Candeur*. A R∴ I∴, grã-mestra da R∴ L∴ da *Fidelité* (Fidelidade), no O∴ de Paris, iniciada na Loja *La Candeur*.

ESTATUTOS PARA AS LOJAS DE ADOÇÃO (1817)

Artigo 1
Nenhuma mestra poderá jamais reunir uma Loja, nem proceder a admissões, se não for constituída por um grão-mestre e sem ser por ele autorizada.

Artigo 2
A Loja, para proceder a recepções, será sempre composta de uma Ven∴ Mestra, duas supervisoras, uma sec∴, uma tes∴ e uma mestra de cerimônias.

Artigo 3
Nenhuma mulher, qualquer que seja sua condição, será admitida na sociedade se não tiver sido proposta à Loja anterior. A Ven∴ Mestra pedirá a seus assistentes que investiguem se não existe nada contra a proposta e que, nesse sentido, seja feito o relatório circunstanciado à Loja.

Artigo 4
Se os votos forem favoráveis à proposta, ela tomará conhecimento disso a fim de que saiba qual será o dia estabelecido para a sua recepção. Se os votos forem contrários, será igualmente avisada e lhe será dito com honestidade da impossibilidade de sua admissão.

Artigo 5
Nenhuma mulher grávida ou na época crítica poderá ser admitida à recepção.

Artigo 6
Nenhuma mulher poderá ser admitida antes de completar dezoito anos de idade.

Artigo 7
Os atestados de vida e de costumes serão lidos na Loja pelo sec∴ da Loja; e quando ocorrer a rejeição de uma recipiendária, é expressamente proibido, a quem quer que seja, falar sobre isso a alguém. Esta proibição estende-se também aos irmãos ou irmãs da Loja que não se encontravam na reunião no dia em que a proposta foi rejeitada. A violação dessa proibição merece punição para o seu autor, e quando se tiver constatado que tal irmão ou tal irmã teria sido indiscreto ou indiscreta, a exclusão da Loja será pronunciada por unanimidade.

Artigo 8
Procurar-se-á saber exatamente se as irmãs são sábias e circunspectas no mundo. Se alguma deixar de observar estritamente os estatutos e seus compromissos maç∴, será repreendida com doçura, numa reunião da Loja, pela primeira vez; mas à segunda será registrada e, à terceira, será expulsa de uma vez da sociedade.

Artigo 9
Quando uma irmã não se sentir em condições de observar a mais estrita decência durante a recepção, pedirá imediatamente para se retirar; se não o fizer, será convidada a fazê-lo.

Artigo 10
Se irmãs desconhecidas se apresentarem, serão rigorosamente examinadas antes de lhes ser permitida a entrada. Nesse caso,

ter-se-á o cuidado de convidá-las a se cobrirem antes de entrar. Se forem eleitas escocesas, serão colocadas à direita e à esquerda da mestra, de acordo com a antiguidade de sua recepção.

Artigo 11
Os presentes estatutos serão observados com o maior rigor possível e cada recipiendária prometerá, num compromisso particular, a eles se conformar sem reservas; aquela que a isso se recusar será dispensada imediatamente.

RESUMO DO RITUAL

Os dignatários de uma Loja de adoção eram: um grão-mestre, uma grã-mestra; um Ir∴ 1º supervisor, uma irmã inspetora; um Ir∴ 2º supervisor, uma irmã depositária; um Ir∴ orador; uma irmã tesoureira.

Havia cinco graus:
A aprendiz maçona; a companheira; a mestra; a mestra perfeita e a eleita escocesa.

A Loja do grau de aprendiz representa as quatro partes do mundo: a Europa, a Ásia, a África e a América.

O V∴ senta-se na Ásia, tendo diante dele um altar. A grande inspetora está à sua direita; veste-se de branco. O V∴ acrescenta às suas vestes ordinárias uma faixa azul, de cuja parte inferior pende um martelo na forma de T.

Traz o chapéu na cabeça, segura uma espada com a mão esquerda e uma trolha com a mão direita. Sobre o altar encontra-se um vaso contendo pasta para pôr o selo da discrição, com a ajuda de uma trolha que deve estar dentro do vaso. À abertura da L∴, o Ven∴ pergunta ao grande inspetor:

P. — Quais são os deveres de uma perfeita maçona?

R. — Amar, socorrer, proteger e respeitar seus irmãos e irmãs, sobretudo no infortúnio.

O Ven∴ diz: "Continuemos, portanto, a nos amar, proteger e socorrer-nos mutuamente em todas as ocasiões".

Bate cinco vezes, repetindo cinco vezes: E∴ E∴ E∴!
A Loja está aberta.

Para se receber uma mulher no grau de aprendiz, põe-se a recipiendária num lugar escuro. Uma irmã, colocada junto dela, prepara-a para resistir com firmeza às terríveis provas por que vai passar. Em seguida, tira-lhe a liga da meia esquerda e põe no lugar uma outra de fita azul; tira-lhe a luva direita, arregaça-lhe a manga direita e lhe cobre os olhos com uma venda.

Assim feito, a irmã apresenta a recipiendária à porta do Templo, na qual bate cinco vezes.

Após lhe perguntar o nome, a idade, a qualidade da postulante e se ninguém se opõe à sua admissão, o Ven∴ diz então: "Levai-a ao quarto do segredo e fazei-a passar pela prova da besta venenosa; em seguida, introduzi-a na Loja".

A recipiendária é conduzida ao quarto de onde foi tirada e na sua mão é colocada uma serpente figurada.

Em seguida, a irmã a reconduz à Loja e a entrega nas mãos do G∴ Insp∴, após haver batido na porta.

O Insp∴ deixa a recipiendária no meio do Templo e vai colocar-se à esquerda do Ven∴ e lhe pergunta: "É a Senhora que deseja tornar-se maçona?". Pergunta então o Ven∴: "É de vossa livre espontânea vontade, senhora?". Após a resposta da recipiendária, lhe pergunta: "Refletistes bem, antes de vos decidir a entrar para uma ordem tão respeitável?". Após a resposta, acrescenta: "Não vos aconteceu algum dia acreditar que os maçons estão sujeitos a vícios infames, contrários à virtude e à probidade?". Após a resposta, volta-se para o Ir∴ Insp∴ e lhe diz: "Ir∴ Inp∴, fazei a recipiendária passar sob a abóbada de aço; em seguida, levai-a a viajar do norte ao ocidente, fazendo-a passar *severamente* pela prova do fogo". O inspector leva-a a viajar três vezes do norte ao ocidente e duas vezes em torno de duas terrinas sobre as quais manda pôr a mão; em seguida diz: "Ela viajou" e a faz voltar-se para o lado do esqueleto. O Ven∴ diz então ao G∴ Insp∴: "Fazei-a ver todo o horror de seu estado". A venda é retirada e imediatamente os dois Ir∴ Terr∴ agitam seus archotes. O Ven∴ diz em seguida: "Deixai-

-a refletir por um momento sobre seu estado atual". Um instante depois, acrescenta: "Fazei-a passar da morte para a vida, conduzindo-a à estrela do Or∴ com cinco passos". Então os dois Ir∴ Terr∴ voltam-na, num instante, e até bruscamente, na direção do Or∴; o Insp∴ manda-a dar os cinco passos na direção do Ven∴, dizendo-lhe para prestar atenção ao que vai dizer a grande inspetora.

Segue o discurso do orador. — A recipiendária faz seu juramento. Feito o juramento, o Ven∴ lhe transmite as palavras, sinais e toques.

Isso feito, o Ven∴ abraça a recipiendária e lhe diz: "Mudo a condição de *senhora* para a condição de *irmã*, apresentando-vos uma liga de meia na qual estão escritas as palavras *Silêncio, Virtude*". Então a grande inspetora tira-lhe a que está usando e a substitui por esta. O Gr∴ Insp∴ lhe oferece em seguida as luvas e um avental branco, com que a veste, dizendo-lhe: "Eu vos decoro com o avental de uma Ordem respeitável; o avental é duas vezes branco, para vos lembrar a candura que devem sempre apresentar um maçom e uma maçona".

Depois disso, segue o beijo de associação de todos os irmãos e irmãs, com a palavra, e o toque, passando, em seguida, a recipiendária ao clima da América para ouvir a instrução que lhe é feita pelo Ven∴ e a explicação do quadro colocado no meio do jardim.

No grau de companheira, os dignatários são os mesmos e ocupam os mesmos lugares. Sobre a mesa do Ven∴ está uma maçã artificial dentro de uma caixa; ao lado dessa caixa está um prato com maçãs; do outro lado, um vaso cheio de massa.

A grande inspetora conduz a candidata à sala de reflexões, tira-lhe o brinco da orelha esquerda e lhe diz: "Todo maçom deve desprezar os vãos ornamentos do mundo". Cobre-lhe os olhos. Isso feito, a conduz novamente à porta da Loja, depois de haver batido cinco vezes, com batidas iguais.

O Gr∴ Insp∴ pergunta: "Quem bate e o que deseja?". A grande inspetora diz: "É uma aprendiz que deseja ser recebida como companheira". Introduzida, a grande insp∴ manda-a fazer cinco voltas em torno da mesa diante do Ven∴; em seguida, a conduz à parte inferior da Loja, onde a Insp∴ lhe põe uma cadeia nas duas mãos, passando-a por cima do pescoço.

O Ven∴ diz então: "Fazei-a ver a imagem da sedução e a origem de seu pecado e conduzi-a, em seguida, ao altar da discrição".

Após um discurso, a Insp∴ manda-a fazer seu juramento, que é o mesmo do grau de Apr∴.. Isso feito, apresenta-lhe uma maçã e lhe diz: "Mordei esta maçã sem atingir a semente que é o germe e a fonte de todos os nossos vícios". Após esta cerimônia, aplica-lhe o selo da discrição, pondo-lhe massa na boca com uma trolha, com cinco pequenos toques, e lhe diz: "Aplico-vos o selo da Maç∴ na boca para vos fazer lembrar de jamais a abrir para divulgar nossos santos mistérios". O Ven∴ limpa, em seguida, a boca da recipiendária, abraça-a e transmite-lhe as palavras, sinais e toques. O Ven∴ manda, em seguida, reconhecer e aplaudir a cerimônia.

O dever das companheiras é obedecer, escutar, trabalhar e se calar.

Para o terceiro grau, a Loja é iluminada com treze luminárias: sete ao Sul e seis ao Norte.

O Insp∴, instalado como nos dois graus precedentes, tem atrás dele uma mesa em cima da qual está uma caixa que se abre com uma mola. Essa caixa contém um coração, sobre o qual está escrito: silêncio e virtude. Ao lado dessa caixa, estão um pequeno maço e um pequeno formão de Maç∴. A decoração para as mestras é uma faixa de seda azul brilhante, um manto atravessado do ombro esquerdo para a direita da cintura, de cuja parte inferior pende uma trolha de ouro ou de cobre dourado.

Do mesmo modo que nos dois graus anteriores, a recipiendária é retirada da sala de reflexões com um grande lenço branco no pescoço, símbolo da modéstia. A grande inspetora introduz a candidata, depois de bater na porta e de ter respondido às perguntas feitas pelo venerável.

Introduzida no Templo, diz-lhe o Ven∴: "Fazei ver à recipiendária o que deve encerrar a obra dos Maç∴". Os olhos da recipiendária são descobertos e, com cinco passos, é conduzida na direção da mesa onde se encontra a caixa.

O Ven∴ lhe pergunta: "É da vossa livre e espontânea vontade ser recebida como mestra e persistis na guarda do mais absoluto silêncio sobre tudo que virdes e ouvirdes?". Após a resposta, continua o venerável: "Mandai-a trabalhar, irmão grande inspetor". Este lhe apresenta o formão e o maço, mandando-lhe bater cinco vezes; a caixa se abre. Diz o Gr∴ Insp∴ ao Venerável: "A irmã trabalhou". Pergunta o Ven∴: "Que produziu o trabalho?". Responde o Insp∴: "Um coração que encerra *silêncio e virtude*".

Após o discurso do orador, o Ven∴ pergunta-lhe: "Persistis nos juramentos anteriores que haveis prestado diante de nós?". Após a resposta, o Gr∴ Insp∴ a conduz ao pé do trono; ali, o Ven∴ a recebe como mestra, abraça-a e lhe dá as palavras, os sinais e os toques que ela transmite ao Gr∴ Insp∴ e à Gr∴ Insp∴, que a abraçam e dão conta ao Ven∴.

Para encerrar os trabalhos, o Ven∴ diz: "Meus irmãos e minhas irmãs, a torre de Babel foi derrubada; a paz e a concórdia foram restabelecidas; ouvimos, obedecemos e trabalhamos; calamo-nos: a Loja de mestria está encerrada".

No quarto grau, o da Maçonaria perfeita, o trono do Ven∴ está entre duas colunas de cinco pés de altura, em ferro branco. As duas colunas são unidas por um arco-íris transparente.

A coluna à direita do mestre é cheia de orifícios na forma de estrelas, para deixar passar o brilho de uma luz que será colocada por detrás. Essa coluna representa aquela coluna de fogo que precedia os israelitas durante a noite no deserto.

A coluna da esquerda não é furada e representa aquela que escondia a luz do dia aos egípcios.

O altar do Ven∴ deve ser colocado quase sob o arco-íris.

A recipiendária está sozinha na sala de preparação, onde o Ir∴ Introd∴ vai buscá-la e lhe faz algumas perguntas sobre os três graus precedentes. Pergunta-lhe, em seguida, se deseja sinceramente chegar à perfeição. Após sua resposta, dirige-lhe uma preleção apropriada. Feita essa exortação, o Ir∴ Introd∴ deixa a recipiendária por alguns instantes entregue às suas reflexões. Vai buscar na Loja um vaso de metal opaco, emborcado sobre um prato, encerrando dentro dele um pássaro vivo.

De duas polegadas de espessura, o contorno do vaso é coberto de areia muito fina disposta da maneira mais uniforme possível. O Ir∴ Introd∴ leva o conjunto nesse estado até a candidata, dizendo-lhe tratar-se de um depósito precioso que lhe é confiado, com a proibição de tocá-lo sem ordem do Ven∴, a quem dentro em pouco será apresentada. A candidata é deixada durante algum tempo entregue a si mesma para ver se será tentada a destampar o vaso. Se vier a fazê-lo, a areia se espalhará com o voo do pássaro. Então, sem qualquer consideração, o Ven∴ lhe faz graves reprimendas por sua leviandade, por sua indiscrição, por sua curiosidade e falta de palavra e acaba dizendo-lhe que estando, por esta vez, indigna da perfeição, deverá lutar por meio de novos trabalhos para conquistar a felicidade de ser recebida como perfeita; e, uma vez aberta a L∴ de mesa, é condenada a uma pena pecuniária em favor dos pobres.

Se, pelo contrário, a candidata não descobre o vaso e nada é desarrumado, o Ir∴ Introd∴ lhe anuncia que, pelo preço de sua discrição, irá receber o grau de perfeita maçona. Mandará que tome prudentemente o prato que contém o vaso e, depois de lavar as mãos, conduz a recipiendária à porta da Loja, na qual bate cinco vezes.

Procede-se, em seguida, à iniciação do grau.

O Ven∴ faz as seguintes perguntas ao Insp∴ ou à inspetora:

P. — Ir∴ Insp∴ (ou irmã Insp∴), que resultado obteve a Ir∴ ... de seu trabalho?

R. — Venerabilíssimo, no primeiro dia apliquei o formão para afastar e eliminar o ócio e todos os falsos preconceitos sobre a Maçonaria.

No segundo dia, começou a fortalecer o meu trabalho e me fez conhecer a excelência de nossa Ordem.

No terceiro dia, ensinou-me a arte dos Maç∴ livres, isto é, de amar a honra e tornar doces e complacentes os corações mais duros e mais cruéis.

No quarto dia, abriu-me o coração dos Maç∴, que distribui seus benefícios com todos os seus semelhantes e evita, como um dever, fazer críticas a qualquer de seus irmãos que se afaste dos verdadeiros princípios.

O Ven∴ diz: "Ir∴ Insp∴, trazei a recipiendária, que lhe darei a recompensa por seu trabalho".

O Ven∴ lhe dá então um par de meias de seda azul, nas quais estão bordados dois corações e as seguintes palavras partilham as duas meias:

A verdade nos uniu
O céu nos recompensa

Passa-lhe também um pequeno martelo de ouro com um anel que se abre e sobre o qual está escrito o segredo.

Em seguida, adorna a irmã com uma estrela de cinco pontas, sobre as quais são colocadas estas cinco letras D. C. V. P. L.; a estrela pende debaixo de uma faixa branca a tiracolo.

Para o quinto grau, a eleita escocesa, a L∴ deve estar atapetada em amarelo e ser iluminada por quatro luminárias; um livro do Evangelho está sobre o altar do respeitabilíssimo.

O avental é branco, com forro amarelo, e uma estrela bordada em prata acima do peito: a estrela está encerrada num quadrado.

O mestre da L∴ toma o título de respeitabilíssimo.

Para ser recebida, a candidata está só, entregue às suas reflexões durante um quarto de hora; em seguida, é conduzida, com os olhos cobertos, à porta da Loja pela grande inspetora, que lhe retira a touca e lhe põe um grande lenço no pescoço.

A inspetora manda-a lavar as mãos e a testa e lhe prende os dois braços em torno do corpo com uma faixa amarela; em seguida, a conduz à porta da Loja, na qual bate duas vezes, e a entrega nas mãos do inspetor que veio recebê-la e a faz descrever quatro voltas diante do respeitabilíssimo e a um pé do quadrado da Loja. Começa então o interrogatório para saber se ela é realmente maçona e é dada a ordem para lhe ser retirada a venda dos olhos para que veja a luz.

Imediatamente lhe é retirada a cobertura dos olhos; todos os Ir∴ lhe apontam a espada ao coração e o mestre lhe diz: "Minha cara irmã, todas estas espadas que vedes serão tantas armas contra vós, se algum dia vos tornardes perjura; mas serão, ao contrário, para a vossa defesa, se continuais a perseverar no bem".

Quando a candidata acaba de prestar seu juramento, o respeitabilíssimo manda que se levante, retira-lhe a faixa que prendia os braços e diz: "Eu vos liberto dos grilhões do vício para vos conduzir pelos caminhos da virtude".

Ordena-lhe, em seguida, que vá abraçar todos os irmãos e irmãs, a começar pelos Of∴ e depois venha ficar ao seu lado.

De volta para junto do respeitabilíssimo, ele lhe diz: "Recebo-vos na dignidade de eleita escocesa, pelo poder que esta Resp∴ Loja me conferiu, depois de me haver julgado digno". Ele a abraça quatro vezes, adorna-a com o avental e as luvas e lhe transmite as palavras, sinal e toque.

V. Estado da Franco-Maçonaria em toda a Terra em 1787

Uma revista alemã publicou em 1787 a situação das Lojas maçônicas existentes naquela época em todo o universo. Não podemos garantir a maior ou menor exatidão de seus cálculos, embora tenhamos de convir que, em face do que existe hoje, parecem exatos.
Havia, então, segundo a revista:

Na França	703
Na Inglaterra	525
Na Prússia	304
Na Alemanha	319
Na Escócia	284
Na Irlanda	227
Na Dinamarca	192
Na Rússia	145
Na América do Norte	85
Na Holanda	79
Na Polônia	75
Na Suíça	72
Na Suécia	69
Nas ilhas inglesas do norte e do sul	67
Em Genebra	36

Nas Antilhas	11
Na Índia	10
Na Turquia	9
Na Polinésia	5
Total de Lojas	3217

Não é dito qual poderia ter sido o efetivo, mas se seguirmos o cálculo aproximativo que nos serviu para estabelecer as condições da Franco-Maçonaria na França, deveria haver na Terra, naquela época, cerca de 225 a 230 mil franco-maçons. O que há de certo, no mínimo, é que 25 anos mais tarde só as Lojas constituídas pelo Grande Oriente da França elevavam-se a 818 em plena atividade. É verdade que era império e que Napoleão via com agrado a Franco-Maçonaria. Só os regimentos possuíam, então, 70 Lojas assim divididas:

Guarda imperial	1
Infantaria de linha	37
Infantaria ligeira	17
Guardas nacionais de elite	1
Artilharia imperial	1
Sapadores	2
Couraceiros	1
Dragões	3
Caçadores montados	2
Artilharia	1
Infantaria auxiliar	3
Cavalaria auxiliar	1
Total de Lojas	70

É verdade também que dessas 818 Lojas os departamentos, posteriormente separados da França, possuíam 104, o estrangeiro, 34, as colônias francesas, dezesseis, as colônias estrangeiras, quatro, o que representava ainda 590 para a França continental da atualidade, não figurando nesse número suas Lojas militares e das colônias.

(Extrato da revista *Le Globe*, Archives générales des Sociétés Secrètes non politiques. — Tomo III, 3º ano, 1841, p. 242-243.)

VI. Decoração de uma Loja no século XVIII

DECORAÇÃO DA LOJA DA PERFEITA INTELIGÊNCIA DO ORIENTE D'ALBY[1]

A L∴ é precedida da sala dos servos, do vestíbulo, da sala de visitas e da sala de banquete.

A Loja, na forma de um quadrilongo, é decorada em seu contorno com colunas de lápis em estilo iônico: as bases e os capitéis são dourados. Os espaços entre as colunas são ocupados por nichos, nos quais são pintadas estátuas características em mármore branco em cima de pedestais.

Nos pequenos intercolúnios, vemos medalhões e em cada um deles são gravados os atributos característicos dos oficiais da Loja. O contorno da L∴ acima das colunas é decorado com mármore de Longuedoc.

Sobe-se ao trono por três degraus, que são cercados por uma série de colunas iguais às outras colunas da L∴: acima do encosto do trono está um disco de fogo que ilumina o Oriente com a sua luz brilhante. O trono é coberto com um grande dossel azul e dourado; cortinas da mesma cor saem de sob os declives do dossel e estão afastadas: laços prendem-nas à borla recortada que, no friso do circuito do trono, assume sua forma. A estrela flamejante destaca-se por sobre o trono.

---

1 Extraído de *L'État du Grand Orient de France*, t. III. 2ᵉ partie, p. 57 (1779).

Diante do trono está a mesa do venerável; em cima dela, o livro dos Estatutos da Ordem, o livro dourado, do Regulamento da L∴, títulos de reconstituição concedidos pelo Gr∴ Or∴ da França, um compasso e a joia do venerável.

As três grandes estrelas dispostas na ordem misteriosa, sustentadas por candelabros azuis e dourados, e uma grande quantidade de outras estrelas iluminam a Loja: todos os irmãos dignatários têm diante de si a mesa necessária às suas funções, com suas joias em cima.

Na frente norte à direita, do lado do Oriente, atrás do secretário, está a estátua do silêncio, na forma de uma mulher que traz o indicador da mão direita sobre os lábios.

À esquerda, do mesmo lado, atrás do orador, está a estátua da prudência na forma de uma mulher, tendo na mão um espelho e, aos seus pés, uma serpente.

A frente do Ocidente é decorada com dois nichos; o espaço entre os dois é tomado pela porta principal da Loja; no nicho do lado sul, atrás do primeiro supervisor, vê-se a estátua da fortaleza representada na forma de uma mulher apoiada numa coluna partida ao pé da qual está um leão.

No lado norte, atrás do segundo supervisor, está a estátua da justiça, representada na forma de uma mulher que segura com uma das mãos uma balança e, com a outra, uma espada.

Os supervisores são instalados junto às duas colunas simbólicas que ornam o Ocidente, tendo estas duas colunas de bronze seus capitéis ornados com maçãs vermelhas: a direita e a esquerda da Loja, em seu comprimento, são decoradas no centro por duas portas paralelas: ao lado dessas portas e do lado norte está a estátua da temperança na forma de uma mulher que entorna água num vaso e se encontra atrás do mordomo.

Abaixo, vê-se a estátua da esperança, representada por uma mulher, com uma coroa de rosas em uma das mãos, enquanto a outra apoia-se numa âncora.

O lado norte, à direita do trono, tem a mesma decoração, com a diferença de duas estátuas, das quais a primeira é a caridade, que fica atrás do tesoureiro e é representada na forma de uma mulher que amamenta seu filho; a segunda é a estátua da fé, também figurada numa mulher com os olhos vendados.

Os espaços vazios nos quatro ângulos da Loja são preenchidos por grandes troféus dourados, que contêm todos os atributos da Maçonaria.

A abóbada do edifício é ornada com uma infinidade de estrelas; o piso é coberto com um grande tapete, em cujo centro está o quadro da Loja.

Leia também:

PEQUENA HISTÓRIA DA MAÇONARIA
Biblioteca Maçônica Pensamento

C. W. Leadbeater

Charles Webster Leadbeater dispensa maiores apresentações a quem já o conhece por meio da Sociedade Teosófica, da qual foi um dos mais destacados membros. Foi ainda o "descobridor" de Krishnamurti. O que poucos sabem é que ele viveu algum tempo no Brasil, tornando-se, já novamente na Inglaterra, maçom.

Nesta obra, Leadbeater complementa seu trabalho *A vida oculta na Maçonaria* e mostra as origens mais remotas da Ordem, e como as escolas de mistérios foram se desenvolvendo até convergirem, mais tarde, na Maçonaria.

O leitor irá conhecer como a Cabala, os mistérios gregos e egípcios, tradições judaicas, druidas, rosa-cruzes e outras foram vertentes na formação do caudaloso, mas não menos misterioso, corpo de conhecimentos que a Maçonaria procura preservar.

Uma sociedade com segredos, e não uma sociedade secreta. Essa é a Maçonaria que esta obra de Leadbeater ajuda a compreender.

Editora Pensamento